# Entre a **Glória** e a **Vergonha**

MARIO ROSA

# Entre a **Glória** e a **Vergonha**

## MEMÓRIAS DE UM CONSULTOR DE CRISES

GERAÇÃO

1ª edição — Junho de 2017

Grafia atualizada segundo o Acordo Ortográfico da Língua Portuguesa
de 1990, que entrou em vigor no Brasil em 2009

Editor e *Publisher*
**Luiz Fernando Emediato**

Diretora Editorial
**Fernanda Emediato**

Assistente Editorial
**Adriana Carvalho**

Capa, Projeto Gráfico e Diagramação
**Alan Maia**

Revisão
**Marcia Benjamim**

**DADOS INTERNACIONAIS DE CATALOGAÇÃO NA PUBLICAÇÃO (CIP)**
**(Câmara Brasileira do Livro, SP, Brasil)**

---

Rosa, Mario
Entre a glória e a vergonha : memórias de um
consultor de crises / Mario Rosa. -- 1. ed. --
São Paulo : Geração Editorial, 2017.

ISBN 978-85-8130-382-6

1. Experiência de vida 2. Jornalistas - Brasil -
Autobiografia 3. Memórias autobiográficas 4. Rosa,
Mario I. Título.

17-03861 CDD: 079.81

---

**Índices para catálogo sistemático**

1. Jornalistas brasileiros : Memórias 079.81

**GERAÇÃO EDITORIAL**

Rua João Pereira, 81 – Lapa
CEP: 05074-070 – São Paulo – SP
Telefone: (+ 55 11) 3256-4444
*E-mail*: geracaoeditorial@geracaoeditorial.com.br
www.geracaoeditorial.com.br

Impresso no Brasil
*Printed in Brazil*



---

*Contato com autor: mrconsultoria@uol.com.br*

À minha melhor amiga,
minha filha Isabela.

# SUMÁRIO

© Roberto Viana

A cada canto um grande conselheiro,
Que nos quer governar cabana e vinha;
Não sabem governar sua cozinha,
E podem governar o mundo inteiro.

**Em cada porta um bem frequente olheiro,**
**Que a vida do vizinho e da vizinha**
**Pesquisa, escuta, espreita e esquadrinha,**
**Para o levar à praça e ao terreiro.**

Muitos mulatos desavergonhados,
Trazidos sob os pés os homens nobres,
Posta nas palmas toda a picardia,

Estupendas usuras nos mercados,
Todos os que não furtam muito pobres:
E eis aqui a cidade da Bahia.

*Gregório de Matos, o Boca do Inferno (1636-1696)*

# UM CAMAREIRO EM VERSALHES

Uma das coisas que mais me irritam nesses livros de gestão e de carreiras é que ninguém fala do acaso. E digo isso não por acaso.

Trinta anos atrás, antes que eu e você imaginássemos nos encontrar por aqui, um evento casual foi determinante para construir tudo o que você vai ler daqui pra frente.

Tava zanzando pela Universidade de Brasília, onde estudei, e não sei por que cruzei com uma palestra do escritor peruano Mario (*meu xará, meu Deus, percebo só agora*) Vargas Llosa.

Jornalistas não são intelectuais. Raramente são. Não conheci nenhum. Escrevemos como escrevem os autores de verdade, esses caras iluminados que criam mundos na literatura. Mas a distância que separa um texto jornalístico, por melhor que seja, a começar pelo meu, de um texto literário é a mesma entre a de um cantor de boteco e o Pavarotti. Nada contra os cantores de boteco, aliás.

Mas, considerando que não sou nenhum intelectual, foi bastante por acaso que acabei naquela palestra, naquele dia. Não sei o que fiz antes, não consigo lembrar o que fiz depois, não lembro nem mesmo da palestra em si. Vai dizer que não existe destino?

Sei que Vargas Llosa estava lá promovendo um livro dele, *A guerra do fim do mundo* (será coincidência?). É um alentado volume sobre a Guerra de Canudos. Alguém na plateia, impressionado com a riqueza de detalhes da obra, perguntou ao escritor como ele havia guardado tantas minucias. Anotações? Gravações? O quê?

Ele respondeu que percorrera o itinerário todo, conversando com todo mundo sem anotar nada, sem registrar nada. E disse, eu me lembro (*a rigor só me lembro disso*):

> **"— Achei que só ia guardar na memória o que fosse importante. O que eu esquecesse é porque não valia a pena guardar."**

E aí é que tá o destino nisso tudo. Ouvi aquela coisa e ela ficou guardada na minha cabeça, sem eu lembrar, esse tempo todo. Vivi a vida, fui em frente e somente quando fiquei grávido deste livro é que esse fragmento ressurgiu. Ele estava ali alojado para o dia em que eu pudesse compreendê-lo.

Este livro segue rigorosamente esse método aleatório que eu ouvi naquela palestra antiga. Foi aquela frasezinha, jogada ali no meio do nada, ouvida por mim e guardada por esse tempo todo, que ligou a ignição que me conduziu nesta narrativa.

Atenção, meninos e meninas, guardem o que este cara tem para lhes dizer: às vezes, um evento banal que você viveu pode ganhar sentido um dia.

O tempo é uma linha que precisamos viver para conectar os pontos.

Nossa! Nada mau para um cantor de boteco...

Se há uma coisa boa em ter vivido uma vida, sobretudo se no meio ela foi interessante, é chegar a um certo ponto e poder conectar várias coisas dispersas. É um mosaico, cheio de pedacinhos de coisas diferentes que se juntam num certo momento e formam um todo.

E aí, como na palestra que não sei por que vi, mas agora sei, esses fragmentos vão se juntando a outros e, no final, você tem uma vida cheia de cacos de vidro de diversas cores, e a sua memória cola essas pecinhas todas naquilo que um dia descobre ser você. Ou ter sido você. Hoje tenho certeza de que eu fui eu. Pelo menos, até onde sei.

Existem diferenças entre memórias e biografia. Biografia é coisa pra gente grande. Memória pode ser de qualquer um. Não acho que você vá ler a minha história, nem a História, embora tenha uma porção de estória de gente famosa aí no meio.

Acho que isso lhe oferece acesso a uma vida um pouquinho fora do normal. Só isso. Tomara que goste.

Tava lá pelos 30 anos quando já tentava decifrar esse mistério das lembranças: por que a gente lembra de uma cena, de um momento qualquer da infância ou do passado, e não tem a menor ideia do que aconteceu antes ou depois?

Desenvolvi minha interpretação particular desse fenômeno. Sabe, naqueles filmes, quando há um naufrágio e o sobrevivente chega a uma ilha deserta e põe uma mensagem na garrafa e a arremessa ao mar? A garrafa vai indo, seguindo as correntes, até que, um dia, chega ao continente e alguém volta para salvar o náufrago.

Acho que as lembranças isoladas e pontuais são essas garrafinhas que mandamos pra nós mesmos, pra que um dia, quando sejamos "grandes", voltemos até nós pra nos salvarmos. Você vai ver uma porção de garrafinhas minhas boiando por aqui. Quem sabe você se encontra por aí?

Uma das delícias deste livro para mim foi a forma como ele nasceu: ele simplesmente nasceu. Eu não o fiz. Só tive que aguardar a gestação. Alguém tinha de digitar os teclados. Meu corpo fez isso. Não escrevi. Fui, acho, o primeiro leitor.

Sempre tinha ouvido falar que muitos autores de primeira escrevem sem planejar nada. O livro vai surgindo e eles vão navegando. Morria de inveja quando ouvia isso. Tudo bem que falar da minha vida é infinitamente mais fácil do que fazer ficção, mas senti um pedacinho desse prazer de ir do nada para o lugar nenhum nesta escrita. Tudo caiu da árvore: *ploft!*

Uma das poucas coisas chatas de ter escrito livros era que, volta e meia, um ou outro perguntava: "Quando é que sai o próximo?".

"Sair como, se ainda não entrou?", perguntava eu de volta. Este livro se formou dentro de mim, sem eu saber, e saiu de parto natural, mas apressadamente. Eu o escrevi em duas semanas.

Lembrei de quando visitei um monumento de 500 colunas de concreto, cheias de ornamentos delicados, feitas pelo meu irmão e amigo, o pintor Siron Franco. Era uma obra para comemorar o quinto centenário do descobrimento. Uma coluna para cada ano. Perguntei como se sentia depois de realizar algo tão prodigioso. "Tá vendo todas essas toneladas aí? Isso é tudo loucura que tava dentro da minha cabeça. Agora não tá mais", disse-me Siron. Ao escrever, aqui, finalmente senti o que ele quis dizer.

Uma coisa boa foi quando eu percebi qual deveria ser a "voz narrativa" que iria contar a história. Nossa! Jornalistas adoramos, de vez em quando, frases gongóricas. Voz narrativa é apenas uma forma de chamar o jeito de escrever. O narrador aqui é um cara que soltou um pouco a franga. Não queria adotar aquele tom de pinguim de geladeira que você já viu por aí.

Meus outros livros eram todos coisa de engenheiro: começavam estruturados, subdivididos, tudo previamente concebido, o que dizer em cada capítulo, quantos capítulos etc. Este aqui é coisa de arquiteto: surgiu uma forma e, depois, que se danem os calculistas para colocar tudo de pé.

Não tenho nada contra a literatura corporativa. Nos tempos em que a nobreza reinava dos castelos, saiu um Maquiavel. Agora que ela mora nos escritórios, é natural que surja um Warren Bufett. Cada um na sua. Mas quis quebrar um pouco o tom de certeza que existe nesses livros que se passam na pessoa jurídica. Espero ter conseguido, ao menos um pouco.

Não fui um personagem relevante e, muito menos, testemunha ocular da história, ao menos à altura desse título pomposo. Passei por uma porção de coisas simplesmente porque estava lá.

É por isso que me considero uma espécie de camareiro que vivia no Palácio de Versalhes.

*(Vou explicar isso aqui um pouquinho mais. É porque jornalistas são obrigados a "contextualizar" coisas, partindo sempre do pressuposto de que o leitor é um imbecil. Se você não se acha assim, pule o próximo parágrafo).*

Versalhes era a sede do poder real francês, símbolo do rei sol, Luís XIV. O mundo girava em torno da nobreza e, no centro dela, estava o rei.

Capitais, de alguma forma, são sempre Versalhes. Capital é uma cabeça cercada de gente por todos os lados. A capita, no caso, é o rei ou o nome que se dê a ele.

Vivi em nossa Versalhes cabocla a minha vida toda. Quando escrevo este livro, Brasília tem 56 anos, eu 52.

Expandindo o conceito de "capital" para o significado de "elite", vivi profissionalmente no meio disso ou de parte disso, na minha idade adulta.

Sempre tive muito claro qual era o meu papel: eu era um lacaio. Nobres eram os que eu servia. Podia me vestir parecido; podia morar em aposentos patinados que a choldra considerasse cortesãos; podia comer as migalhas dos majestosos banquetes; podia até ser confundido e ir parar na guilhotina. Mas eu não era nobre. Era serviçal. E, como era um empregado doméstico e de confiança, pude circular por Versalhes inteira, com o meu disfarce de consultor de crises.

O meu é o relato de um camareiro.

**Sunny Isles**
*Flórida*
*Junho de 2016*

---

Nota pé de prefácio de consultor de crises: sabe aquele trecho "jornalistas adoramos..." que aparece uns parágrafos ali atrás? Pois é perversidade pura. Uso a primeira pessoa do plural para me chamar de jornalista, você reparou? Mas os jornalistas acham que eles são eles e que caras como eu são caras como eu. Então, esse comentariozinho largado ali é uma ofensa grave para alguns. Rezam os bons costumes que não somos do mesmo ramo. Será? Mas o legal, para você, é ver como um pequeno caco invisível jogado num texto, meio sem querer, pode ser um contrabando mortal. Será que eu fui imparcial, neutro? Se me perguntarem, eu direi que fui, embora isso não tenha muita importância. Afinal, eu não sou jornalista.

# “É A POLÍCIA!”

Vamos começar num tom bastante grave. De vez em quando, vou falar sério aqui.

Na alvorada do dia 25 de junho de 2015, o toque insistente da campainha de minha casa, em Brasília, ganhava uma sonoridade estrondosa, contrastando com a quietude do lusco-fusco. Confesso que meu primeiro pensamento foi o de que algum funcionário tivesse esquecido a chave, mas, enquanto descia a escada, ainda tonto de sono, não entendia o porquê, afinal, de tanta ansiedade. Não fazia ideia mesmo, né?

Abro a porta e, do outro lado do portão, uma voz imponente anuncia:

Estávamos vivendo um ano particularmente traumático no Brasil. Muitos chamavam aquilo de "Estado Policial", tamanha a repercussão que as sucessivas operações causavam na opinião pública. Líderes outrora festejados, corporações antes inatingíveis, profissionais bem-sucedidos de diversas áreas, estavam sendo todos jogados no mesmo saco. Talvez ralo, tragados um a um para o epicentro de escândalos que monopolizariam a atenção da mídia. As investigações das entranhas do poder político e econômico, hoje, já são história. Pois, eu, estava sofrendo naquele momento um dos mais emblemáticos símbolos daquele protocolo dramático com que a sociedade começava a se acostumar: estava sofrendo um mandado de busca e apreensão, parte de uma etapa de uma grande investigação que, naquele mesmo dia, estava sendo deflagrada em dezenas de outras casas e empresas ao redor do país. Era a Operação Acrônimo.

Aos poucos — *questão de segundos* —, fui tomando consciência da dimensão do episódio que estava acontecendo e que abalaria minha vida. Abri o portão e deparei com uma cena que a maioria dos brasileiros só teve a oportunidade de ver através do noticiário: duas viaturas e uma dezena de policiais trajando o uniforme preto, com o aparato compatível. Lembro-me de ter observado os distintivos dos agentes, impactantes, enquanto cruzavam de maneira resoluta o portão semiaberto de minha residência. Eu trajava camiseta e cueca. Um deles logo informou:

> **“ — Estamos cumprindo um mandado de busca e apreensão. ”**

Um cidadão comum não está preparado para encarar uma situação como essa. Eu também não estava. Em nenhum momento naquele instante, ocorreu-me o motivo daquele ato. Os policiais foram entrando em minha casa e um deles, gentilmente, sugeriu-me que fosse vestir uma roupa adequada. Mecanicamente, segui para o segundo andar em busca de uma bermuda. Alguns passos depois, percebi que estava sendo acompanhado de perto por um policial até o armário de roupas de meu quarto.

Visto sob a perspectiva do tempo — *essa substância etérea e escassa da finitude que nos ensina tanto* —, aquele meu infortúnio ganharia um sentido muito especial para mim. Embora, ali, naquele instante exato, não fizesse a menor ideia.

Ao longo das semanas e meses que se sucederam, fui aos poucos refletindo sobre o que poderia retirar de útil dessa vivência tão amarga e de todas as suas consequências. É isso que quero compartilhar com você, além de uma coleção de situações esquisitas por que passei por causa da profissão inusitada que inventei pra mim.

Fui jornalista na minha juventude. Vivi, de uma perspectiva privilegiada, inúmeros acontecimentos a que chamamos comumente de notícia. Testemunhei ruínas. E participei, como profissional, de momentos dramáticos da vida alheia, quando não fui eu mesmo a ave agourenta de algumas delas. Costumo dizer hoje que entrei no mercado de escândalos, primeiro, como fornecedor e, apenas depois, como gerenciador de crises. Fica mais chique.

Como jornalista, tive uma carreira relativamente boa. Fui o que se chama de repórter investigativo. Ou, como alguns me chamavam, urubu. Ganhei meu primeiro prêmio Esso com 26 anos. Foi uma matéria no antigo *Jornal do Brasil* (veja aí no Google, se quiser). O prêmio Esso era uma espécie de medalha olímpica da minha profissão. Depois, voltei pra revista *Veja* (já tinha trabalhado lá antes), justamente no ano do *impeachment* do presidente Fernando Collor. Ganhamos o prêmio Esso de jornalismo com uma série de reportagens. Uma delas era minha. Outra medalha.

Aí, cansei.

Saí do jornalismo investigativo e fui trabalhar em televisão. Comecei como repórter da Rede Globo em São Paulo. Como nunca tinha trabalhado em TV, fui mandado para o horário da madrugada, o de menor audiência. Da meia-noite às sete da manhã. Era estranho pra mim, no início, imaginar que só apareceria na tela se alguém botasse fogo num barraco, liderasse uma chacina ou coisa desse tipo. Já vivia ali da tragédia alheia.

Depois, fui melhorando. Virei repórter do *Jornal Nacional*.

Dois anos à frente, um dia um mano meu lá, o Canarinho, cinegrafista, meu camarada, me disse assim:

E eu fui. Pedi demissão, fui fazer campanha eleitoral (*preparava o candidato José Serra para debates de TV na campanha de 1996*). Enfim, depois eu conto o resto.

Fui feliz como jornalista, mas, de repente, decidi partir pra outra. E fui, sem saber ao certo onde ia dar. Parafraseando Getúlio Vargas, ao contrário, saí da história para entrar na vida.

Sabia apenas que queria fazer outra coisa. E os caminhos incertos me levaram ao meu destino. Tornei-me um consultor de crises, atividade que vinha desempenhando havia duas décadas.

Como consultor, acompanhei de perto e de dentro um monte de encrenca. Ou, mais formal, provi aconselhamento para alguns dos maiores líderes e algumas das maiores organizações de meu tempo.

Especializei-me num nicho que constituía aconselhar pessoas e empresas que estivessem em meio a escândalos políticos e empresariais. Era um estresse danado. Era navegar na neblina, sem muitos instrumentos.

Eu me encontrei justamente quando percebi que essa seria a minha. Trabalhei feito um mouro e ainda sobrou tempo para escrever três livros sobre o tema que me arrebatou e pelo qual me apaixonei: as crises de imagem, as crises de reputação.

Voltando agora àquela operação policial lá em casa, entendo que essa vivência me proporcionou uma perspectiva rara: afinal, eu era um consultor de escândalos lidando com uma situação extrema que muitos dos meus clientes já haviam enfrentado. Só que, agora, não era um "case". Era a minha vida. O que eu ia fazer? Como me comportar? Tornei-me involuntariamente cobaia de meus próprios experimentos.

E foi aí que enxerguei beleza e sentido naquele amargor que a vida estava me oferecendo. Afinal, o que a teoria dos meus livros poderia me oferecer na prática quando o alvo não era o outro, mas a minha própria vida, a minha família, a minha realidade?

O que dos conceitos teóricos me serviria? O que dos conceitos abstratos, tantas vezes recitados por mim para os outros, por vezes mecanicamente, reconheço hoje, eu poderia aplicar para mim mesmo? O que ficaria de pé? O que, por mais teoricamente correto, eu seria capaz de confirmar na minha experiência real?

É essa a reflexão que quero compartilhar com você, relembrando uma série de enroscos que vivi, dando o meu testemunho das incontáveis situações que presenciei. É esse o sentido que retirei dos momentos de medo, vergonha, incerteza em relação ao futuro com que me defrontei.

Aprendi o óbvio que os manuais técnicos de comunicação, com todas as suas certezas absolutas chatas, seus dialetos dogmáticos com expressões americanas pedantes, quase nunca abordam. E digo isso fazendo um mea-culpa, pois alguns deles são de minha autoria e acabaram sendo aplicados em escolas de comunicação por todo o país.

Pois é, mas essa parafernália toda, cheia de gráficos, setas e números não é capaz de aliviar a dor ou o medo daqueles que estão sofrendo diante de nós, aquilo que, durante muito tempo, eu chamei de "clientes". Nada como tomar uma porrada para aprender.

Só quando o destino da gente está sendo vivido em tempo real e sentimos a carga emocional de estarmos no meio, entre as duas pontas desse enorme linhão de transmissão chamado vida, é que podemos sentir a eletricidade do imprevisível atravessar nossas entranhas.

Sentimos aí a vida, a vida, a incerta vida que não cabe nos manuais, trafegando por nosso corpo e nossas emoções sem saber onde tudo vai parar.

Escândalos eletrocutam a alma muito antes de incinerarem a reputação, a marca ou essas coisas que estão nos manuais.

Poucas vezes temos a sensação de estarmos conectados em tempo real com nosso destino e com todas as possibilidades assustadoras que isso oferece. Numa grande crise, é isso aí.

Nessas horas, preceitos podem ser úteis. Mas ali está, como eu mesmo estive, alguém sentindo emoções, dores, medos, fracasso, vergonha e talvez remorso.

Eu, que sempre tinha me visto como uma enfermeira, senti na pele o que é ser paciente. A enfermeira aplica com precisão técnica, mas só o paciente sente a picada da agulha. E sentir a picada muda tudo.

Sentir, e não apenas pensar, transforma a nossa visão sobre essa coisa toda. Pois estabelece uma empatia única que espero poder mostrar para você. Oncologistas, assim como consultores de comunicação, aprendem muito e são úteis para enfrentar as chagas alheias. Mas um oncologista com câncer pode sopesar melhor quanto e como os conceitos podem ser aplicados.

Os fundamentos de minhas certezas profissionais foram postos em xeque quando eu senti na carne de médico da reputação alheia a fragilidade do paciente em mim mesmo.

O que sobrou desses experimentos? Esse é o mote deste livro: quando o meu é que tava na reta. E aí?

Vou falar sério, mas vou ser muitas vezes escrachado. Pra você não ficar com a sensação de que está lendo um manual de autoajuda, nem eu com a de que estou escrevendo um. Embora, no fundo, possa ser. Já fiz isso à beça e não me arrependo. Vou tocar na bola do meu jeito. Vou chutar de bico e, às vezes, com efeito. Não vai ser tão quadradinho. Porque a vida não é quadradinha.

Sentindo na pele, arredondei finalmente minhas quinas.

E olha que eu já tinha rodado bastante até chegar ali...

# O MAGO

Entrei na vida de Paulo Coelho porque ele me chamou. E me chamou pelo mundo afora. Sério.

Um dia, acordo e o respeitadíssimo colunista Lauro Jardim me pergunta se eu tinha lido. Lido o quê? Ele me conta que Paulo Coelho tinha me citado e a um livro meu na coluna que escrevia para jornais em escala mundial. Ele mencionava que tinha lido meu primeiro livro, *A síndrome de Aquiles*, em que comparo os atingidos por escândalos ao personagem da mitologia grega. Aquiles foi um general vitorioso, mas entrou pra história por uma única derrota. Aquele raio ou lança atingiu seu único ponto fraco, o calcanhar, que se transformou para sempre no símbolo de seu infortúnio, o calcanhar de Aquiles.

Pois é essa inversão súbita da imagem de personagens que tiveram uma trajetória inteira de conquistas e que padecem por um único golpe fatal que eu chamava de síndrome. Uma síndrome que atinge justamente os vencedores. O que eu sugeria? Que reconhecer a fragilidade e protegê-la é a grande lição de Aquiles. Perceber nossas fraquezas não é sinal de fraqueza: é quando nos tornamos mais fortes. Proteger o calcanhar, em termos de reputação, é adotar a prevenção.

É mapear nossos pontos vulneráveis sempre que possível quando estamos ganhando todas. E protegê-los antes que o raio parta.

O Paulo Coelho ficou amarradão nessa história. Reuniu a equipe dele e discutiu internamente o livro. Depois é que me disse isso, quando o conheci. Registrou no artigo uma frase do livro que o enfeitiçou: a crise dá sinais.

Arranjei o telefone dele e liguei todo empolgado. Não sei exatamente como, mas acabei indo passar a virada do ano com ele na casa que ele tinha num lugarejo no interior da França, perto da divisa com a Espanha e uma vista espetacular dos Pireneus. Aproveitei e levei os originais de meu terceiro livro, *A reputação na velocidade do pensamento*, que discute a questão da imagem e da ética no mundo digital. Pedi então que ele fizesse o prefácio, o que depois fez.

Cheguei à cidadezinha de Saint Martin. Por coincidência, ele convidara também o ex-todo-poderoso ministro José Dirceu, àquela altura já bastante massacrado pelo mensalão, o maior escândalo político brasileiro até então (*releve essas explicações um tanto maçantes, mas é aquela velha história: jornalistas aprendem que precisam sempre "contextualizar" os fatos, sob a premissa de que o leitor não é obrigado a saber do que estamos falando. É um cacoetezinho profissional, mas, se não fizer desse jeito, meus professores de jornalismo vão dizer que não aprendi nada*).

Passamos a virada do ano rezando numa gruta, em Lourdes, onde está situada a imagem da santa. Chuviscava e tudo parecia esquisito. O Paulo é esquisito. Eu sou esquisito, você deve ser esquisito. Quem não é?

Ele é esquisito, mas é adorável. Carrega essa cruz que é a fama mundial, a mística de mago, o que o acaba isolando. Ninguém aguenta ser visto o tempo todo como mago e, pior, ter que entender que a grande maioria das pessoas não vê o que ele é — *uma pessoa* —, mas uma representação do que projetam nele. Tem uma imagem que é um cristal: ele é do bem. Mas gerir essa marca global em que se transformou, avaliar permanentemente suas atitudes, condutas, posicionamentos (*no caso dele, globais também*) é algo que o deixa o tempo todo em alerta. Acho que foi a paranoia que nos uniu. A minha era gigantesca àquela altura.

Paulo jamais enfrentou uma crise com c maiúsculo, dessas com que você vai cruzar muitas vezes durante o livro. Mas ele levava a ideia da prevenção ao estágio da obsessão. Tudo na cabeça dele está conectado com tudo. Então, qualquer mínimo sinal dispara uma ensurdecedora sirene interna e isso hipnotiza suas atenções de imediato.

Nos mais de dez anos em que conversamos regularmente, problemas mesmo, desses de dilacerar a imagem pública, ele nunca enfrentou. Mas estava sempre com a faca nos dentes preparado para qualquer invasão. Na aparência, o mago era um ser plácido que vivia no mundo da lua, uma espécie de monge tibetano que dialogava com o cosmos. Na prática, uma fera em permanente estado de alerta total e a um bote de defender seu território. Paulo tem uma das reputações mais sólidas de um brasileiro ou de qualquer um no mundo. E gere isso solitariamente do alto de sua torre de marfim de controle mental.

Ao mesmo tempo, ele adorava ser irreverente. Talvez por causa da geração *rock'n'roll*, detestava o lugar-comum e enfadonho dos magos bonzinhos e sem sal. Naquela altura de 2005, o Mago passar um *réveillon* com José Dirceu era uma bofetada na cara do senso comum. Dirceu era o vilão. A mídia ficou louca com aquele encontro de extremos. A jornalista Mônica Bergamo cobriu o conciliábulo inusitado e publicou uma página inteira na *Folha de S.Paulo*, sob o título "O Bruxo e o Feiticeiro".

Semanas depois, Paulo me perguntou qual tinha sido a repercussão. Assim, como se não soubesse... ele adorava ter várias opiniões dos outros e sentir o que esse ou aquele diziam. Eu disse a ele que era mais ou menos como o Batman passar o ano-novo com o Coringa, em plena batcaverna. Ele gargalhou. Sim, ele não era de rir. Quando ria, gargalhava.

O contraste entre o Batman e o Coringa era tão brutal que sobrou até pra mim. Dias depois, o colunista e ex-deputado Sebastião Nery me sentou a chibata. O título da coluna era "Quatrilho Místico nos Pireneus". Ele começava fazendo uma associação daquele encontro casual com uma quadrilha, é claro. Falava dos dois, do escritor Fernando Morais (que também estava lá) e dedicou uma chicotada inteira a mim, que só tinha ido lá para conhecer um mago e rezar. Achei que fosse propaganda:

> "A presença de Mario Rosa, superbruxo e superfeiticeiro, explica tudo. Ele é o papa do escândalo. Um sacerdote da corrupção depois do pecado, quando o corrupto, flagrado, precisa de confessor. Escreveu dois livros de sucesso, dois Manuais do Colarinho-Branco, que costumam estar na cabeceira dos grandes corruptos do país. Devia ser presidente nacional do PT.
>
> "Bem pensados, bem documentados, bem escritos, são livros indispensáveis nestes tempos de Dirceus, Gushikens, Genoinos, Delúbios, Marcos Valérios, a lulada toda. Se lesse alguma coisa além do rótulo de garrafa, Lula teria aprendido boas lições antes de seu Titanic afundar sem boia. Mario Rosa é o Duda Mendonça para depois do naufrágio".

Na noite em que estive com Paulo pela primeira vez, fui para a casa que ele tinha, onde estavam pessoas de diversos países. Ele me apresentou, em inglês, e os apresentou a mim na maior tranquilidade:

Nunca havia encontrado bruxos e muito menos tomado parte de um encontro social com eles. Fiquei ali tentando entender como a conversa fluía. Meu inglês era bem pior do que o de hoje, mas pressenti na cozinha que o papo tava meio estranho. A conversa era sobre saber fazer ventar. Sim, fazer ventar. O Paulo chegou e disse que não estava mais fazendo vento.

Eu ali, com meu inglês chinfrim, e eles falando sobre ventar ou não ventar, eis a questão.

O problema de você se ver exposto a uma conversa como essa é que, a não ser que você seja um bruxo, não faz a menor ideia do que realmente está em discussão. Não domina os princípios filosóficos elementares do debate. Não vou nem entrar no mérito da questão de fazer ventar ou não. Mas fazer ventar é algo bom ou ruim? Deixar de fazer ventar é uma atitude revolucionária? Ou é de um conservadorismo atroz? Até hoje, não sei. Comecei a noite meio (*como dizer*) jogado ao vento. Não ia, logo eu, aporrinhar com perguntas estúpidas de leigo a paciência de bruxos experimentados. Seria mico demais, né?

Decidi sair de fininho e me aboletei sentado no chão em algum lugar, mais ou menos vazio e na penumbra. Minutos depois, Paulo veio sentar comigo e disse feliz:

**— Que bom que você veio praqui, pra esse ponto da casa.**
**— É? Por quê?**
**— É o canto da serpente.**

Tinha mesmo uma serpente, não sei se empalhada, naquele canto. Ele me disse que serpente significava sabedoria. Vivendo e aprendendo.

Na hora, pintou uma euforia: eu acertei, eu acertei! Mas, então, pintou uma insegurança: se tivesse ido para outro canto qualquer, isso poderia ter sido um desastre? Um erro inaceitável? Um sinal definitivo e desabonador?

Daí em diante, eu soltei a franga. Nunca fui muito de beber, mas tomei um porre homérico para me libertar e não pensar que tudo o que *fizesse — ou não fizesse* — poderia ter uma interpretação cósmica reveladora. Embriaguei-me para não ficar com aquela sensação opressiva de que poderia estar estragando tudo, conforme me mexesse.

Fiquei bebendo ali naquele canto, com a minha amiga serpente, pois, pelo menos ali, eu sabia que estava num lugar seguro, onde não estava cometendo qualquer heresia. Qualquer mudança de lugar e pronto: "Mario, nunca imaginei que você pudesse escolher esse canto...". Fui bem conservador, confesso, e fiquei paradinho. Paulo e eu ficamos ali até as cinco da madrugada.

Paulo Coelho tem uma relação com a vida em múltiplas frequências, fora do normal, sobretudo se o normal é essa anormalidade a que chamamos de corriqueiro. Ele observa sinais em tudo e isso define uma série de coisas para ele.

No dia seguinte, fomos caminhar por umas igrejas próximas. Era o primeiro dia do ano, feriado. Natural que a cidadezinha estivesse vazia. A igreja estava fechada até que surgiu um cara do nada que veio abri-la para nós:

> **“— Que bom, o ano está começando com portas abertas.”**

No mundo de Paulo, tudo fala, e as opções irreverentes que fazemos podem adquirir um sentido surpreendente. Para o bem ou para o mal.

Ficamos amigos de primeira. Ele é um caso talvez único: uma marca mundial ambulante, que dialoga com inúmeras coisas à sua volta para formar sua convicção. Coisas que a gente vê e outras, que só ele.

Tenho centenas de mensagens trocadas por nós ao longo dos anos (*atenção, biógrafos dele, me procurem antes da minha morte. Atenção, Paulo, ha, ha, ha...*). Nas mensagens, ele está sempre tratando de algum acontecimento, dúvida ou questionamento da ocasião. É meticuloso, analítico, as mensagens são enormes. E as respostas também. Ele tem olho de mosca: multifacetado. São centenas, milhares de lentes, vendo simultaneamente. Não foi à toa que sobreviveu esses anos todos no estrelato das celebridades.

Embora habilidoso e carinhoso no dia a dia, é implacável com tudo o que lhe diga respeito. Até sua biografia foi feita por ele mesmo. Explico: durante anos, guardou os próprios diários e facultou acesso a eles ao seu biógrafo, Fernando Morais. Há estórias cabeludíssimas. Mas, sempre disse isso a ele, o conservadorismo pessoal dele com a própria imagem é tão onipresente que ele terceirizou a própria biografia dando porrada em si mesmo antes que outro qualquer o fizesse. Ou seja, por pior que fosse, ainda assim era melhor que a alternativa. Ele gargalhava. Mas não contestava.

Passamos a nos falar regularmente e marcarmos encontros anuais. Fui a Paris com ele, à Suíça, à Itália , a Lisboa e até à Grécia, para comemorar seu aniversário.

Paulo Coelho introduziu em minha vida um conceito de governança, o Banco de Favores, que, para mim, é a maior instituição de todos os tempos da humanidade. Nele, a moeda são os favores. Sacamos um favor e pagamos com outro favor. Esse conceito eu tomei emprestado para aplicar na minha vida. Foi daí que surgiu o que chamo de meu SUS particular, favores meus que não tinham de ser pagos em dinheiro, em benefícios, só em favores também. E, se houvesse calote, tudo bem. Alguém sempre depositava algum favor e cobria a diferença. O Banco de Favores não quebra nunca.

Adorava conversar com o Paulo e falar bobagens em escala industrial. Ele gostava porque eram conversas que só faziam sentido para nós.

Um vez ou outra, ele pedia um favor do consultor de crises. Eu dava com o maior prazer. Estava depositando no banco. Sobretudo no capítulo da mídia, Paulo queria sempre evitar erros. Queria ver como sua imagem poderia se solidificar continuamente, em todas as plataformas globais. Na sala de sua casa, havia um *desktop* que, para o mundo de Paulo, era o mesmo que a central de Houston para a Nasa: era a sala de controle. Dali, ele estabelecia diálogos e polêmicas e influenciava o mundo todo, através do Facebook, das redes sociais.

Aquela salinha de aspecto moderno me lembrava muito os pequenos oratórios que vemos nas igrejas mais antigas, aqueles aonde os papas iam discretamente, solitariamente, conectar-se com o divino. Paulo praticava o contato com seu público como um sacerdócio diário. Não precisava tanto mais dos veículos de comunicação para acessar as pessoas. Tinha o privilégio de fazê-lo diretamente.

Mas não pense, pelo amor do Altíssimo, que Paulo era um sujeito bonzinho. Era mau feito um pica-pau. Quantas vezes espezinhamos esse ou aquele colunista ou simplesmente um afetado qualquer que descia o porrete nele? Paulo é um ser boníssimo, mas, entre seus inúmeros apetrechos exóticos, ele possui uma espada. E, quando sacaneado, ele desembainhava metaforicamente o sabre (*num* post, *numa fala*) e decepava a cabeça de seu desafeto. Para seu profundo prazer.

**— Meu único objetivo era fazer com que isso chegasse até os ouvidos do pulha. Será que consegui?,** ”

escreveu-me ele a respeito de um jornalista, certa vez.

Ele fez inúmeros carinhos comigo e com minha família. Estive na sua casa no interior da França, em seu apartamento em Paris, no de Genebra. Almoçamos e jantamos de perder a conta. Teve um dedinho meu na escolha dele para falar pelo Brasil, na cerimônia de anúncio do país como sede da Copa do Mundo de 2014. Não poderia haver embaixador melhor naquele momento.

Uma noite, em Paris, fui ao banheiro do apartamento dele. Um apartamento enorme, perto da torre Eiffel e com um corredor interminável. Na volta, deparei com um alvo redondo de um metro de diâmetro, todo furado. Ele praticava arco e flecha ali. Já imaginou se algum empregado desavisado cruzasse o caminho?

Lembro com carinho o dia em que ele ensinou meus filhos a atirar com arco e flecha na cobertura de seu apartamento em Genebra. Foi delicioso.

Certa vez, quando houve o escândalo do Swiss Leaks, fiz o meio de campo entre ele e o repórter que estava para dar o furo. Paulo tinha uma estrutura empresarial situada em um paraíso fiscal e a maioria dos citados não tinha como explicar. Paulo tinha e apresentou sua declaração de Imposto de Renda, provando que estava tudo declarado. Saiu como um bom exemplo do caso, embora incomodado com o desconforto de ser mencionado num assunto mundial que não era o tipo de polêmica a que estava acostumado. Para o consultor de crises, ele tinha se saído muito bem. Só com uma pequena agulhada. Para ele, a agulha doía, Mas só depois fui entender.

Quando o meu caso policial surgiu, ele foi solidário, prestativo e generoso. Recomendou-me a leitura de um livro dele, *O Monte Cinco*. Trocamos mensagens. Mas percebi que ele estava um tanto com o pé atrás. Detesta não ter a noção exata e total das coisas, sobretudo daquelas que, de alguma maneira, interagem com ele. E eu, ao me transformar numa dúvida, era um incômodo. Com o passar dos tempos, ele foi ficando na dele. Notei que recebera uma pequena e sutil bola preta. Nada dito. Tudo muito elegante. Exatamente o que o consultor de crises aqui recomendaria a ele, aliás. Mas com Paulo, sempre sei, a qualquer momento o perdão do mago pode acontecer. Mesmo que eu não tenha errado, como é o caso. Mas, se ele me chamar de novo, como na primeira vez, eu vou. Paulo Coelho tá por aí.

*(Quando já havia finalizado os originais deste livro, um jornalista amigo meu comentou com Paulo que estava lendo o texto. O que aconteceu? Recebi uma carinhosa mensagem de Paulo, respondida por mim, com tréplica dele. Ele efusivo e carinhoso como sempre. Acabei indo para Genebra e me hospedei no apartamento dele por dois dias, coberto de carinho e de amizade dele e de sua companheira Christina. Não disse que o Paulo tá por aí?)*

# NA **RINHA**

Cara espetacular era esse Duda Mendonça. Convivi com todos os marqueteiros de meu tempo, mas o Duda… o Duda era outra coisa.

Lá venho eu com a chatice de "contextualizar". Ossos do ofício: Duda foi o inventor do *marketing* político, como era, depois da redemocratização do país de 1985. Sua agência de propaganda participou da eleição de inúmeros candidatos. Ele fazia o programa eleitoral na TV e no rádio, traçava as estratégias de comunicação. Criou um método e codificou uma série de coisas para os outros marqueteiros que vieram depois. Conduziu o *marketing* da primeira eleição presidencial de Lula, atenuando a imagem do operário raivoso. Foi julgado e absolvido pela suprema corte no escândalo político do mensalão. Chegou a fazer um depoimento, em 2005, no Senado Federal, admitindo que recebera por seus serviços em conta de caixa dois eleitoral fora do país, na campanha de Lula. Na época, foi um terremoto da mais alta escala na política.

Todos os outros marqueteiros que conheci participaram em algum momento dos "grupos de discussão", as pesquisas qualitativas, nas quais eleitores, gente do povo, eram instados por profissionais do ramo a avaliar peças de *marketing*. Os comentários que surgiam ali influenciavam a adoção dessa ou daquela estratégia de comunicação.

A diferença de Duda para todos os demais, além de diversas outras, é que vivia, ele mesmo, dentro de uma eterna pesquisa qualitativa.

Era um cara rico pra danar, sagaz e inteligente pra burro, mas gostava de coisas de peão: fui com ele a rinhas de galo, que ele adorava. Meus olhos viram ele apostando entusiasmado, aos gritos, torcendo para uma das cristas gladiadoras, ao redor da arena um pouco sombria, numa noite de Salvador. Ele adorava também vaquejadas e pescaria. Tomava pinga e champanhe com o mesmo entusiasmo. Era um vivedor retado.

Tinha um pé em carros importados e blindados, mas o outro pé no terreiro. Morava num apartamento com uma piscina por andar, de frente pro mar, claro. E lá patrocinava rodadas de truco e berrava como se fosse um caminhoneiro. Não era de frescura, embora adorasse jatinhos, helicópteros e toda a boa vida que o dinheiro pudesse comprar. Comia buchada de bode, mas gostava também de um bom relógio. Tentava, às vezes, enunciar alguma palavra em inglês, para exalar alguma sofisticação, mas a pronúncia era difícil. *Business* (negócio) virava "bilsnes", no dudês.

Não se engane: Duda sabia das coisas, mas, se você pedisse pra ele escrever um texto contínuo de dez linhas, sem chance. Não era a dele. Mas eu o vi ter ideias num estalo que demoraria um livro inteiro para explicar, e talvez não conseguisse.

Foi um caso raro, em meu rol, de um sujeito com quem convivi apenas no auge, não ladeira abaixo. Eu o conheci em 1998 e, até 2004, foi uma convivência bem intensa. Depois foi rareando. Fui contratado por ele para ser o marqueteiro numa eleição na Paraíba. Durante um tempo, nessa encarnação longínqua, fui um Duda Mendonça da macaxeira. Fiquei nove meses lá.

No segundo turno da eleição de 1998, ele me deu uma honra espetacular: acompanhei sua acachapante derrota na campanha de Paulo Maluf contra Mário Covas.

Duda, o mito; Duda isso, Duda aquilo. E ele me teve em volta como testemunha silenciosa de quando suas mágicas não funcionaram, de quando o mágico não tirava o coelho da cartola. Viver a derrota alheia de perto, ainda mais a de um mito, vê-lo nas madrugadas aflitas, exausto, inseguro; vê-lo nas reuniões do alto comando anunciar uma virada que não acontecia depois; vê-lo como se fosse um intensivista tentando em vão fazer o coração voltar a bater. Ele me deixou ver isso, ver a fraqueza dele bem de perto. Alimentou com caviar meu apetite iconoclasta. Eu era um moleque. Ele foi generoso. Eu sou grato.

O ápice de Duda foi em 2003. Eu estava lá. Fizemos uma espécie de escambo: como ele estava muito visado, depois de eleger o Lula, eu virei uma espécie de cachorro dele junto à imprensa. Os repórteres ligavam muito pra mim por causa dele, é claro. Não faltavam fofocas. Da minha parte, eu passava um pouco de água sanitária na minha biografia. É que, naquela época, quando petista era sinônimo de pureza moral, alguém como eu, que tinha vínculos com os "tucanos" (o partido que antecedeu o PT), era um verme. Depois isso mudou. E eu virei verme pelo motivo contrário. Mas, naquela época, Duda abonou minha ficha. Não ganhei nada do governo (nunca quis), mas pelo menos não fui perseguido, o que não era pouco.

No trato com Duda, não queria que ele me pagasse. Se virasse empregado, ele ia montar. Sem dinheiro no meio, ele me via de maneira diferente. Combinamos que, quando surgisse um trabalho bacana, contanto que não fosse no governo, a gente faria um "bem bolado". E assim fomos.

(Muito depois, no escândalo do mensalão, seus capatazes chegaram a intrigá-lo comigo, como se o desgaste de mídia dele no meio daquele escândalo de alguma forma eu pudesse manipular. Essas coisas passam. É mais fácil culpar a enfermeira pela doença. É natural.)

Viajei muito com Duda, participei de vários encontros dele com jornalistas. Ele era mais ou menos como um padre: tinha uma missa pronta. Se você ouvisse pela primeira vez, saía convertido. No meu caso, como conhecia a bíblia, às vezes ficava na sacristia, assoprando um salmo: "É, mas tem aquela do ACM...". Ele, então, recitava o pai-nosso.

A do ACM era uma clássica. Ele, baiano, tinha que tratar ACM (um poderoso político da Bahia; depois dou a ficha) com reverência. Mas ACM, fora da Bahia, era queimação. Então, Duda tentava se equilibrar como podia na corda bamba da retórica, sendo ao mesmo tempo próximo e distante de ACM:

— Uma vez, o governador me chamou para trabalhar com ele. Eu disse:

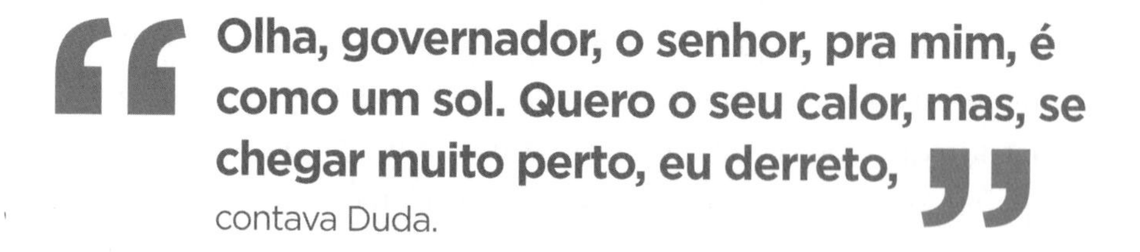

**"Olha, governador, o senhor, pra mim, é como um sol. Quero o seu calor, mas, se chegar muito perto, eu derreto,"**
contava Duda.

Duda era um cisne, mas se sentia muitas vezes como um patinho feio. Sobretudo porque ganhara projeção nacional ao se tornar marqueteiro de Maluf e ter sido decisivo para que o político conservador e contestado ganhasse uma eleição depois de inúmeras derrotas. Duda o elegeu prefeito de São Paulo em 1992. A esquerda demonizava Maluf. Ele era o símbolo do bolor na política e malufar virou verbo que queria dizer afanar.

Duda prosperara e seu sucesso material e profissional era criticado por alguns como se fosse impuro. Ele, coitado, era vaidoso porque vencera, mas rejeitado porque lhe torciam o nariz. Como dizia seu amigo e conselheiro eventual, outro mago, Roberto Shinyashiki, campeão dos livros de autoajuda:

**“ — Sucesso é conseguir o que se quer. Felicidade é gostar do que se tem. ”**

Duda buscava a iluminação. Do jeito dele. Ou pelo menos tentava convencer os outros, ou ele mesmo, de que, no fundo, era um sujeito legal. Como lhe disse certa vez Maluf quando ele foi se desculpar por alguma coisa, “Duda, não peça desculpas. Pros amigos, não precisa; pros inimigos, não funciona”. Duda queria ser querido.

Na campanha de 1998, tinha um recinto na produtora apenas para meditar, em estilo japonês, com música oriental, tatames, incenso. Percorrera o caminho de Santiago a pé e falava isso toda hora. Pichara a casa toda com frases profundas de Paulo Coelho.

Daí por que viu na possibilidade de servir ao esquerdista Lula, entre várias coisas, uma espécie de redenção. Era, naquela altura, trabalhar para o “bem”. Era não remar contra a correnteza estigmatizada do malufismo. No primeiro encontro com Lula, defendeu que o ex-operário se candidatasse à presidência de novo. Lula havia perdido três eleições presidenciais e havia gente, dentro do próprio PT, que defendia um nome mais palatável para a classe média.

Duda adotou a linha estratégica a seguir. Claro, seu então apóstolo João Santana foi decisivo nessa sugestão. Mas o batedor do pênalti era Duda, que definiu o conceito dos três terços.

**“— Olha, Lula, um terço do eleitorado já vota no senhor. O outro terço não vota de jeito nenhum. Então, não temos que falar para esses dois grupos. Temos que disputar o outro terço, que admite votar, mas não se sente seguro.”**

Assim, nasceram as eficientes peças da campanha do PT de 2001. Era a pré-campanha do que viria no ano seguinte, na eleição presidencial. Um marco dessa nova narrativa dudista é um comercial de um minuto. Jovens de classe média saem de uma balada felizes e entram num carro burguês. A música que surge é a da moda. Eles entram e passam na rua até cruzar com uma senhora pobre e negra na sarjeta. Suas expressões se abalam ao ver a cena. Era uma representação dos contrastes sociais do país. A certa altura, um ator aparece e dá o mote para o terceiro terço:

**— Se cenas como essa tocam você, você pode até não saber, mas, com certeza, no fundo você é um pouco PT.**

Era a clássica abordagem dudista: consenso primeiro, convencimento depois. Comia pelas beiradas.

No começo do governo Lula, Duda era tratado pela imprensa como um ministro. Era Duda pra cá, Duda pra lá. Eu, que via por dentro, sabia que não era bem assim. Duda não tinha aquele acesso todo. O ministro da Comunicação, Luiz Gushiken, mantinha Duda na coleira. Mas, lá fora, na imprensa, Duda era onipresente. Ele gostava e não gostava. Fama de poderoso atrai clientes, mas arromba o casco dentro do navio. Ele sabia disso.

Duda não era de escrever e Lula não era de ler. Então, às vezes, ele gravava um vídeo falando para o presidente, dando uma ideia, uma sugestão. E pedia a alguém que fizesse o presidente assistir. Ele inventou o telemago.

Um dia, fui com ele a um almoço na *Folha*. Era um ritual: chegávamos, íamos à sala do *publisher* Octavio Frias (*"seu" Frias*), depois nos reuníamos com os principais repórteres e editores. Essas reuniões eram como um primeiro *round* do boxe, uma oportunidade para cada lado medir a distância um do outro e, durante a luta, ao longo das coberturas, o pau comia. Depois, outros almoços, outras medições e mais trocação. Era assim o ritual entre redações e figuras proeminentes.

Daquela vez, deu zica. Já na chegada um editor cruzou comigo e provocou, num típico jabe antes do almoço:

> **"— Mario Rosa? *Spin Doctor*?"**

*Spin Doctor* é como a imprensa americana chama alguns caras como eu. Era uma cerimoniosa ofensa. *Spin* quer dizer rodar. É como se os assessores de imprensa "virassem" a lata dos defeitos dos clientes e mostrassem apenas o lado bom para a plateia. Por essa lógica, os jornalistas, em seu sagrado sacerdócio, seriam os caras que desvirariam a lata e mostrariam o que ela verdadeiramente era. A gente ainda vai falar sobre virar e desvirar a lata. Às vezes, acho que quem vira a lata ao contrário é a imprensa. Nós é que desviramos e, com isso, ajudamos a evitar barbaridades. Talvez os dois lados estejam certos. Aquele editor, depois, foi trabalhar na maior agência de comunicação do país. Será que virou *Spin Doctor*?

Também naquele dia, a coluna Painel tinha publicado umas cinco ou seis notas azedas sobre o Duda. Na diplomacia das redações, quando alguém vai almoçar na sua casa, você não o recebe com pedras. Não era normal um sujeito agendar uma ida à redação e apanhar no dia da visita. Um ou dois dias depois, até tudo bem. Mas, no mesmo, era esculacho.

Eu sei que passei o almoço inteiro batendo boca com a colunista, reclamando daquela coisa. E ela bateu duro de volta, porque estava convicta e porque tinha plateia e eu a havia questionado. O "seu" Frias, coitado, não entendia nada. E o Duda ficava ali naquele papel de bom-moço. Eu é que cutucava. As pessoas achavam que eu tava ganhando ração do Duda para latir. Eu sabia que estava latindo de graça. Na saída, com o ritual do dono do jornal levar o convidado até o térreo, Duda se despediu dos repórteres assim:

> **"— Olha, eu não tenho nada a ver com esse problema do Mario com vocês, não, viu?"**

Não era fofo?

Duda foi o cara que estruturou os formatos de campanha eleitoral em sua época: como montar o programa, como fazer *jingles*, como fazer comerciais, como atacar, como defender. Muita gente boa já tinha feito coisa bacana antes dele. E muita gente fez depois. Mas ele foi o primata que aprendeu a dominar o fogo. E ensinou para toda uma geração, os "protodudas" que saíram por aí.

Vi, sem exagero, centenas de peças dele, centenas de vezes. Eu e muitos dos que trabalharam com ele. Duda se referia aos formatos com os apelidos que criou para eles. Essa foi a base, inclusive, para quem desconstruiu depois aquelas fórmulas ou as atualizou, como João Santana, na época sócio minoritário de Duda, meu amigo e que, muitos anos depois, viria a estar no centro do petrolão (contextualizando, o gigantesco escândalo da Petrobras).

"Metáforas" era o termo que empregava quando a imagem da inserção mostrava uma coisa e o texto dizia outra. Ele usou uma vez um minuto de imagem para mostrar alguém montando a detonação de uma bomba, enquanto o locutor falava sobre a tentativa de destruírem Maluf. Outra peça memorável foi ao ar no dia do *impeachment* de Fernando Collor, em setembro de 1992. Imagine o seguinte: o candidato de Duda (Maluf) estava disputando a prefeitura de São Paulo contra um santo (Eduardo Suplicy, do PT). Como lidar com a queda de um presidente conservador, afastado depois de uma onda de escândalos, sendo você um candidato como Maluf, estigmatizado na época com a questão da moralidade? Maluf tinha de se posicionar, certo? Duda recorreu a uma metáfora de seu arsenal. Abriu o programa com a melodia do hino nacional, em ritmo lento e emocionante. A tela começava preta e, aos poucos, ia sendo lavada, como se estivesse sendo limpa por uma faxina. Por trás do preto, aparecia aos poucos a imagem da bandeira nacional. Era um editorial. Duda não falou nada: apenas a imagem da sujeira que ia se transformando na bandeira, com o fundo musical do hino. Nada foi dito, mas tudo foi dito. Sem falar nada. Coisas do Duda. Depois dessa introdução de um minuto, a voz do locutor: "Começa agora o programa de Maluf prefeito". Maluf ganhou aquela eleição.

Na campanha de 2002, Duda colocou uma série de mulheres grávidas andando de branco numa praia e o texto, lido pelo cantor e compositor Chico Buarque, falava sobre o futuro do país. Sua metáfora mais dura ele pôs no ar em 2001. Era "Ratos": os roedores apareciam comendo a bandeira nacional:

> **— Ou a gente acaba com eles, ou eles acabam com o Brasil. Uma campanha do PT e do povo brasileiro. Xô, corrupção.**

"Testemunhal" era quando atores vocalizavam o que o bruxo Duda pescava das pesquisas qualitativas. O intérprete falava em primeira pessoa, como se fosse o inconsciente coletivo. Uma das preciosidades de Duda foi a inserção "João", um jovem que, na campanha de 2002, começava falando e terminava, só na última linha, mencionando o nome do candidato. Não pedia voto. Induzia.

*Jingles* eram as canções eleitorais, para massificar número e conceitos. Duda era o João Gilberto do *jingle*. Adorava participar da criação com seu músico amigo. Um de seus *jingles* para um motel em Salvador era tão lindo que se transformou em música, "Cheiro de Amor", interpretada pela deusa Maria Bethânia:

> **— De repente fico... rindo à toa sem saber por quê.../ e vem a vontade de sonhar... / de novo te encontrar... / foi tudo tão de repente...**

O *jingle* de Duda tinha três fases: começava lento, depois dava uma acelerada e, no fim, dava uma virada alegre e repetia o bate-estaca, o *slogan* e o número do candidato. Mentalmente, tinha o formato de um funil. Era para comer pelas beiradas o eleitor/telespectador desconfiado. Do universal para o particular. Duda pescava marlim. Já estava acostumado a soltar a linha do anzol.

Na estética de Duda, a primeira etapa do *jingle* era uma espécie de "tomada de consciência". Era quando o "eleitor" fazia uma análise geral da realidade. Ele começava pelo consenso, numa espécie de sensibilização. Era um diagnóstico cantado da realidade insofismável, criado para o ouvinte "concordar" — "É, esse cara não tá me enganando". Depois, o ritmo acelerava. Era a "animação", quando o eleitor começava a "descobrir" qual era o caminho. O ápice, mais alegre, esfuziante era o *slogan*: a resposta final do minirroteiro.

"Jornalismo" era só uma ferramenta publicitária. Era para mostrar "a verdade". Ele se apropriava, nos programas, da "credibilidade" do formato jornalístico para contrastar com a "publicidade" do resto do programa.

"Candidato" era o que o nome diz. Duda treinava tudo, as pausas, o olhar. O candidato era um boneco de ventríloquo, de Duda.

"Marca". *Slogan*. Foi Duda quem inventou a porteira fechada da criação das campanhas na sua época. Era um acontecimento quando ele apresentava a "criação" para o cliente. Ele sabia que o primeiro eleitor era o candidato. E caprichava. Vi inúmeros gigantes da política ficarem embasbacados com o *show* do *pop star* do *marketing*. Ele elegeu muita gente, mas sabia como ninguém conquistar, em primeiro lugar, o voto de confiança dos candidatos. Era eleito por eles antes de eleger. E caprichava na pedida.

Mito, não precisava nem ir para ganhar alguns cobres. Passei vários meses na Argentina, em 1999, chefiado por João Santana. João era quem fazia tudo, mas todo dia apareciam reportagens e artigos na imprensa portenha noticiando o que Duda tinha dito numa reunião. Acho que ele foi lá uma ou duas vezes, mas estava todos os dias nas reuniões imaginárias da imprensa. Ainda mais exótico era seu próprio nome em castelhano. Duda significa dúvida. Mendonça, o nome de uma província. Já imaginou um marqueteiro argentino chamado Dúvida Paraná vir pro Brasil eleger um presidente?

Duda era, antes de tudo, um vendedor. Começara como corretor de imóveis em Salvador. Ele descobriu por acaso que era marqueteiro e publicitário. Certa vez, ganhou a preferência na venda de duas torres de apartamentos que estavam encalhadas. Teve a ideia de conseguir da empresa telefônica local a instalação de linhas para cada unidade. Mexeu os pauzinhos e conseguiu o feito. Na época, telefone era raro no Brasil. As pessoas declaravam as linhas como se fossem um patrimônio. E era mesmo.

Duda inventou de construir um estande de vendas com o formato de um enorme telefone. E anunciou: "O primeiro apartamento da Bahia que vem com telefone". As pessoas compravam o telefone e, de brinde, levavam o apartamento. Vendeu tudo num fim de semana. Gostou da brincadeira e virou marqueteiro. Depois, elegeu de brinde deputados, senadores, prefeitos, governadores. E um presidente da República.

Era muito patrulhado pela imprensa porque vendia candidatos como se fossem sabonetes. Essa é a crítica que faziam contra ele, para provar que era um manipulador. Os adversários dos candidatos dele trombeteavam esse mote para desqualificar os oponentes que o contratavam. Muitos deles, quando puderam, foram atrás daquele marqueteiro baiano. Lula inclusive.

Duda, naqueles idos, vivia tentando pontuar o contrário. Seu argumento predileto era que sabonete você pode mudar a fórmula, o cheiro e o formato. Político já vinha pronto. Tinha uma história. Ele tentava convencer que apenas mexia na embalagem, mostrava qualidades que o produto já possuía, mas não eram enfatizadas antes.

Na origem, tinha a alma de biscateiro. Foi essa revolução que ele trouxe para a política.

Duda construiu isso tudo sem colocar nada no papel. Sem racionalizar nada. Era um ser extremamente racional, obviamente, mas embrulhado como mago. Era totalmente intuitivo. Nunca o vi filosofar sobre o que fazia. Nós copiávamos e racionalizávamos tudo aquilo. Ele era como o Garrincha. Não entendia nada de futebol. Era apenas um gênio dentro de campo.

Duda tinha um velado desprezo pelos "intelectuais". Nessa categoria difusa, estávamos aqueles que escreviam mais que dez linhas seguidas. O contraponto que criou pra si mesmo era aplicado ao discípulo, Santana. "Eu sou forma. O João é conteúdo. Eu sou propaganda, o João é jornalismo."

Conteúdo e jornalismo para ele eram coisas secundárias. A diferença era a sacada, o tino, o *feeling*. Era ele.

Freedom

# “A CERVEJA É NOSSA”

Lá pro começo de 2004, o Duda me deu um empurrão: me indicou pra participar com ele da criação da maior cervejaria do mundo. Simples assim.

Pra mim, uma chance de ver como um planejamento de comunicação "preventivo" poderia realmente funcionar desde o ponto zero até o final. Comunicação de crise é recolher o corpo esfrangalhado no asfalto, mas é também evitar que o desastre ocorra. Com o tempo, fui me tornando muito mais um *airbag* das empresas que me contratavam do que um para-choque de encrenca. Ficava mais preservado, no olimpo corporativo. A fase de assessor de imprensa de porta de CPI (que você ainda vai conhecer) tava começando a terminar.

O caso que Duda me chamou era potencialmente cabeludíssimo. Anos antes, a cervejaria Brahma havia comprado sua grande concorrente, a Antarctica, para que formassem a Ambev. Na ocasião, o grande argumento esgrimido pela empresa para justificar esse oligopólio dos rótulos era que o Brasil ia ganhar uma multinacional verde-amarela da cerveja. Dominavam, juntas, 70% da produção da bebida no país. E tamanha concentração econômica foi habilidosamente embalada pelo monstro sagrado do mercado de relações públicas, Mauro Salles, com um aspecto ufanista: em vez de monopólio, a cerveja brasileira iria dominar o mundo. Viva o Brasil!

Só que, cinco anos depois, a Ambev estava dando outro passo audacioso: estava negociando algo complicado com a cervejaria belga Interbrew. No capitalismo, ou você compra, ou você vende, ou você funde. Na prática, juridicamente, a Ambev estava sendo vendida para a Interbrew. Ou seja, cinco anos depois de ter sido criada para conquistar o mundo, a concentração consentida do mercado brasileiro de cerveja estava sendo entregue de bandeja para o capitalismo internacional (*essa, óbvio, é uma frase exagerada, com o tom que poderia ser carimbado à transação, se um esforço gigantesco não tivesse sido tomado*).

Pra piorar, era a primeira grande negociação econômica do recém-iniciado governo, supostamente de esquerda, de Lula. Pra piorar ainda mais, envolvia justamente a cerveja, algo de apelo popular. O risco era a negociação virar um ataque à soberania brasileira e o governo travar a "guerra dos cascos" para garantir ao povo que "a cerveja é nossa".

Duda coordenou toda aquela campanha delicada. E me levou junto.

Ainda cismei com um pequeno capricho. Disse a ele que queria ser contratado diretamente pela Ambev, não por ele. Detalhe bobo, mas que fazia toda a diferença. Era simbólico. Para os patrões, eu seria colocado como um parceiro e não um empregado de Duda. De certa forma, mesmo que isso fosse irrelevante, seria contratado pelo dono da boate, não pela banda. Nesse sentido, éramos, de certa forma, iguais como prestadores de serviço, embora meus caninos contratuais não se comparassem à mordedura profunda do marqueteiro do rei. Mérito dele.

Duda topou. E foi legal. Ao me tratar assim, dizia para o contratante que éramos associados, não patrão e empregado. Era essa a natureza de nosso vínculo profissional. Ele me prestigiou.

O grande nó do caso é que, fora do Brasil, as publicações chamariam a transação pelo que ela era: a Ambev estava sendo vendida. A Interbrew precisava trombetear esse aspecto inclusive para justificar aos acionistas e ao mercado o chamado "prêmio de controle" que estava pagando aos donos da Ambev.

Já nós, aqui, tínhamos de arranjar um jeito de dizer que, muito embora formalmente fosse uma venda, na prática não era. Outro complicador era que o noticiário americano e o inglês seriam considerados com "maior" credibilidade e influenciariam a percepção da imprensa brasileira. Se a imprensa fuzilasse o negócio, o governo surfaria na onda e desfraldaria uma patriotada qualquer para salvar a "nossa" cerveja.

Essa era a confusão.

Duda foi contratado uns três meses antes desse assunto surgir como realidade na superfície do noticiário. Apenas a mais alta cúpula da Ambev tratava do caso internamente, com sigilo máximo. Tinha até um codinome: projeto Beattle. O codinome no Brasil era "Brenda". As reuniões eram comandadas por um dos três controladores em pessoa, Marcel Telles. Participei com Duda desde as primeiras conversas sobre como deslanchar aquele esforço de comunicação, sob o comando de Telles e executivos escolhidos a dedo.

Não fomos chamados para comunicar um fato consumado, servir um prato feito. Entramos enquanto as panelas estavam no fogo e as negociações ainda estavam em curso, semanas e semanas antes. A vantagem disso é que tínhamos uma noção clara dos fatos. A desvantagem é que sentimos que tudo, de repente, podia dar pra trás.

Já desde o início tínhamos que ir afinando as mensagens do anúncio do negócio e estarmos preparados para, a qualquer momento, em caso de vazamento, deslancharmos um plano de emergência. Então, tínhamos dois planos simultâneos, com mensagens e ações diferentes: o ideal, se tudo desse certo, e o deus nos acuda, se tudo fugisse ao controle.

Definimos, inclusive, os padrões de reação. Se o boato fosse vago e muito impreciso, desmentiríamos. Se fosse medianamente veraz, diríamos que as corporações não comentariam especulações do mercado (*nem sim, nem não*). Se fosse na mosca, anteciparíamos tudo e colocávamos o bloco na rua.

O plano previa qual ação deveria ser tomada por quem em qual momento. Era o *timetable*. Quem ligaria para quem, no governo ou na mídia; quem ligaria para os patrões nas redações, a que horas, para falar o quê; qual comercial iria rodar em qual dia, quando iríamos dar entrevistas individuais e para quem; quem iria a qual audiência e onde. Enfim, tudo, numa tabela detalhada com todas as iniciativas possíveis e imagináveis, com hora marcada e tudo. Então, havia o dia "D", o dia do anúncio. E o D-1, D-10, D+5, D+30. Tudo devidamente planilhado.

Havia alguns pepinos do próprio desenho do negócio que, em termos de comunicação, eram difíceis de descascar. Onde seria a sede da nova empresa? Se era lá, eles compraram. Se era aqui, nós. A sede, evidentemente, não podia ser em lugar nenhum. Se não estávamos sendo vendidos, a que horas seria o anúncio do negócio? Se éramos o dono da bola, por que não fazer no horário de abertura da bolsa do Brasil? Se fizéssemos no horário "deles", então é porque estávamos indo a reboque e não puxando os vagões? Não faltava água pra botar naquele chope.

O horário do anúncio e a futura sede da empresa, então, eram um assunto. Num mundo globalizado, em que as bolsas abrem e fecham em horários diferentes, o fuso que iríamos seguir não era pouca coisa. Era um detalhe que podia servir para revelar quem é que estava mandando em quem.

No final, não havia como fugir aos fatos: por uma questão estatutária, a empresa que surgiria das duas antigas teria como sede fiscal a Bélgica. A sede, portanto, seria lá e ponto final. Teríamos também de seguir o fuso horário da nova empresa e, por obrigação societária, tínhamos que anunciar isso antes do pregão onde ela estivesse cotada. E as ações da companhia eram listadas na bolsa de Londres. Logo, teríamos que anunciar na abertura da bolsa londrina, o que era pouco antes da abertura da bolsa de Nova York.

E que horas eram no Brasil? Três horas da manhã. Fizemos uma coletiva nesse horário. Nada mais ultrajante, do ponto de vista cronológico e dos brios patrióticos, do que convocar uma entrevista para a madrugada. Sinal de que o ponteiro que contava não era o nosso, mas o do outro lado. E normalmente quem manda é quem define quando o jogo começa. Como explicar que não estávamos sendo vendidos se até o horário da coletiva sugeria isso expressamente? Tivemos que rebolar.

Também foi preciso inventar um nome para a operação: se não podia ser venda, nem compra, nem fusão, era o quê? Os advogados sugeriram "combinação estratégica". O nome foi vetado por nós. Combinação, que era um termo técnico consistente no idioma corporativo, em português dava a ideia de conchavo.

Duda sacou o "aliança global" da cartola. Virou a aliança global das duas companhias. Era um termo vago que aceitava qualquer interpretação. Do ponto de vista dos especialistas, tão embriagante como cerveja sem álcool. Claro, os veículos especializados, sobretudo lá fora, iriam dizer que era compra da Ambev pela Interbrew. Mas aqui iríamos trombetear a aliança na imprensa e, sobretudo, na propaganda.

Havia também a questão do fogo amigo. Do lado da Interbrew, todo o esforço de comunicação deles, junto aos veículos de imprensa mundial, era para enfatizar que eles eram os compradores. Até porque estavam pagando uma bolada. Se parecesse que estavam fazendo um mau negócio, as ações deles desabavam. O único jeito, para eles, era dizer que eram os tais, os gringos que compraram a cervejaria na república das bananas.

Isso, para nós, era um veneno. Quer dizer que o *New York Times* tá errado, o *Financial Times* tá errado, o *Wall Street Journal* tá errado? E a única coisa que tá certa é esse *release* aqui da sua assessoria de imprensa?

Tínhamos uma comunicação, em termos globais, esquizofrênica. Nós dizíamos uma coisa aqui, no terceiro mundo, e eles diziam outra coisa lá, no império.

Aquele sujeito lá que eu falei que não conseguia escrever dez linhas seguidas de texto não tava nem aí com essa fuzarca. Duda já tinha enfrentado tanta coisa que parecia o Fred Astaire dançando num baile de debutantes. Parecia fácil para ele comandar aquela zorra toda.

Meu papel nisso tudo era olhar, meter a colher e ser um faz-tudo. Foi divertido. Saímos daqui algumas vezes na quinta à noite com destino a Nova York. Chegávamos, hotel, escritório, hotel e, no domingo à noite, de volta pra casa. Pelo menos três vezes fizemos esse bate e volta, para reuniões com advogados estrangeiros, equipes de comunicação e executivos da outra empresa, inclusive os presidentes de um lado e de outro. Sempre em inglês. Ali percebi que precisava dar uma polidinha no meu Shakespeare. Mas isso foi depois.

Acompanhamos várias reuniões em que o pau comia na mesa. Estávamos vendo as coisas acontecendo e não sendo apenas chamados para dizer depois.

Nós da comunicação participamos até da redação do "fato relevante", um texto no mais típico idioma incompreensível para leigos que as empresas são obrigadas a publicar quando algo importante acontece com elas e o mercado e os acionistas precisam saber.

Lutamos (e vencemos, urra!) para que um dos três *bullets*, ou seja, um dos primeiros três tópicos sumários do fato relevante tivesse claramente consignado que o controle da nova companha seria compartilhado em bases iguais.

Em bom português, a Ambev estava sendo tecnicamente vendida para a Interbrew. Mas a nova empresa, InBev (*e não AmBrew*) teria um novo acordo de acionistas, em que os investidores brasileiros (*o 3G, Jorge Paulo Lemann, Beto Sicupira e Marcel Telles*) mandariam tanto quanto os investidores belgas.

Pense num negócio complicado de explicar...

Então, de um lado era venda mesmo. Mas, de outro, os brasileiros passavam a mandar meio a meio numa coisa muito maior que a Ambev. Era um passo pra trás ou para a frente? Era realmente algo cheio de neblina. E, se quisessem fazer um escarcéu no Brasil, era fácil implodir a transação e carimbá-la de bordões e palavras de ordem.

Eles não estavam gastando dinheiro à toa quando contrataram o Duda e a cachorrada dele.

Como sempre fiz, chamei gente boa pra perto. Escalei uma jornalista amiga e de confiança, Silvana Quagllio, para fazer a interface com os braços internacionais de comunicação, e as agências de relações públicas da Ambev e da Interbrew no exterior.

Ah, sim: para manter a confidencialidade total, nem mesmo a empresa de relações públicas da Ambev participou da preparação nas semanas que precederam o negócio. Pelo nosso *timetable*, eles seriam informados em D-1, 24 horas antes. Eu preparei todo o *kit* de imprensa, todas as explicações, todas as *key messages*, todos os *releases*. Tudo.

E, no D-1, fui o cara que deu uma palestra interna e "ensinou" aos assessores de imprensa da competente empresa que atendia à Ambev qual era o pulo do gato, como era o negócio, o que responder. Fiquei ali, parecendo uma "fonte". Trocamos de papel: eles faziam as perguntas que os jornalistas fariam e eu dava a resposta que, no dia seguinte, eles é que estariam dando.

Com o tempo, fui sendo dispensado de ficar na trincheira do convencimento de jornalistas. Atuava para dentro, em contato com os donos e a equipe interna de comunicação. Ficava no QG, enquanto os assessores das empresas é que iam pras trincheiras. Tinha deixado de ser a cigarra das CPIs e tinha virado grilo falante dos *boards*.

Quando comecei e era assessor de imprensa de porta de CPI, eu explicava meus clientes para os jornalistas. Mais tarde, passei a explicar a imprensa para os meus clientes. Passei a ser confidente dos homens poderosos a que servi. Uma pergunta deles revelava muito de seus medos, de suas dúvidas. Ouvi-la tinha valor econômico, principalmente se aquela dúvida chegasse aos tímpanos concorrentes. Então, eu também era pago para ouvir. Uma parte de meus honorários, teoricamente falando, era para fechar o bico. Ser consultor de crises era isso.

Outra coisa: como eu era independente, tinha normalmente um "mandato" e não cobrava pouco, podia meter o bedelho quando o advogado estava aparecendo demais, a assessoria de imprensa estava criando paranoia demais. Ou azucrinar quando fosse o contrário. Eu era a segunda opinião dos tomadores de decisão: seria como uma espécie de "auditor" de comunicação nas crises, para ajudar a avaliar o que era real e o que era irreal, sempre que isso fosse possível. E, claro, nas horas vagas, fazia uma perversidade aqui ou ali no ouvido de algum urubu da imprensa.

Duda, aquele cara tosco, se lembra? De bobo não tinha nada. Inventou logo o mote da campanha: "Está surgindo a maior cervejaria do mundo!". E era, não pela ótica do faturamento, mas pela do volume de produção. "A maior cervejaria do mundo". He, Duda...

Ele também materializou a imagem que convinha destacar: a paridade entre os dois lados. Então o que ele fez? Embaixo da "maior do mundo" ele criou um cartaz em que as garrafas de cerveja estavam perfiladas como um time de futebol. Metade eram as nossas marcas, metade a deles. Tudo do mesmo tamanho e na mesma quantidade.

Duda criou um *jingle*, com a mesma melodia daquela que se ouve nos estádios de futebol. Em vez de "eu sou brasileiro, com muito orgulho, com muito amor", o *jingle* de Duda cantava: "Eu, eu sou Ambev, com muito orgulho, com muito amor". Então, ele atacava sem falar nada a questão do patriotismo, usando uma melodia da mais genuína nacionalidade para tratar intrinsecamente de uma intrincada operação empresarial. Que palavreado embolado esse meu, né? Duda não tangenciava nem de longe essa masturbação hermenêutica. Ele fisgava o marlim e vinha puxando.

É pouco?

Ah, ele também colocou Deus na parada. Para fazer o comercial "testemunhal" do assunto, convocou o ator Antônio Fagundes. Foi ele que anunciou a novidade ao país. Fagundes acabara de ser Deus não fazia muito tempo. Fora o personagem central do filme "Deus é brasileiro". Veja bem, brasileiro, não era belga, não. Danado esse Duda...

Ele ainda gravou vídeos para as redes internas da Ambev. Imagina, centenas ou milhares de pessoas iriam saber da transação que poderia mudar as suas vidas. Sob o pretexto de anunciar "em primeira mão" para o público interno, a campanha de comunicação dentro da empresa tinha Marcel Telles como âncora. Era o sócio que os empregados viam como referência. Então, se ele estava indo ali para dizer em pessoa que a Ambev não estava acabando, mas dando um salto, o pessoal interno não iria duvidar.

Ele anunciava que, a partir daquele dia, os empregados estavam trabalhando "na maior cervejaria do mundo". Ele os parabenizava por isso. Ele ainda acenava com uma cenourinha corporativa, dizendo pra tigrada que a operação iria abrir inúmeras novas possibilidades de trabalho no mundo inteiro. Por fim, pontuava: "Nós não estamos sendo engolidos, nem vamos engolir". Depois engoliram os gringos, sim. Mas naquele ponto era a tal "aliança global".

Duda sempre batia nesta velha estaca: comunicação não é o que você diz, é o que os outros entendem.

Pra ele, essa frasezinha era o equivalente à Lei Áurea: o importante era convencer e não informar. Ele sempre dizia isso também. Não tava nem aí pra informação. O negócio dele era convencimento.

"O jornalismo informa. A publicidade convence. Meu negócio é convencer." Por isso esse blá-blá-blá todo da "intelectualidade", da "objetividade", ele não tava nem aí. Ele usava até a informação objetiva se fosse necessário. Mas apenas se fosse. "Sou brasileiro, com muito orgulho, com muito amor…"

Deixe-me exumar um pouco as entranhas daquele planejamento de comunicação, coordenado por Duda. Tudo o que você vê, ouve ou lê nas propagandas tem um norteamento estratégico por trás. Você nem percebe esses elementos, mas eles é que compuseram o diagnóstico sobre o que e, sobretudo, como dizer ou mostrar.

Chamávamos internamente o plano de "projeto Big Brother". O posicionamento estratégico definido pela mensagem-mãe era este: "O maior produtor de cerveja do Brasil está se transformando no maior produtor de cerveja do mundo". O discurso auxiliar era: "Na era da globalização, só existe uma forma de você não ser engolido: crescer". Assim, a venda era um detalhe menor. Crescer na globalização passou a ser o mote. Era a forma de compatibilizar aquela transação com a promessa feita cinco anos antes.

A partir das reuniões das equipes de trabalho da Ambev e da Interbrew, definiu-se que a transação seria descrita como uma aliança global. O bordão era: "Brasileiros e belgas se unem para formar a maior cervejaria do mundo".

As cores verde e amarelo, representando as tintas nacionalistas do governo, eram usadas em referência à multinacional que nasceria com a operação; uma multinacional "verde-amarela".

Eram sete os documentos do *press kit*:

1. **A Ambev e Interbrew anunciam aliança global — Nasce a maior cervejaria do mundo**
2. **Aliança global entre Ambev e Interbrew forma a maior cervejaria do mundo**

3. Aliança global coroa missão definida pela AmBev
4. Aliança une duas gigantes globais
5. As vantagens da aliança
6. Perguntas e respostas
7. *Fact sheet*: um forte portfólio

Naquele caso, ele se preocupou com todos os detalhes. Sobretudo em tudo o que ressaltasse a paridade, a igualdade entre as partes. Até a foto oficial que registrava o momento exato da assinatura do negócio tinha apenas dois personagens: o chefão da Ambev e o da Interbrew. Do mesmo tamanho no enquadramento.

Duda acreditava e nos ensinava que, na comunicação, tudo fala. Não só as palavras. Tudo.

O anúncio daquele carnaval todo foi feito em grande estilo no horário nobre, com pesado plano de mídia. De repente, era o *jingle*. Depois, era Deus. O telespectador podia não entender nada. Afinal, não era propaganda de cerveja. Não era propaganda de produto. Era Deus e a charanga da torcida dizendo que uma coisa muito boa tava acontecendo. Devia ser.

O ponto-chave dessa campanha toda era que, além de neutralizar a artilharia da inveja adversária, ela também abria espaço para o governo respirar. Se a opinião pública apoiava, ficava mais fácil.

Os donos da companhia investiram dezenas, dezenas e dezenas de milhões naquele lançamento, que foi para todos os veículos, impressos também. Cumpriram uma castrense agenda de conversas nos dias seguintes. Todos os atores relevantes, entre juízes, ministros, até consultores econômicos que davam pitacos nos cadernos de finanças, todo o mundo foi acionado e informado.

O público interno, que não é só um público, mas uma poderosa mídia, saiu replicando o que recebeu de informação.

Foi um desembarque na Normandia. A empresa mostrou por que era o que era e virou o que viria a ser. O 3G, depois, conquistou o mundo: comprou a maior cervejaria do mundo em valor, fabricante da Budweiser, o Burger King. Não pararam mais.

Naquele dia, quem achasse que eles estavam perdendo teria motivos bastante fortes para sustentar isso, documentalmente inclusive. Mas, no final da história, os que viam a transação assim estariam errados. Quem estava virando a lata naquele dia? Quem estava distorcendo a realidade? A imprensa ou os assessores de imprensa?

Quanto ao Duda, algum tempo depois, permitiu-se saborear uma deliciosa buchada.

# CABARÉ

Eu tava realmente lá em cima. Mesmo.

Meu amigo acabara de assumir a prefeitura de São Paulo, maior cidade da América Latina. Saí do gabinete de Gilberto Kassab e fomos para o terraço, onde embarcamos no helicóptero oficial para a primeira solenidade dele e também do dia. Eu tava podendo.

Fomos sobrevoando a selva de espigões até o Palácio dos Bandeirantes, onde descemos para acompanhar a posse do novo governador de São Paulo, Cláudio Lembo, que, assim como Kassab, também estava assumindo naquele dia. Na cabine, apenas os pilotos, Kassab e eu. Voltamos no mesmo aparelho, descemos no mesmo terraço, fui até a sala do prefeito e, mais tarde, voltei pra casa na Bahia. Feliz da vida.

Chegando a Salvador, fui tomado pela curiosidade de saber como tinha saído, afinal, aquela entrevista que o novo prefeito dera na véspera da posse a um repórter da revista *Veja*. Eu fora ao gabinete (do então vice-prefeito) para preparar o discurso de investidura do dia seguinte. Quando fui entregar o texto, entrei na sala e ele estava conversando com o jornalista. Me convidou pra ficar. Disse que a coisa que mais detestava, quando repórter, era abelhudo que se metia nas conversas dos outros. Segui o manual à risca. Deixei os dois ali.

Na varanda de meu apartamento, como sempre saboreando um charutinho na madrugada, fui atrás do que havia sido publicado. O título da reportagem? "Mau começo". Acessa daqui, acessa dali, senti frio na barriga:

"Há, no entanto, outros fatos que preocupam. Por exemplo: na véspera de sua posse, o novo prefeito cometeu a imprudência de abrir as portas de seu gabinete para um lobista de alto teor explosivo. Mario Rosa, ex-assessor de Duda Mendonça, já circulava por lá antes mesmo de Kassab assumir o cargo. Mau começo".

Por favor, amigo leitor, amiga leitora, não passe daqui agora, não. Leia de novo a coisa que escreveram contra mim numa publicação nacional. Por favor, releia.

*(Pra começar, dizer que eu era "ex-assessor de Duda Mendonça" era um "subtexto" para queimar. Como se a adjetivação toda não fosse suficiente! Duda tava no meio do escândalo do mensalão. Então, ser ligado a ele naquele contexto não era algo casual; era uma tentativa velada de contaminação com um escândalo em que não estava. Você pode escrever uma verdade para sugerir o que não é. E ainda se escuda na "objetividade" para se defender de algo que não está escrito, mas que sabe exatamente bem o porquê. Esse é uma das regras desse jogo. De minha parte, aliás, a ligação com Duda sempre foi motivo de glória. E não de vergonha).*

Este capítulo aqui é só pra você ver um pouquinho de como funciona o cabaré das relações, no intramuros de fontes e jornalistas. É um ambiente animado. Barulhento, cheio de penumbras e de folia. Algumas almas penadas circulam. Há gente alegre e deprimida.

Farrapos humanos e moços e meninas na flor da idade. Todos atrás de emoções fortes. Mas só tem profissional.

Naquele meu caso específico, lá se vai uma década quando escrevo, o repórter me viu ali com o iminente prefeito, falou na redação e um carinha lá decidiu usar o chicote dos outros para me bater. Por pura maldade. Essa imparcialidade e essa objetividade, onde já se viu?

Mas acontece. Ninguém é neutro. Jornalistas tentam, mas ninguém é perfeito. Você já imaginou o prefeito de uma cidade de 10 milhões de habitantes ter começado mal apenas porque um sujeito irrelevante como eu passou por lá? É resumo que se faça? Os milhões e milhões de munícipes estavam realmente recebendo um relato fidedigno?

Imagina. Não era apenas um lobista: não! Era um lobista de teor "explosivo". Pouco? Não: de alto teor. Buuuummmmm!

Como é que você nunca ouviu falar de mim antes?

Ao longo de meus anos como consultor, tive que desviar de muitos torpedos e encaixar alguns. É o risco do negócio apanhar de vez em quando. Acidente de trabalho. Mesmo que não tenha feito nada de errado. É a sina dos guarda-costas.

A imprensa cumpre, sem dúvida, um papel fundamental nas democracias. Não é demonizando-a que a faremos melhor. Não a demonizo. Fui jornalista e a respeito e a admiro. Acho que as virtudes da imprensa e o nobre ofício dos que a produzem são muito maiores do que algumas ressalvas que se façam a ela. Mas trago aqui alguns episódios pontuais para reflexão. Pois, quanto melhor a imprensa, melhor.

Quando aquele peteleco saiu publicado, fiquei arrasado. Eu tinha sido jornalista e me achava importante. Isso mostra mais a minha fraqueza do que a força do ataque. Uma amiga minha, da revista concorrente, me mandou aflita um alerta, via *e-mail*, de que a menção a meu nome tinha viralizado. Um desocupado qualquer aproveitou a deixa e inundou as redações com a reprodução do ataque contra mim. Ela escreveu:

> **"Caro Mario Rosa, assim como outras dezenas de jornalistas, recebi este *e-mail* em minha caixa postal. Trata-se de um *e-mail* anônimo que traz um grave ataque a você e destrói sua imagem profissional. Da mesma forma que chegou aqui à revista, estou certa de que esta mensagem alcançou outras redações."**

O remetente apócrifo se identificava como "Lobista do Mal". Sabe como é, né? Tava passando e avistou um linchamento, não tinha mais o que fazer e me deu um chute na cara. Corajoso, usou capuz e luvas, pra não deixar as digitais. Deve ter ido dormir relaxado naquele dia...

Tudo isso, imagine, só porque cruzei com um repórter por acaso. Foi menos de um minuto. Ele, coitado, saiu depois da revista e foi ser assessor de imprensa do oligopólio dos empresários de ônibus do Rio de Janeiro. Tornou-se um colega. Quanto a mim, minha imagem profissional acabou mesmo só naquela cabecinha brilhante que me chicoteou. Foi um casinho cabeludo, mas a carreira de meu candidato a algoz foi ficando rala e ele saiu por aí, atrás de um tônico para si.

Os cães ladram e a caravana passa, já dizia o impagável Ibrahim Sued, mestre do colunismo social, em um de seus bordões mais consagrados. "Ademã, que eu vou em frente".

Atrás da manchete e da capa que você lê, da reportagem a que assiste, há muita cotovelada que nunca vai chegar ao seu conhecimento.

Sabe quando batem o escanteio e os jogadores ficam se empurrando e puxando a camisa uns dos outros? O jornalismo, nos bastidores, é um eterno escanteio.

Uma vez, fui com meu patrão Carlos Jereissati para um "almoço" no jornal *Valor Econômico*. Carlos era retratado na época como um dos chefes da "telegangue", o escândalo que rondava o noticiário depois da privatização das empresas de telefonia. Carlos era um dos controladores da Telemar, futura Oi, a maior de todas do setor.

"Carlinhos" sempre foi jeitoso. Fomos ali "almoçar" no ofidiário pra acalmar um pouco as coisas. Carlos combinou naquele dia um patrocínio para o evento de um ano do jornal, o que viabilizaria a vinda do ex-presidente Bill Clinton para uma palestra, como parte da comemoração.

O almoço foi ótimo, tudo bem, tapinha nas costas. Maravilha.

Não muitos dias depois, veio uma sarrafada do jornal na companhia. Imagina quem estampava a foto garrafal da reportagem? Carlinhos, em pessoa. Apanhou porque foi lá? Cá entre nós, ainda bem que ele gostava muito de mim. Porque, como consultor de crises, aquilo era um frango debaixo das pernas.

— Meus sócios me sacanearam: pagou pra apanhar, hein? Podia ter apanhado de graça —, brincou Carlos, que levava tudo na esportiva, era calejado nessas e em muitas outras coisas.

O ponto que ele pediu que questionasse ao jornal, além da matéria, que era desajeitada, ficou sem resposta do lado de lá:

"Por que a foto dele e não as dos outros sócios? Por que ele sozinho? Por que não qualquer outro ou todos juntos?"

O fato é que algumas fontes mais próximas desse ou daquele repórter na ocasião eram inimigas de Carlos. E viviam queimando ele o tempo todo. A imparcialidade é uma tentativa louvável, mas nem sempre possível.

O mesmo Carlos e eu vivemos uma situação parecida com a revista *IstoÉ*. A revista era muito mais próxima do empresário Daniel

Dantas do que dele, Carlos. E os dois, àquela altura, estavam às turras. Fomos lá "almoçar" e combinamos também algumas propagandas. No fim de semana seguinte, duas páginas de pancada no Carlos. Se o meu negócio fosse derrubar matéria, eu quebrava.

Na mesma *IstoÉ*, uns anos antes, eu tinha ido bater um papinho com o *publisher*, um ser idolatrado por mim, Domingos Alzugaray. Portenho, bem-apessoado, já tinha feito de tudo. Até galã de fotonovela ele foi. Como dono da segunda maior revista do país na época, sempre foi carinhosíssimo comigo. Na vez em que trabalhei para ACM, a revista estava triturando o velho coronel. Eu fui lá pedir uma forcinha, tentar acalmar as coisas. Resposta do seu Domingos:

> **"Eu não tenho nada contra o ACM. Eu sou muito grato a ele. Quando ele era ministro e eu fui lá pedir apoio, ele só ajudou meus concorrentes, inclusive dando algumas emissoras para eles. Resultado? Agora eles tão quebrando por causa do prejuízo das emissoras. Se ele tivesse me ajudado, eu estaria morto. Só não quebrei porque ele só me atrapalhou. Por isso sou tão grato..."**

Sabe que ele acabou aliviando um pouco mesmo? Aliás, "seu" Domingos exercia com mão de ferro o controle da redação. Se ele gostasse de alguém, ali não apanhava. Se detestasse, ninguém salvava. Uma vez, quando trabalhava para o empresário Paulo Panarello, fui lá humildemente pedir clemência.

— Mario, redação é um hospício. Não preciso pedir a ninguém pra ficar doido. Doidos eles já são. O que eu posso fazer, como dono do manicômio, é servir ou não servir o remédio. Se eu sirvo, eles ficam calminhos. Se não sirvo a medicação, não preciso pedir pra eles pularem no telhado, borrarem a enfermaria, babarem no avental. Eles já são doidos e vão fazer isso sozinhos. Não precisa ninguém mandar.

Figuraça, seu Domingos... saudades suas e obrigado por prestigiar aquele moleque, eu.

Uma vez, na rede Globo, o bicho pegou. O cartola Ricardo Teixeira tinha ganhado uma hora inteira de pisa, em rede nacional, no programa *Globo Repórter*. Era na época das CPIs do Futebol. Preparei um espesso livro branco, com documentos e argumentos para demonstrar que algumas coisas na reportagem não eram 100% exatas. Marquei um encontro com os dois diretores máximos do jornalismo da emissora. Fui "almoçar" com eles no restaurante executivo da empresa. Cheguei com aquele calhamaço na mão e a primeira coisa que ouvi foi:

**Estamos recebendo você. Mas, se for para tratar qualquer coisa em relação ao Ricardo Teixeira, vamos nos levantar. Vamos conversar sobre qualquer coisa, menos isso. ”**

O que você faria no meu lugar? Fiquei ali por duas longuíssimas horas, entabulando um monólogo autista.

Depois, os dois lados fizeram as pazes. A rede Globo sempre teve a exclusividade do futebol em sua grade de programação. Quando tudo já estava bem melhor, anos mais tarde, num almoço restritíssimo de confraternização, Ricardo me deixou exatamente ao lado do diretor que me recebera naquela ocasião. Ricardo falava calado.

Essa luta de sumo entre fontes e jornalistas, com caras como eu imprensados no meio, era uma constante. Noutra vez, havia marcado um "almoço" com os diretores da redação da *Veja*. Nessa época, estava trabalhando para o ex-secretário-geral da presidência no governo FHC, Eduardo Jorge Caldas Pereira. Chamavam ele de EJ e de "esquema EJ" um arsenal infinito de acusações das mais estapafúrdias. EJ, depois, ganhou processos contra todos os veículos que o atacaram. EJ não era fraco, não.

Naquele dia, tínhamos marcado de conversar com os editores da revista porque EJ havia tomado outra. Dessa vez, era acusado numa matéria de título irônico: "Dudu, Lulu e Lalau". Dudu era ele. Lulu era Luiz Estevão de Oliveira Neto, o primeiro senador cassado da história brasileira. Quanto a Lalau, era o apelido do juiz Nicolau dos Santos Neto, que foi condenado por irregularidades na construção da sede do Tribunal do Trabalho, de São Paulo, erguido pela empresa de "Lulu". A trama envolvia "Lulu" Estevão e, naquele contexto, também "Dudu", EJ.

Faltando dez minutos para o "almoço", recebo uma ligação de um dos editores:

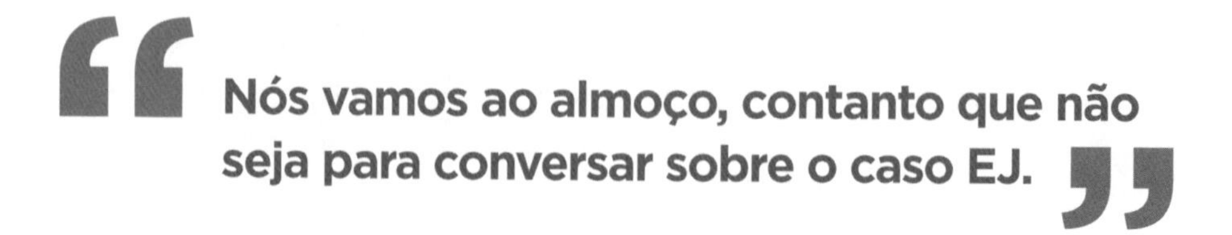


Transmiti o recado. EJ, com lágrimas nos olhos, me perguntou por que ir então, afinal? Pense por um segundo só que ele fosse inocente e que estivesse na pele dele: como você se sentiria naquela situação?

Disse a ele que o importante é que estavam aceitando conversar. Era um avanço. Claro, havia um abismo no meio da conversa, mas era melhor atravessar um abismo do que cair nele. "Deixe ver como as coisas vão e, se for tudo bem, lá no fim o senhor toca no assunto", recomendei.

Fomos. A conversa foi agradabilíssima. No cafezinho, ele se defendeu. Ao longo do tempo, a cobertura foi melhorando. Anos depois, EJ ainda saiu até bem por lá.

Dizer que essas interações intramuros são só boas ou só ruins é uma generalização banal. Pessoas são pessoas e temos ou não temos afinidades com elas sem nem saber direito por quê. Vale pros dois lados, com a desvantagem, no meu: é que, quando o canhão está apontado contra você, se cismarem de lhe descarregar a munição, não há muita coisa a fazer, a não ser entubar.

Fui também muito bem tratado por jornalistas de todos os veículos. Tanto pessoalmente quanto profissionalmente. Eu diria que fui infinitamente mais bem tratado do que o oposto disso. Meus livros receberam generosas resenhas, o que empurrou minha carreira pra frente, reforçou a imagem junto ao "mercado" e por aí vai. Alguns títulos de resenhas de meus livros:

"Imagem é tudo. Ou nada"— revista *Veja*
"Querido consultor" — revista *Veja*
"Médico da imagem" — revista *IstoÉ*
"Uma vacina para manter a imagem" — revista *IstoÉ*
"Bombeiro de marcas"— revista *IstoÉ Dinheiro*
"Lições para se proteger da mídia" — revista *Época*
"O manual da crise" — revista *Época*
"Salvador de reputações" — revista *Imprensa*
"Crises em carne e osso" — revista *Exame*
"Luz nos escândalos nativos" — revista *Carta Capital*

E por aí foi: resenhas em jornais dos meus três livros, tratamento de alto nível, algo que me ajudou. Não está aqui alguém com nenhuma dor de cotovelo. Pelo contrário.

Fui parar até na lista dos livros mais vendidos, por algumas semanas. Mais vendido, eu?

Seria reducionista demais, portanto, resumir relações humanas complexas, num contexto frenético, cheio de desconfianças, a algumas desagradáveis situações.

Quando virei escândalo na Operação Acrônimo, estavam fazendo uma grande reportagem sobre as assessorias de imprensa. Eu estava vulnerável naquele momento: era o único assessor que tinha uma pendência policial. O repórter da revista *Piauí* Luiz Maklouf tinha poder de vida ou morte sobre mim. Podia aumentar a minha agonia ou podia me fazer partir em paz. Ele me matou com grande dignidade. Fez tudo o que tinha de fazer, não omitiu nada, mas o fez de forma cuidadosa e multifacetada.

A palavra serve para revelar, mas no jornalismo também para esconder. Sob o álibi de uma descrição escorreita, pode haver uma grande brutalidade. Estive com Maklouf mais de dez horas. Mostrei tudo de minha vida pra ele. Me deixei levar num ímpeto que, consultor dos outros, se consultado pelos outros, tenderia a recomendar não fazerem o que fiz nessa vez. É muito mais fácil ter certeza com os outros do que com a gente — o que mostra que nossas certezas podem não ser certas, embora técnica e teoricamente corretas. E isso é ainda mais grave quando envolve um conselho que damos ao outro. Aprendi essa lição comigo.

Maklouf foi correto.

De tempos em tempos, acontecia de eu levar uma bordoada sem nem saber direito a razão. Serviu para entender um pouquinho como os clientes sofriam. Mas sempre achava incrivelmente inacreditável como um assunto irrelevante, como eu, podia substituir outros no noticiário e se transformar em conteúdo publicado. A agenda da imprensa é sempre realmente o que lhe interessa, prezado leitor, prezada leitora?

Pros meus clientes, eu declamei muitas vezes o mantra: informação é informação, notícia é notícia. Jornalistas gostam de notícia. Só dê notícia pra eles.

Oswald de Andrade já dizia: "A gente escreve o que ouve, nunca o que houve".

Informação é o boi no pasto. Notícia é o bife grelhado embaixo do cloche, às vezes de prata. São essencialmente a mesma coisa. Mas boi é boi e bife é bife. E o grelhado fica ao gosto de quem serve, não do cliente. Bom apetite.

Nesse ambiente de guerra fria que acontece em volta das redações, algumas vezes fui notícia apenas porque havia um celerado qualquer tentando acertar alguma pinimba pessoal comigo. E o leitor: o que ele tem a ver com isso? Em publicações mais robustas, isso é mais raro. Mas às vezes a peneira deixa passar. Eu mesmo não fui apresentado ao distinto leitor como uma bomba? Kabuuuuuum!

Tem muita paranoia e teoria conspiratória aí no meio, entre o que você lê e o que acontece. Faz parte. Quem é desse ramo da informação, digamos assim, não janta em alguns lugares. Mas, pra você, meu caro, seu consolo é a vigilância sanitária das redações, às vezes precária.

Dizia um velho amigo meu que aos amigos tudo, aos inimigos o manual de redação! Aos inimigos, a lei. Sempre haverá uma forma conceitualmente defensável de praticar uma barbaridade. O jornalismo não é exceção. Faz parte da vida.

A teoria conspiratória, certa feita, me custou caro. Fui solenemente sacaneado por uma publicação de renome. Sacaneado na pessoa física, não algum cliente meu. Pode haver coisa pior do que um dentista com mau hálito? Por melhor que ele seja, por mais bonito que seja o consultório? E um cara de crise de imprensa que toma uma pancada num artigo? Quando ainda não tinha vivido muito, achava esse perigo algo mortal. Os clientes não ligavam. A maioria nem via. Mas eu ficava angustiado, até ir aprendendo.

Um amigo teve uma vez um rompante e fez um mea-culpa de um erro seu como jornalista. Ele já estava fora das redações. Admitira um erro de cálculo da escala do milhar. Uma determinada quantia que ele disse que alguém havia recebido era mil vezes menor, mas o cara mencionado depois na matéria da dele — um político de primeira linha — jamais se recuperou totalmente do baque.

O autor da reportagem, esse amigo, escreveu um texto posteriormente admitindo a falha. O texto vazou e virou matéria de uma revista. O rapaz tinha 23 anos, coitado, quem nunca errou? Coitado também de quem sofreu com o erro dele. Mas quem nunca foi injustiçado?

O fato é que a publicação em que o rapaz trabalhava quando errou se sentiu atacada pelas costas. Preferiu achar que aquilo não era por acaso. Sobrou pra mim. Só porque ele era meu amigo. A publicação se convenceu de que havia um complô para desestabilizá-la. Provas? Nenhuma. Verdade? Não. Mas era aquilo e pronto. E quem era o cara por trás disso tudo? Eu. Sim, euzinho. Alguém tinha de ser o culpado. Eu era um ótimo culpado: não tinha nenhuma importância, né?

E tome sarrafo. Sofri e mandei uma mensagem quilométrica me justificando para o diretor de redação. Pedi que, como um César das impressoras, movesse seu augusto polegar e me poupasse dos leões. Que mandasse parar as máquinas. Qual o quê! Ele me mandou uma resposta desaforada, de madrugada:

> **Caro Mario, entendo seu agravo. Quando vocês se reuniram naquela vergonhosa operação, estavam agindo em nome de uma causa, vagabunda na origem, mas**

**uma causa. Atiraram contra uma coletividade, não contra uma pessoa. Entendo como deve doer quando o ataque é individualizado. Não quero alimentar rancores e mágoas. *Life goes on*! Abraços.**

Veja bem, meu amigo: se eu, que fui do ramo, conhecia os meandros e ainda assim passei por esses perrengues, imagina quem tem muito inimigo, quem diz muito não, quem tá disputando uma bolada? Foi essa gente a que servi. Gente contra a qual paranoias ou complôs imaginários podiam ser um elemento de convicção. Paranoias que às vezes varrem a mente de editores, de todo tipo de gente, vaidosa, invejosa ou tão acima do bem e do mal que não está nem aí, embora queira se convencer de que está.

Aquele diretor de redação que permitiu um ataque contra mim passou anos lá e — quer saber? — ficou só naquilo mesmo. Saiu barato. Vida que segue.

Certa ocasião, um *site* bastante acessado botou meu nome lá no meio por causa de um prefácio qualquer que me citava. A manchete era: "Incendiários da era Collor viram bombeirinhos". Eu tinha sido um repórter na época do *impeachment* e depois tinha ido ganhar a vida como guarda das costas quentes.

O que sai na imprensa, e o que não sai; como sai na imprensa, e como não sai; o que entra na imprensa, e o que não entra, tudo isso o consumidor final do bife não vê. Mas nós, da cozinha, que sabíamos como as salsichas e as leis eram feitas, percebemos rapidamente quando o bolo queimou, quando o caldo salgou, quando o cozido passou do ponto. Por sinal, o dono do *site* depois virou meu amigo. Não guardo rancor. Posição oficial.

Já um alucinado, uma vez, publicou num blogue que eu estava por trás de uma conspiração envolvendo o vazamento de dados em segredo de justiça no âmbito do Supremo Tribunal Federal, pra prestar serviço na guerra do Senado da República com o Ministério Público. Meu objetivo? Derrubar o presidente da República.

Vou repetir porque talvez você não tenha reparado direito:

Uma vez, um alucinado publicou num blogue que eu estava por trás de uma conspiração envolvendo o vazamento de dados em segredo de justiça no âmbito do Supremo Tribunal Federal, pra prestar serviço na guerra do Senado da República com o Ministério Público. Meu objetivo? Derrubar o presidente da República.

O pobre coitado ainda "confirmou" essa grande informação exclusiva. Passadas algumas semanas, um conhecido veio comentar comigo aquele assunto. Ninguém tinha falado comigo e eu só soube naquela hora.

Perdeu, *playboy*! A parada é sinistra, o bagulho é doido.

Como é que você se protege disso?

# NOSSOS **VIZINHOS**

A grande coisa dos tempos de hoje é que todos agora somos públicos, mesmo que não famosos. A pessoa comum acabou. Somos todos incomuns. Porque a nova esfera pública — que surgiu com as redes sociais, a internet e o aparato de câmeras, celulares e monitoramento perpétuo de nossas vidas — subverteu o conceito do que é ser um cidadão comum. A rigor, todos nos tornamos incomuns porque estamos expostos a tudo e a todos o tempo todo, mesmo no aconchego enganoso de nosso WhatsApp ou nas mensagens privadas de nosso computador. Privadas é?

Nunca nossos erros estiveram tão perto dos outros. Porque nunca antes os outros estiveram tão perto de nós. A escala do erro mudou. Simplesmente porque, vistas mais de perto, nossas falhas ficam muito maiores do que pareciam ser no passado. É uma questão de ótica, não só de ética. O fato é que essa nova ótica está produzindo uma nova ética. Foi sempre assim. Há um novo mundo entre nossas rotinas e nossas retinas.

Mesmo que a gente não perceba, todos no mundo estão de olho em nossas vidas: o banco, o Google, o governo, a polícia. Até no elevador, se você reparar bem. A vida privada, portanto, acabou.

Hoje, fazemos parte, mesmo que involuntariamente, desse novo território social, a nova vida pública.

A vida pública — a vida de todos nós nesta etapa da humanidade — pode ser definida como um terreno que possui dois vizinhos, um de cada lado: a glória e a vergonha. Vivemos no terreno do meio e pulamos essa cerca quase sem perceber. Um pequeno evento pode mudar nosso endereço social e a glória se torna vergonha sem que nem tivéssemos imaginado.

No caso dos grandes escândalos, esse é o território em que as crises acontecem. Foi exatamente essa faixa estreita que habitei como consultor: atendia pessoas que tinham alcançado a glória e estavam indo rumo à vergonha.

Vi muitos gloriosos envergonhados. E vi também envergonhados gloriosos.

Profissionais, carreiras, trajetórias, reputações podem trafegar de um lado para o outro desse terreno, entre esses dois vizinhos, num simples toque da campainha às seis da manhã.

Nessas horas, podemos nos ver instados a tomar decisões no calor das circunstâncias. Foi assim que o "especialista" em crise começou a rasgar seu manual de procedimentos técnicos, logo que defrontado com uma escolha:

Eu perguntei:

**— É uma obrigação?**

**— Não, é um direito seu.**

Na primeira decisão, eminentemente intuitiva e certamente equivocada do ponto de vista técnico, respondi:

> **“— Não me sinto bem de ter um advogado às seis horas da manhã na minha casa. Acho estranho.”**

Depois, amigos advogados me chamaram de irresponsável.

Mas é aí que os *cases* não servem para pautar a vida.

Sentia-me inocente de qualquer coisa que viesse a ser atribuída a mim. E a presença do advogado, mesmo que racionalmente certa, não me faria bem.

Então, a busca que se estenderia pelas próximas quatro horas não teria advogados. Sei que não segui os protocolos, mas a vida da gente não é um *case* e me sentia melhor daquele jeito.

— *Cadê o cofre? Cadê o dinheiro? O cofre, o dinheiro?* — perguntaram logo os agentes.

Não tinha cofre nem dinheiro, respondi. Mas eles esmiuçaram tudo. Na chamada síndrome de Estocolmo, os sequestrados passam a sentir uma profunda admiração pelos sequestradores.

Talvez, de alguma forma, tenha sentido isso. Graças a Deus, os policiais que investigaram cada centímetro de minha casa o fizeram de uma maneira profissional, sem qualquer excesso. De minha parte, tomei calmamente assento na sala de jantar, enquanto as equipes fuçavam cada gaveta, cada armário, cada espaço, equipamento ou papel de minha casa de 700 metros quadrados.

Por mais que saibamos ou imaginemos saber o que guardamos, sempre nos surpreendemos com fragmentos imprevisíveis. A certa altura, o delegado que comandava a operação me apresentou umas folhas de cheque de um banco no exterior. Não fazia a menor ideia de que estariam ali.

— O que é isso?

Vi e reconheci. Respondi que eram de uma empresa nas Ilhas Virgens Britânicas, proprietária de um apartamento que possuo em Miami. Nessa hora, apresentei minha declaração de imposto de renda, mostrando que a aquisição havia sido feita através de operação regular, via Banco Central, nos idos de 2009, 2010. Não tinha a mais pálida ideia de que aquelas folhas (usadas para pagar o condomínio) estavam em algum lugar da casa.

Ao longo dos anos — tenho 52 -, iniciei o hábito de adquirir obras de arte: esculturas internas, esculturas para o jardim, móveis antigos, peças de prata, quadros. Entendia que, além do prazer, era uma forma de poupança. Mas obras de arte são também um recurso usado para deter patrimônio frio, dado o seu elevado valor concentrado.

Então, um dos policiais questionou:

— Cadê os atestados das obras de arte?
— Não tenho.
— Não tem?
— O que tenho e posso lhe mostrar é que todas estão declaradas ao imposto de renda, pelo preço efetivo, pagas todas através de transferências eletrônicas, cujos beneficiários aparecem listados também.

Dei a ele uma cópia de um trecho de meu IR e assinei. Como meu dinheiro era quente e eu tenho um contador chato (*conselho: tenha sempre contadores chatos*), não fazia o menor sentido eu esfriar dinheiro. Comprava via TED e declarava tudo. Dei sorte de meu auge profissional ter acontecido num momento em que meus clientes faziam questão de que emitisse notas fiscais. Podia ter sido diferente. Graças a Deus, não foi.

E assim as horas foram passando, naquela busca e apreensão. Tudo muito rápido.

A certa altura, o delegado me perguntou de forma cuidadosa:

> **“— O senhor trabalha ou trabalhou para alguma empresa ligada à Lava-Jato?”**

Referia-se à operação de combate à corrupção mais famosa de todos os tempos no Brasil, até o meu tempo.

Minha resposta foi um tanto desconcertante e imagino como pode ter soado estranha naquele contexto:

**— Várias.**
**— Várias?**
**— Esse é o meu trabalho: prestar consultorias para empresas que estão abaladas por acusações.**

Senti que não estava fácil para os meus visitantes entender exatamente o que eu fazia. Era mesmo esquisito.

No final, inúmeros papéis, celulares, computadores foram listados no auto de busca.

Nos primeiros minutos depois que saíram, uma sensação estranha tomava conta de mim: estava tudo bem, mas minha vida tinha mudado para sempre.

Chamei os funcionários à sala e tentei explicar o ocorrido:

— Vocês me conhecem mais do que ninguém. Sabem como é o meu dia a dia. Conhecem a minha intimidade totalmente. Sabem o que eu faço e o que eu não faço. Então fiquem tranquilos, pois no final vai dar tudo certo.

Falei tranquilo, mas a convicção exposta a eles era maior do que a que sentia em mim. Afinal, algo muito sério acabara de acontecer.

Cumprida essa etapa, dirigi-me normalmente para o próximo encontro do dia: um almoço com uma repórter do jornal *Folha de S.Paulo*, marcado casualmente uns dias antes. Nessa ocasião, iria rasgar mais um dos dogmas que sempre profetizei para os clientes, em situações semelhantes. Hoje vejo que a cobaia já estava sendo testada no laboratório: o laboratório da vida.

# PAI ROSA

Ao longo dos anos, após livros publicados, resenhas elogiosas na mídia e uma rotina de palestras ao redor do país (onde sempre sobrava espaço para uma entrevistazinha numa rádio aqui, um artiguinho publicado ali, uma gravaçãozinha numa TV acolá), fui sendo procurado por tudo quanto é tipo de gente. E achava uma delícia. Problemas dos mais variados. O "consultor de crises" aprendia muito com esses contatos. Não cobrava, mas ganhava muito mais com essas pessoas do que dava. Sou grato a todas elas pelo repertório de soluções e abordagens que permitiram expandir minha compreensão.

Meu "modelo" de atendimento era híbrido, desde o início. Eu tinha uma categoria que era uma espécie de plano de saúde. Era o pessoal que me pagava: aqueles clientes (privados, sempre privados, nunca ganhei dinheiro público) que me contratassem, eu cobrava não digo caro, mas bem. Eram poucos clientes por ano, cinco, seis, em contratos normalmente anuais.

Já qualquer outra pessoa que me procurasse, de qualquer atividade, eu buscava sempre atender, mas não cobrava. Achava aquilo um treino. Eu tinha o tempo livre que meus poucos clientes me proporcionavam e podia gastá-lo como bem entendesse. Essa segunda categoria eu chamava de SUS, comparando com o Sistema Único de Saúde, gratuito e universal. Como o SUS de verdade, o meu vivia lotado.

Apelidei minha casa de cabana do "Pai Rosa". Acho que encarnei muitas vezes mesmo uma espécie de entidade espiritual de assessoria de imprensa. Era uma tenda de atendimento espiritual de imagens públicas misturada com consultoria mediúnica de comunicação, digamos assim. Algumas vezes, confortei a aflição dos chefes das tribos, de leões feridos que vinham apenas atrás de um afago na crista. "Pai Rosa" estava sempre lá, com seus búzios.

Respeito imensamente todos os que acolhi naqueles despachos de catarse. Embora a expressão "Pai Rosa" seja uma forma alegórica de tratar essas situações angustiantes e melindrosas, a busca da cura é sagrada e muito mais importante que o curandeiro. Representei algumas vezes esse papel de depositário da esperança alheia, sem menosprezar os meus interlocutores. Tentei ajudá-los dando o meu melhor aconselhamento ou, quando nada, a minha solidariedade pessoal.

Você já imaginou estar no lugar deles? Sua cara dia e noite estampada em todo lugar, sua família acuada e, o que é pior, uma vida inteira resumida e difundida pelo viés de uma única pecha que lhe pespegaram? Se você acha, "bem feito", tudo bem. Mas e se fosse com você? E se você se sentisse inocente? Bem feito? Cada um sabe onde o calo aperta.

Um dia, eu morava na Bahia, quando a então deputada Jaqueline Roriz foi até Salvador atrás do "Pai Rosa". O mandato dela estava por um fio por causa da divulgação de um vídeo em que um delator premiado aparecia dando um valor a ela e ao marido. Era dinheiro para campanha política. Mas a imagem estava em todas as TVs, e um processo de cassação do mandato dela, em curso. No final, ela manteve o mandato, mas naquele dia estava muito abalada.

Jaqueline pertencia a uma dinastia política, iniciada por seu pai, Joaquim, diversas vezes governador do Distrito Federal. Ela veio, almoçou e, de repente, começou a passar mal. Levei-a para o quarto de hóspedes. Ela ficou a tarde toda ali, muitas vezes chorando. Pai Rosa apenas orou por ela.

Noutra vez, um ministro do Supremo Tribunal Federal na época foi à cabana do Pai Rosa. Angustiado, porque estava apanhando muito pelas posições que adotara, nem sempre seguindo a maré dos editoriais. Ficou ali, tomando vinho, pedindo "dicas". Pai Rosa falou algumas palavras de apoio, alguns diagnósticos otimistas sobre o futuro. Foi quase um passe magnético e o ilustre magistrado foi levando a vida. Apresentei alguns colunistas a ele. Foi o máximo que fiz. Até as togas não são blindadas, sobretudo por dentro.

*(Muita calma nessa hora: não quero ser jocoso apenas por ser. Pai Rosa, repito, mostra a busca desesperada da cura e não a eficácia do curandeiro, nem seu gracejo contra os desesperados. A autodepreciação foi um traço meu a vida toda. Não deveria estar nas minhas memórias? Além disso, dada a grandiosidade dos personagens, é melhor sair do salto alto. Por fim, se muitas vezes vi um certo tom autolaudatório de como a imprensa se vê e se descreve, por coerência tinha de sentar o pau em mim, não? Ou, talvez, seria a forma como um jornalista imparcial poderia descrever o consultor. Lembra-se? Fui jornalista. Vai ver que foi por isso.)*

Pouco tempo depois, foi lá outro ministro, na época no STJ, a segunda mais alta instância da magistratura. Esse sofria mesmo. A bala perdida de uma associação ruim tinha ricocheteado em seu gabinete. Homem bom, estava ali prostrado.

Vamos aliviar um pouco, usando uma pequena gracinha: posso resumir a complexa aula magna de princípios universais do gerenciamento de crises que ministrei com uma simples palavra que simbolizaria metaforicamente tudo:

> **“— Saravá!”**

Depois desse despacho, Pai Rosa desincorporou e o juiz voltou pra casa e pra vida com um pouco mais de paz. Quase como num ritual, algumas palavras de incentivo podem ajudar nessas horas. Não é enunciando tratados pseudotécnicos que podemos tranquilizar alguém. Às vezes, quase como num sacerdócio mesmo, um conceito de vida aqui ou ali reanima o ouvinte. Foi nesse sentido que usei a alegoria do Pai Rosa.

O médico Claudio Lottenberg, que já fora presidente do prestigioso hospital Albert Einstein e voltaria a ser, um dia me procurou com um problema que para ele era um sintoma grave. Pra mim, nem um resfriado. Médicos de altíssimo, altíssimo nível, podem imaginar que qualquer arranhãozinho de imagem é uma fratura exposta gigante. Todo cuidado é pouco.

No caso daquele grande médico, o receio era como administrar a saída dele da Secretaria Municipal de Saúde, no governo do então prefeito, José Serra. Ele deixara a presidência do Einstein, fora para o governo com idealismo, mas desistira de continuar. O receio dele era que, você sabe como é a política, algum espertinho detonasse ele na saída. Qualquer arranhão...

Era madrugada quando ele me ligou. O meu SUS atendia a qualquer hora e, como você vê, até mesmo médicos. Na minha escala de enrascadas, aquele problema era como um selinho nos lábios no arsenal afetivo de Messalina. Eu disse:

> **— Quem tem de ficar com medo são eles. Parte pra cima. Se sentirem que você está frágil, vão lhe bater. Mas, se você ranger os dentes, vão sacudir o rabo.**

Daí combinamos o texto da carta pessoal ao prefeito, o modo como ele deveria conduzir a conversa de desligamento. Eu escrevi um montão de coisas para ele. Falei ao telefone uma dezena de vezes. Foi tudo bem. Sem ruído.

Isso mostra que, muitas vezes, funções como a minha são a daquele cara que fica no canto do ringue gritando pro peso-pesado: "Mete a porrada, esquiva, calma, não doeu!". Qual o valor dessas coisas? Sei lá. Meu SUS era assim: eu ia cobrar por minuto? Preferia fazer de graça, às vezes, coisas que me tomavam muito mais tempo. Aliás, quando minha ex-mulher teve câncer na tireoide, fui com ela para o Einstein. Sabia que Lottenberg ia cuidar de mim. Banco de Favores.

Se Deus usasse uniforme, certamente seria um jaleco. Pelo menos aqui na Terra. O consultor de crises conviveu com muitos médicos poderosos. Mas os vi de um prisma que nenhum paciente costuma: no leito da crise. Vi gigantes, que serão gigantes quando eu precisar deles, tremendo como meninos assustados. Eu os ajudei, sem cobrar, mas com um sentimento de amargo privilégio: o de poder ver de perto a fragilidade de quem está acostumado a ser visto como a imagem da salvação.

Uma vez, um desses gigantes me procurou desesperado. Não vou dar o nome e serei um tanto genérico. Ele não tinha culpa. Você certamente o viu inúmeras vezes na TV naqueles tempos. Uma cirurgia tinha tido uma pequena complicação. O paciente sobrevivera, mas a esposa tava aprontando poucas e boas. Tava chamando o Deus ali na minha frente de açougueiro. Muito articulada, a mulher tava causando, criando marolas.

O doutor estava em pânico, sobretudo depois que a madame fez a história circular nas redações. Alguns jornalistas ligaram para o consultório. Que sofrimento o daquele cara! Preparamos uma estratégia, recolhemos os prontuários, mas mais uma vez o fundamental foi o apoio no canto do ringue. Foi ajudar a separar o que era angústia, o que era possibilidade e o que era impossível. Era antecipar como a mídia ia tratar aquilo. Não saiu uma linha. Era só boato. Nessas horas, não é preciso ligar para jornalista nenhum, não é preciso criar nenhum plano mirabolante. É só chegar ao leito e sussurrar baixinho para o sujeito entubado:

**— Está tudo bem...**

O resto é com Deus.

Já que estamos falando de médicos, vamos falar de mais dois. Nos próximos capítulos, vou continuar falando do meu pronto-socorro de reputações traumatizadas com outros atores. Por ora, os deuses. Médico é uma profissão pavorosa. É como piloto de Fórmula 1: do pódio ao túmulo em fração de segundo. Tanta gente o tratando como Deus por tanto tempo: difícil segurar a onda.

A dramaturgia já popularizou a bipolaridade que ronda os profissionais de medicina, no arquétipo de *O médico e o monstro*, com Dr. Jekyll e Mr. Hyde (*hide*, em inglês, não por acaso, quer dizer esconder). Em termos de reputação, a alternativa ao médico é virar monstro. É descobrirem que existe um demônio escondido no jaleco. É o céu ou o inferno. Quando tá tudo bem, é doutor pra cá, o senhor salvou minha vida pra lá. Qualquer coisinha e pode ser assassino, monstro e por aí vai.

Por favor, peço agora um pouco de sua atenção. Vou tratar de algo muito delicado. Não poderia, em respeito aos seus sentimentos, fazer uma passagem abrupta para o próximo tema. Creio que devo preparar um pouco sua sensibilidade e pedir que tente sintonizar a melindrosa frequência que iremos acessar. É preciso fazer uma transição cautelosa neste ponto da narrativa.

Não iria jamais menosprezar sua forma de sentir e de pensar, seus princípios de humanidade. Mas convido-o a tentar entender a perspectiva muito singular com que vamos observar uma situação. Melhor recorrer a uma metáfora.

Um funcionário do IML é certamente alguém com sentimentos e emoções, alguém como nós. Mas, no dia a dia, por força das contingências do destino, ele acaba adquirindo uma forma peculiar de conviver com corpos sem vida, o tempo todo. Claro, para qualquer pessoa comum, como eu e você, é chocante a experiência de ver uma pessoa morta. Já, para um profissional do IML, é preciso adquirir uma forma de distanciamento da situação para não se deixar ser tomado pelas angústias inerentes à atividade.

Dessa mesma forma de lidar os correspondentes de guerra precisam dispor todos os dias, todas as horas, diante das brutalidades que encaram por força da profissão.

Há determinados ofícios em que os sentimentos pessoais são colocados de lado, em circunstâncias extremas. Isso não significa de modo algum que a sua forma de encarar o mesmo fato seja menos correta, sobretudo ao ver um drama e se indignar com ele. O "distanciamento" profissional exigido de certas profissões não representa a negação daquilo que você considera certo ou errado.

É por isso que lhe rogo que veja a situação a seguir não apenas com o seu olhar, mas procure de alguma forma captar o de quem estava numa interação que não faz parte do seu mundo, como não faz parte nem do meu nem do seu lidar com a morte todos os dias.

Nosso sentimento de horror deve ser compreendido por aqueles que encaram a situação de luto como parte da rotina. Do mesmo modo, não podemos condená-los por se comportarem de uma forma diferente da nossa. Só conseguimos essa compreensão quando entendemos a natureza daquela atividade.

Vou fazer agora um breve relato sem adjetivos e sem muita emoção. Respeito profundamente o seu olhar, mas tente por favor também olhar através do ângulo em que vivi a situação.

Alguém sempre pode dizer que funcionários de IML e correspondentes de guerra exercem uma profissão de interesse público. Mas também é verdade que advogados que defendem seus acusados de algo hediondo só o fazem porque há um elevado princípio civilizatório que assegura a todos, sem distinção, o direito de defesa. Mesmo que uma sociedade esteja convencida em relação à culpa de um determinado réu, essa mesma sociedade assegura o amplo contraditório mesmo para esses símbolos que chocam os sentimentos de uma população.

Conheci o médico Roger Abdelmassih com a imagem já bastante destruída, mas ainda não terminal. Contextualizando: ele foi acusado de 52 estupros por uma lista de pacientes. Foi condenado em primeira instância e estava preso cumprindo pena de 278 anos, na cadeia de Tremembé, quando eu escrevia este livro. A acusação era que tirara proveito das vítimas enquanto estavam sob efeito de sedativos.

Eu, como ser humano, pai de uma filha, me solidarizei sempre com qualquer vítima de abusos sexuais. É um crime inaceitável, intolerável, repugnante.

Roger nunca foi meu cliente. Acabou-se tornando, pode-se avaliar agora, numa perspectiva mais distante no tempo, uma espécie de objeto de estudo. Um instrumento de análise. Com isso, não quero negar-lhe a observância mínima de sua condição de indivíduo. Nem tenho essa divina atribuição. Fui um ser humano falho, imperfeito, com erros e acertos. E foi esse ser que conviveu com outro ser, nesse período. E não com uma coisa. Não foi desse modo que interagimos. Seria cinismo dizer que estavam ali uma pessoa e uma coisa. Nos relacionamos como dois seres, dialogando, ouvindo, falando. Convivendo.

Só agora, fazendo essa reflexão sobre o que vivi ali, é que lhe transmito sob esse ângulo — distante, frio e analítico — um aspecto do que testemunhei.

Nos contatos com ele, tive a estranha possibilidade de observar um ser na situação extrema em que se encontrava. Pude acessar percepções quase únicas de como é estar na posição que a vida o colocou.

Ele me foi apresentado por seu criminalista, meu amigo querido, José Luís de Oliveira Lima, o Juca. Almocei, jantei, estive com ele dezenas e dezenas de vezes. Acompanhei sua agonia, falei com ele ao telefone em incontáveis ocasiões, vi aquele homem outrora poderoso ir deslizando pouco a pouco pelo ralo do destino que o Criador lhe reservou.

Ter estado com ele nunca significou da minha parte ser condescendente, de qualquer forma, com as acusações terríveis que lhe imputaram dezenas de mulheres, descrevendo o sofrimento atroz que registraram em seus depoimentos pungentes.

Fui movido exclusivamente pela curiosidade profissional e também por um impulso, de alguma forma, humano. Eu não era como um padre que visitava um condenado e lhe dava benções antes do corredor da morte. Mas pratiquei, de alguma forma, um gesto humano. Testemunhei, assim, um ângulo dessa dolorosa história e agora posso examinar sob a ótica de um personagem central de uma tragédia. Vivi para contar.

Roger morava num palacete, numa rua nobre do bairro dos Jardins, em São Paulo. Fizera fortuna como um dos pioneiros da técnica de fertilização *in vitro*, para reprodução humana. No auge, era o médico das celebridades: o rei do futebol Pelé, a rainha dos baixinhos Xuxa, o apresentador Gugu Liberato. Era a encarnação do médico "do bem". Bonachão, gente bacana em volta.

Roger levava a vida em grande estilo. Me contou detalhes de suas estadas na Europa, quando alugava aeronaves privadas para o deslocamento da família, fretava embarcações para cruzeiros pelo Mediterrâneo, ficava em hotéis dos endinheirados. Ele acelerava.

Minha sensação é que, em algum momento, como um balão de gás, ele se soltou na atmosfera.

Sempre negou as acusações para mim. Inúmeras vezes jantei com ele e a mulher, Larissa, uma ex-procuradora federal simpática e entusiasmada que entrou na vida dele depois do escândalo e era fervorosamente defensora do marido. Ela conhecia o processo de cor e alegava que Roger tivera a situação jurídica agravada por uma legislação nova que ampliava o conceito de estupro para coisas que antes não eram consideradas assim. Tiveram duas filhas.

Ele tinha sido uma pessoa pra cima, mas o vi sempre acabrunhado, sem nunca perder na minha frente um mínimo da compostura. Nunca chorou (vi tantos chorarem). Nunca perdeu o equilíbrio e entendia perfeitamente que estava numa enrascada, embora lutasse para se salvar.

Eram mais sessões psicoterápicas do que qualquer outra coisa. E sessões de suporte, também, de certa forma. Era, sobretudo, um amparo. Não entrei jamais no mérito do que as vítimas atribuíam a ele. Ali, estive apenas presente vendo de perto uma ruína humana.

Nessas horas, as pessoas não têm com quem falar. Os amigos se afastam. No caso de Roger, até os filhos saíram de perto.

Então, qualquer um que fizesse a caridade de apenas quebrar a rotina, era algum alívio. Se fosse uma pessoa de fora, como eu, então, tanto melhor.

Eu ia lá e prestava atenção a cada detalhe. Não sabia como aquilo ia acabar, mas achava, como sempre, que estava ali não apenas por mim, mas para compor um quadro que um dia poderia influenciar meus aconselhamentos ou para compartilhar essas percepções com outros, como o faço agora.

Poder conversar, ouvir, olhar. Pesquisar uma experiência viva. Para Roger, era bom: eu não ia vazar aquelas conversas para ninguém. Do meu ponto de vista, um treinamento numa situação extremamente complicada. Nunca desconsiderei sua condição, mas havia de alguma forma um exercício de minha prática forense de reputações.

Fui vendo, com o passar do tempo, as paredes irem perdendo seus quadros, as peças de decoração saindo da paisagem, a manutenção da casa decaindo ligeiramente, o serviço de jantar ficando longe da ribalta de outros tempos. Porque fiquei bastante tempo observando, fui vendo com uma grande angular a inclinação lenta e constante da ladeira de Roger.

Cheguei a vê-lo conversar com alguns jornalistas. Ele sempre mantinha a esperança de alguma cura milagrosa para seus males: pacientes são assim. Guardo a imagem de um homem carregando seu fardo e definhando lentamente à medida que a estrada se mostrava inapelavelmente íngreme e sem fim. O vi pela última vez poucos dias antes de ele decidir deixar o Brasil fugido. Soube disso pela imprensa. Foi para o Paraguai e, anos depois, foi capturado.

Ele gostava de fazer pequenas mesuras, mesmo nas condições precárias em que estava. Fazia questão de dirigir pessoalmente e de me levar até o hotel, próximo de sua casa. Logo no início em que me foi apresentado, ele insistia sempre em ter "uma relação profissional". Já conhecia aquela história.

Pessoas destruídas, mesmo em dificuldades financeiras, queriam contratar o consultor de crises e pagar alguma coisa, de alguma forma. Quando eu me recusava e dizia que estaria ali de graça, podia parecer que elas estavam tão leprosas que nem o enfermeiro queria tocar. Ou pior: que nunca mais veria o enfermeiro se, de alguma forma, não houvesse um vínculo financeiro. Então, eu declinava o contato financeiro, mas as aplacava não sumindo, estando presente regularmente e disponível.

Roger, ainda com algum garbo e não querendo se sentir tão por baixo, insistiu durante um ano ou mais com a tal da "relação profissional". Depois de dizer inúmeros "não precisa, deixa disso, fique tranquilo", naquele dia eu pontuei com um pouco mais de crueldade. Não sei se fiz certo:

> **— Doutor Roger, se o senhor tivesse estuprado o erário, as pessoas não iam gostar, mas o crime de colarinho--branco elas talvez até conseguissem entender. Se eu trabalhar para o senhor, não vou conseguir ajudá-lo e ainda vou me atrapalhar.**

Ele sorriu um pouco amarelo e nunca mais voltou ao assunto. Um dia, mandou lá pra casa uma pequena escultura de cristal da marca Lalique. Refletia muito a estética dele. Guardei. Um torso feminino.

De fato, embora haja sempre uma onda de moralidade varrendo as sociedades, os crimes financeiros de alguma forma são vistos com menos horror do que os de sangue. Prova disso é que eu nunca vi um filme de assalto de banco em que a plateia torcesse para o banqueiro.

Com Roger, a vez que vi de forma contundente que tudo era muito mais grave foi quando ele me convidou para passar numa pizzaria de classe média alta, perto da casa dele. Ele queria cumprimentar a filha. Fui no impulso. Chegando lá, cruzando o salão, fui vendo a cara de nojo das pessoas em direção a nós numa escala que nunca vira antes. E olha que uma vez, no auge do mensalão, tinha ido encontrar o ex-ministro José Dirceu num restaurante e fomos recebidos com vaias, gritos, apupos do restaurante inteiro. Fiquei com medo de levar um tapa, mas foi diferente naquela vez com Roger. Não havia o mínimo, do mínimo de um mínimo de empatia com ele. Foi tudo silencioso, mas eu fiquei assustado.

Um caso bacana de meu SUS pessoal foi ajudar um grande médico a assumir uma responsabilidade espinhosa. Na véspera de tomar posse como secretário da Saúde do estado de São Paulo, o infectologista David Uip chamou o consultor de crises para um bate-papo que se estendeu até as duas da manhã. A posse seria horas depois. O então ministro da Saúde, Alexandre Padilha, era pré-candidato a governador de São Paulo pelo PT. Portanto, a área de Uip era uma frente de batalha crucial na guerra eleitoral do ano seguinte. Havia um programa do governo federal, o Mais Médicos, que era barato e politicamente arrasador: levava médicos para onde não havia.

Naquela noite, definimos as linhas do discurso de Uip: o de que ele era um médico indignado com a saúde do Brasil e que não acreditava em maquiagens. Ele estava cutucando o futuro adversário do chefe que o empossava, Geraldo Alckmin, do PSDB, politizando um pouco seu perfil, que sempre fora técnico.

O maior desafio de um conselheiro, nessas horas, é dizer o óbvio. As pessoas que estão no palco, diante da plateia, estão cansadas, com mil coisas para pensar. O consultor nessas horas não precisa ser nenhum gênio. Basta encontrar no meio daquilo tudo o óbvio e oferecê-lo para degustação.

Sempre tive bons amigos médicos. Quando eu estiver na UTI, espero que eles não me façam sofrer além do necessário. Uma mão lava a outra.

# ICEBERGS

Foi demitindo o dono que inaugurei minha turbulenta e emocionante rota como consultor de crises da companhia aérea Gol.

**Note bem: não estou falando que demiti o comandante de um boeing ou o presidente da companhia.**

> **“Eu falei: demiti o dono.”**

Durante as tempestades de imagem, líderes e organizações com que convivi tomaram decisões que me impressionaram pelo pragmatismo, objetividade e raro senso prático. Em vez da lamúria das carpideiras, agiram sem firulas, direto ao ponto.

Vi muita gente derretendo na minha frente, no caldeirão das crises, mas vi também escolhas glaciais que me serviram de lição. Nunca esqueci algumas delas.

O “dono” da Gol se chamava seu “Nenê”.

Nenê Constantino era um típico empreendedor brasileiro da segunda metade do século XX. Começou seu império dos ônibus municipais e estaduais antes de haver estradas no Brasil. Não era ph.D. em nada. A não ser na vida. Viu tudo, fez tudo e sempre se impôs: já pensou o que é comandar uma garagem de ônibus na periferia de uma cidade, cheia de peões? A coragem pessoal de seu Nenê fazia parte do folclore.

Seu Nenê também sempre foi bom de conta. Uma vez, na escola primária, da qual não passou, a professora ficou impressionada com suas notáveis habilidades matemáticas. Reza a lenda que ele comentou:

> **— Professora, só sei somar e multiplicar. Não sei dividir nem subtrair.**

Sempre comentei com os filhos dele, os quatro "meninos" e as três "meninas", que esse deveria ser o nome da biografia de seu Nenê: somar e multiplicar. Foi o que ele fez a vida toda. Nas vezes em que interagi com ele, era retraído, polido e muito humilde. Podia ser o silêncio assustador que antecede as tormentas. Mas o fato é que nunca o vi explodir.

Estava em Nova York com minha família fazendo um sabático (o nome que os consultores dávamos para passar um ano na vagabundagem). O telefone toca e um dos filhos de seu Nenê me convoca para o Brasil. Seu Nenê estava apanhando: era acusado de estar envolvido na morte de um ex-funcionário. Seu ex-genro também fazia carga acusando-o de cruel. Pra piorar, ao ir a uma delegacia prestar depoimento, ele fora flagrado num átimo segurando uma pedra com as duas mãos quando a estava jogando na direção do fotógrafo. A imagem era devastadora.

Seu Nenê era o presidente do conselho de administração naquele momento. Era visto como o fundador da empresa, reflexo inevitável de seu império rodoviário. Na reunião com seus dois filhos, Constantino Junior e Henrique, já cheguei brandindo a peixeira:

**— Seu Nenê não pode continuar como presidente do conselho. Ele tem que se defender, mas fora, sem prejudicar a companhia.**

Henrique ponderou:

**— Nosso pai fez tudo por nós e não gostaríamos de chegar a esse ponto.**

Menos de duas semanas depois, chegaram. Seu Nenê deixou a posição no conselho. Preservaram uma companhia aberta com aquela medida extrema. No campo pessoal, nunca abandonaram o pai. Cortaram na própria carne e deram um exemplo de sangue-frio.

Companhias aéreas estão para o gerenciamento de crises como Las Vegas está para os cassinos. É uma atividade em que, todos os dias, em todas as horas, em todos os lugares, há perigo no ar. Por isso, é o setor que mais se prepara e tem uma cultura neural de reação a crises. É uma usina de decisões pragmáticas em escala. Trabalhei no setor seis anos. E aprendi muito.

Um vez, fui com os Constantinos à sede da Boeing, no estado de Washington, nos Estados Unidos. Percorri os hangares de montagem e vi a enorme tela com o mapa-múndi e pontinhos piscando e se deslocando no monitor como um enxame de abelhas: cada um daqueles milhares de pontinhos era uma aeronave, cheia de vidas.

Embora as tragédias aeronáuticas é que marquem o imaginário coletivo, cada dia numa empresa aérea é um salve-se quem puder. Qualquer mínima polêmica vira um escarcéu de potenciais e bíblicas dimensões midiáticas.

Lembro a vez em que os equipamentos da banda musical Calypso acabaram, por um errinho qualquer no despacho de bagagens, indo parar em outro país. E lá se vai algum funcionário abnegado para alugar guitarras e percussão lá numa cidade longínqua para evitar ídolos falando mal de você e cancelando um *show* por sua causa.

Noutra ocasião, um tarado se masturbou no banheiro e espalhou tudo no compartimento. Coitados dos comissários, esses gigantes. Faltou cadeira de rodas uma vez e um portador de necessidades especiais saiu descendo sem amparo, se arrastando, num aeroporto em Cuiabá. Alguém fotografou e pronto: uma polêmica nacional.

Num voo, certa ocasião, a coreógrafa Deborah Colker achou que seu neto foi discriminado pela tripulação. Ele era portador de uma doença não contagiosa e os tripulantes pediram explicação. Veja bem a agilidade das aéreas quando o assunto é crise: era um voo Salvador-Rio e sabe em quanto o tempo o presidente da companhia em pessoa estava num celular da aeronave pedindo desculpas pelo transtorno à ilustre passageira? Questão de minutos.

A informação saiu da base remota, percorreu toda a hierarquia, atingiu o topo em São Paulo, foi processada e o procedimento ideal foi adotado. Em pouquíssimos minutos. Neural. Isso não evitou a repercussão instantânea e ampla do incidente, mas quantos setores têm tanta agilidade?

Um querido amigo meu, Helio Muniz, que foi diretor de comunicação da Gol e depois foi ocupar a mesma posição no McDonalds, definiu bem o contraste em termos de adrenalina entre vender sanduíches e trabalhar na aviação:

> **"— A diferença é que, agora, se meu produto cai no chão, eu apenas peço outro e o problema tá resolvido."**

Cruzei com muita gente pragmática neste mundo. Mas a capacidade de assimilação daquele empresário bem-apessoado eu jamais esqueci.

Em 2012, desabou lá em casa Wilder Morais, suplente do senador, àquela altura cassado, Demóstenes Torres. Wilder estava aflito. O titular, Torres, havia sido cassado por conta da revelação de gravações telefônicas entre ele e um bicheiro chamado Carlinhos Cachoeira. Torres havia construído a carreira sobre o pilar da defesa intransigente da moralidade. A proximidade com o "esquema Cachoeira", portanto, era fatal. Tornada pública sua amizade com o bicheiro, ele foi para a cadeira elétrica.

Pois bem: Wilder ainda não havia sido empossado e andava angustiado. No dia anterior, surgira uma gravação em que ele próprio aparecia conversando com o bicheiro. Naquele contexto, poderia ser fatal e ele perder a senatoria nunca antes tão próxima.

Ele começou me explicando que se casara anos antes com uma moça e que, ao longo do tempo, o casamento se desgastara. Os dois moravam na mesma casa, mas não eram mais um casal. Até que ela conheceu e se envolveu com Cachoeira. O senador suplente usava esta história para mostrar que os dois homens se conheciam, mas, até pelas circunstâncias pessoais, não eram próximos. Meio anarquista, meio provocador, eu brinquei:

> **— O senhor tem que chamar a imprensa e dizer: se o esquema Cachoeira funcionava dentro da minha casa e eu não sabia, imagina fora?**

Um pouco para minha surpresa, ele disse:

— É isso mesmo!

Saiu dali, foi para o Congresso, deu uma entrevista repetindo a frase e sugerindo uma admissão pública rara de se ver: se era pra ser malfalado, era melhor dizerem que foi marido traído (o que não foi) do que carregar a mancha da bandalheira. Achei de um pragmatismo incrível. Foi empossado.

Na minha primeira conversa profissional com o senador ACM, no contexto da crise dos grampos telefônicos da Bahia, eu estava com o diabo na ponta da língua. Fomos para a varanda do apartamento dele em Salvador. Éramos eu, ele e o empresário Carlos Laranjeira, que os inimigos de ACM consideravam um tanto cítrico, embora comigo tenha sido sempre um doce de pessoa.

ACM adorava uma briga, pública ou privada. Dias antes, mandara um de seus antológicos bilhetinhos, xingando uma famosa colunista política que o criticara.

Meu diagnóstico era que ACM precisava segurar a onda. De nada adiantaria tentarmos salvá-lo se ele continuasse brigando com todo o mundo.

Resumidamente, foi assim que pontuei:

**— Seu comportamento público, pessoal e político tem sido ridículo.**

Um silêncio interminável varreu a varanda. Algumas horas depois, falei ao telefone com Laranjeira. Assim, como quem não quer nada, perguntei o que ele tinha achado da reunião. Ele comentou:

— Depois que você saiu, o senador disse que, "quando a gente tá precisando, ouve qualquer coisa".

Virei fã do senador. Até a morte dele, me chamava pelo carinhoso apelido de "manga rosa". Quando encontrava algum conhecido, perguntava: "Cadê o manga?". Ele sobreviveu àquela crise e fomos amigos para sempre.

Trabalhei com o empresário Carlos Jereissati durante todo o escândalo da telegangue *(de novo, como era chamado o caso das suspeitas de corrupção da privatização da telefonia. Carlos era um dos controladores da maior empresa do ramo, lembra?).*

Naquele final de semana, o senador ACM tinha dado uma entrevista de capa para uma revista. Rompia, então, com o governo Fernando Henrique, fazendo duras acusações. A mais pesada era que tomara conhecimento de que Carlos Jereissati havia pago uma propina de 90 milhões de dólares a um alto funcionário do governo, muito ligado ao presidente da República e responsável pela formatação dos consórcios de privatização.

Carlos se mantinha sempre frio em horas como essa. Não reagia por impulso. Não se desesperava e mantinha sempre um raro senso de equilíbrio e humor. Naquela situação, preferiu não falar nada, para não amplificar a polêmica.

No dia seguinte, fui encontrá-lo em seu escritório, em São Paulo. Sério, fez um comentário que me surpreendeu:

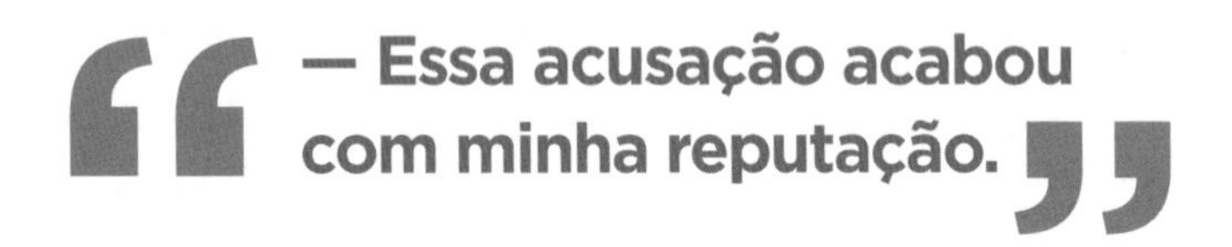


Eu perguntei o porquê.

**— Perante os meus pares, vou ficar com a fama de otário. Imagina, pagar 90 milhões de dólares de propina para não ganhar nenhum privilégio? Vou ficar com a pecha de que pago muito e recebo nada. Os outros empresários vão dizer que sou um pateta.**

Ele fez a tirada e começou a rir. Desanuviou imediatamente o ambiente. Era o Carlos de sempre, firme e engraçado de sempre. Mantivemos uma postura de reação passiva em termos de mídia e o escândalo rapidamente se esvaziou. Às vezes, a forma como encaramos os problemas é decisiva para influenciar os desfechos.

Luiz Estêvão eu conhecia havia duas décadas e desenvolvi uma ligação baseada no respeito. Ele era forte física e mentalmente. Havia décadas que apanhava na imprensa de forma inclemente. Quando o vi nesse dia, tinha acabado de sair de um período de seis meses na cadeia. Algum tempo depois, perdeu seus últimos recursos e estava às voltas de ter tolhida a liberdade novamente. Jornais, TV e revistas moíam-no noite e dia. Ele parecia resignado e apresentou sua interpretação para aquilo tudo. Pragmático, como sempre:

**— Um bom filme se faz ou com um bom roteiro ou com um bom personagem. Sou um bom personagem. Se não**

**há uma boa história para contar, basta botar meu nome no meio que aí tudo se resolve, a reportagem fica boa.**

Falava isso sem mágoa. Achava que era isso o que acontecia: o personagem dele atraía notícias fortes, mesmo que o enredo não justificasse. Claro, a audiência nunca o viu com a mesma autocomplacência.

Presidente do PSDB, o senador Teotônio Vilela estava preocupado. É que uma auditoria na fundação que levava seu nome identificara uma série de irregularidades com o dinheiro gerido pela instituição. Os desvios tinham ocorrido na gestão de um diretor. Teo não era responsável pelo dia a dia. O *Correio Braziliense* estava cobrindo o assunto e expondo negativamente a instituição, o que atingia diretamente o senador. Como explicar que não era ele quem tinha poder de gestão sobre a Fundação Teotônio Vilela?

Numa longa e tensa reunião em Maceió, na sede da empresa familiar do senador — a Sococo —, os demais executivos tinham receio de fazer uma caça às bruxas internas. Para mim, era a única forma de nos afastarmos da polêmica. Sugeri realizarmos a auditoria e partirmos para a linha de frente, inclusive nos tornando parte da acusação junto com o Ministério Público. Foi o que fizemos, não sem antes deixar traumas internos.

Teo Vilela, que sempre fora um homem bom, encampou aquela guinada que não era só de mídia, mas judicial também. No fim, apesar dos percalços internos, a conduta teve bons resultados. O conselho da Fundação se apresentou como lesado e, junto com os promotores, patrocinou as medidas para recuperar as perdas.

Teo Vilela, de vilão, acabou sendo visto como vítima dos desmandos. Tinha pulado a fogueira.

Manter a mente fria em momentos de combustão à volta é uma proeza para poucos. Certa noite, fui jantar na casa do senador Jader Barbalho. Ele estava prestes a ser degolado da presidência do Senado.

Era o escândalo da vez. O acusavam de tudo. Sempre muito carinhoso e gentil, me chamou para jantar com ele e a mulher. Antes, me puxou de lado e disse:

> **“— Eu sei exatamente o que me aguarda. E sei que meu destino já está traçado e as coisas vão piorar ainda mais. Mas minha esposa está muito angustiada. Por favor, dê aquela injeção de ânimo no jantar. Diga que vê saídas, que vai dar tudo certo, que vai acontecer o melhor. Pelo menos ela ganha alguns dias de esperança.”**

Fui lá e fiz o meu papel. Jorrei otimismo. Sempre adorei Jader.

Renan Calheiros tinha passado do ponto naquela vez. Propusera uma CPI contra a editora Abril. Esse tipo de atitude drástica um líder político só toma se tem controle total sobre o desfecho. Renan não tinha. Cutucou a fera, mas outros a salvaram. Ficou com um passivo que demorou anos para superar. Essa história da CPI foi lá por 2007, no auge do escândalo de Renan, então. Claro, a relação entre ele e a publicação ficou azedada por muito tempo.

Lá pelos idos de 2012, Renan enxergou uma oportunidade de cicatrizar velhas feridas. Durante a CPI do caso Cachoeira, alguns parlamentares ligados ao governo queriam convocar um editor da revista para depor. Era uma covardia inominável. Cachoeira fora fonte do jornalista e trocara ligações com ele, naturalmente. O jornalista fizera apenas o serviço profissional, o de falar com todo o mundo que possa ter notícia. Notícias não vêm só do paraíso.

Só que, para constranger a publicação e ferir o repórter, queriam convocá-lo para se sentar como se fosse um investigado, com toda a sombra ruim que os holofotes de uma CPI podem proporcionar. Renan aproveitou a deixa e trabalhou ativamente para evitar aquele absurdo constrangimento. De inimigo pontual tinha virado aliado de primeira hora da revista e da editora. Deixou o sangue quente no *freezer* e fez o que tinha de fazer.

O presidente Fernando Henrique era uma águia nos detalhes. Tinha uma rede complexa de cruzamentos de informação de todos os lados. Ainda moleque, eu fazia parte colateral dela. Quando presidente, me recebia (em geral nos domingos à noite) no Palácio da Alvorada, residência oficial. Preocupado com as grandes questões nacionais, de vez em quando parava a agenda e ouvia a rádio de fofocas que existia dentro de mim. Peças difusas do quebra-cabeça de Brasília que, junto com milhares de outras, ele tinha prazer e dedicação em montar.

Numa dessas vezes, comentei numa noite de domingo que um amigo meu acabara de assumir como editor do *Jornal Nacional*. Dei o número dele, sei lá por quê. No dia seguinte, me liga Amaury Soares, editor-chefe do *JN*:

**— Recebo aqui uma ligação e do outro lado da linha se apresenta o presidente Fernando Henrique. Ligou diretamente. Você é doido, é?**

Fiz apenas uma boa intriga, mas o presidente mostrava que estava atento a tudo. Foi o pragmático mais sedutor que conheci.

Já Ricardo Teixeira jogava como um centroavante rompedor. No auge de sua guerra nuclear com a rede Globo, durante as CPIs da virada do milênio, articulou pessoalmente um *punch* no meio de um *round*. Era um jogo Brasil-Argentina, a maior rivalidade do futebol sul-americano e, portanto, um paiol de audiência. Vi pessoalmente Teixeira combinar com Julio Grondona, presidente da Federação Argentina, a definição do horário para as oito da noite. Esse horário era uma bomba: era exatamente a hora do *Jornal Nacional*. Isso afetava diretamente a grade de programação da emissora. Em outras palavras: prejuízo.

Ricardo não podia ser culpado de nada: tinha sido o presidente Grondona que havia mandado um ofício definindo o horário. Como na Argentina não havia uma líder tão isolada de audiência como a Globo, para ele tanto fazia. Mas, para a emissora brasileira, era um estrago.

> **“— Vou mandar um comunicado oficial para o Grondona contestando o horário e exigindo uma reconsideração. Mas você sabe como o Grondona é: é muito difícil ele voltar atrás...”**

Ricardo me dizia isso com um sorriso maroto. Os dois eram parceiros de carne e unha. Grondona usava um anel vistoso na mão esquerda com os dizeres: *todo pasa*. Mostrou várias vezes esse anel nos momentos de angústia de Ricardo.

Ricardo não queria brigar por brigar. Queria apenas demonstrar que, na briga, todos têm algo a perder. O jogo foi transmitido às oito da noite. As relações entre ele e a emissora, com o tempo, foram voltando a se ajustar. Tudo passa.

Crises de comunicação são como *icebergs*: o que você vê no noticiário é a ponta, mas existe um maciço gigantesco submerso. Ali, há peixes que conseguem navegar na água fria.

# BONS COMPANHEIROS

Era madrugada e eu ainda morava na Bahia. Ouvia aquele sonzinho das ondas batendo de leve entrando pela varanda enquanto degustava meu charuto diário. Olhava e reolhava aquele contrato que acabara de firmar. Como é que podiam me pagar tanto?

Lamento, meu caro, mas não é exatamente verdade que sofri o diabo para ganhar algum cascalho. Fui feliz pra burro, me diverti à beça, encontrei malucos dos mais variados extratos — e ainda por cima faturei algum.

Se um dia eu merecesse um obituário, gostaria que estampasse aquela que considero a minha mais espetacular conquista, entre todas, no campo social: eu fui jurado de Miss Brasil. Sim, em 2012. Participei da escolha da representante da beleza brasileira no concurso de Miss Universo.

Você não deve saber (eu não sabia), mas existem "missólogos". Caras especialistas em preparar candidatas a conquistar a coroa. São consultores de crise, de outro jeito. Colegas. Eu devo ter tido o meu meticuloso processo de decisão esquadrinhado. Alguém, em algum lugar, pode ter decifrado minha propensão para escolher esta ou aquela miss. Virei objeto de estudo.

Uma nota do *site* UOL me colocava no panteão:

"Onze jurados e uma sentença: saiba quem escolherá a Miss Brasil 2012".

"Direto de Fortaleza"

"Em primeira mão, segue a lista dos jurados do Miss Brasil 2012!"

"O *ranking* de notáveis inclui gente do calibre do idealizador do São Paulo Fashion Week, Paulo Borges, e da jornalista especializada em moda, Maria Prata. Segue a lista completa?"

Está lá o nome do magistrado aqui, na sexta posição.

Alcancei meu ápice, com a toga de jurado de miss e com direito a transmissão em rede nacional de televisão. Entrei nessa apenas e exclusivamente por conta do velho e bom compadrio. Fui chamado para essa missão crucial por um sujeito decisivo em minha vida adulta, de quem sou fã de carteirinha e carteirona. Um dos promotores do evento era o empresário Carlos Jereissati *(que também era dono do império dos* shoppings *Iguatemi e, durante mais de uma década, meu patrão na aventura dele de controlar a maior empresa de telefonia do país, a Telemar. Depois eu conto).*

Carlos estava preocupado com o risco de que o julgamento não fosse totalmente meritocrático e queria gente em quem confiasse, para que fizesse a escolha mais técnica possível. E lá fui eu.

Concurso de miss é uma coisa espetacular. Começa porque, quando eu era menino, via aquilo pela televisão preto e branco de classe média baixa lá de casa e achava a coisa mais sideral do universo. Pois agora eu estava ali, durante minha própria vida, não apenas para assistir *in loco*, mas para participar da decisão. A vida tem muitas métricas. Essa é uma das que mais me convenciam de que minha vida foi divertida.

Só pra terminar esse tópico, mais interessante ainda que concurso de miss, é o depois. Você sai do estúdio e vai para um hotel distante para encontrar 26 jovens e deslumbrantes mulheres arrasadas, com a autoestima lá embaixo. Enquanto a 27ª está sem entender nada, com a coroa na cabeça. Obrigado, Carlos, pelo privilégio.

As relações nesse etéreo nível de decisão do poder, sobretudo o econômico, são cheias de sutilezas. O filho de datilógrafa que eu fui, foi descobrindo essas nuances aos poucos, conforme minha carreira pegava o rabo de foguete que pegou.

Adoraria dizer que as crises de reputação de grandes proporções que vivi de perto são peças da ciência. Na verdade, são obras humanas, com seres com sentimentos, fragilidades, angústias profundas. E, quando se tem acesso e se vivencia isso de perto, você de alguma forma passa a ser parte da paisagem. Um pouco da família, exagerando um tantinho.

Nunca me vendi. Sempre fui comprado. Atendia ao objeto de desejo do meu cliente, que se tornaria meu amigo. A técnica é oferecer aconselhamento. A amizade é saber como fazê-lo e como lidar e respeitar a paúra que aquele ser poderoso não quer expor para mais ninguém. É como se os leões escolhessem o veterinário para cuidar do ferimento deles. E as pessoas, nessas horas, têm que gostar de você. Gostar, porque você vai estar ali vendo elas peladas.

Por que afinal me contratavam? Tinha uma suspeita. Não era contratado para falar. Mas para ser ouvido. A diferença? Todo o mundo pode falar tudo e, na minha atividade, tem muita, muita gente que podia falar exatamente o que eu ia dizer: "dois mais dois são quatro". Então, o que a gente diz não importa. Importa é o que os outros ouvem. E caras poderosos criam uma barreira entre o mundo e o ouvido deles. Porque tudo o que eles ouvem tem consequência. Influência.

Então, entendia que minha lógica de cobrança era inclusive uma espécie de fiança: um preço que o contratante pagava para tomar a decisão de me ouvir. E, como o valor dele e de tudo o que ele representava era elevado, minha cobrança era, digamos assim, infinitesimalmente proporcional.

Quando você está numa crise braba e você é que sussurra no ouvido do craque para que lado bater o pênalti, o peso é às vezes opressivo. Aquela sugestão, quando ouvida pelo olimpo, tem consequência enorme no mundo dos mortais. Se tinha uma coisa que me dava agonia era quando alguém confiava em meu julgamento para tomar uma decisão crucial. Hoje, é gostoso lembrar, mas na época, hum?

Uma coisa é vender seu corpo. Outra coisa é beijar na boca. É uma imagem chula pela qual me desculpo. Mas era assim mesmo que via as coisas dentro de mim. Embora não seja nada lisonjeiro, estou sendo fiel ao modo como pensava e o expondo, sem retoque, a você.

Percebi que, embora estivesse vendendo meu "conhecimento", ainda assim no nível mais elevado de decisão há um jogo para conquistar também o seu coração. Olha que incrível: era cortejado por pessoas que eu adorava e ainda me pagavam milhões. Como diz o cabeleireiro de minha ex-mulher, morra!

Como trabalhava na maioria dos casos para donos de empresas, eu me considerava uma espécie de empregado doméstico. Ou como me definia: pobre de estimação. Eu me comparava com aqueles pilotos de um daqueles iates que ficam ancorados nas ilhas gregas e que o empresário só passa ali dez dias por ano. Aquele piloto tem um emprego dos sonhos: vive num iate, come do bom e do melhor, vai a lugares incríveis. Mas é apenas um empregado. Um empregado que o patrão tem que se sentir bem ao lado, no qual tenha confiança, com o qual possa relaxar, tomar um porre e ter garantia de discrição. Eu me via assim.

Conhecia os filhos e a casa de meus patrões. Carlinhos Jereissati, Pedrinho, os filhos e netos do Caco, a família Constantino inteira, a sala de jantar dos Molina, a fazenda do banqueiro Ivo Lodo, o apartamento de Carlos (pai) em Nova York, a casa de praia dos Teixeira, os apartamentos e a casa de praia dos Cavendish, o *récamier* dos Abubakir... e por aí vai. Não frequentava apenas os escritórios, embora fosse ali que prestasse meu serviço. Virava prata da casa. Talvez bronze. Mais precisamente: lata da casa.

Logo depois que assinei o contrato com o grupo Camargo Corrêa para gerir a crise de comunicação do caso Castelo de Areia (*depois a gente fala sobre isso*), fiquei naquele estado de torpor: saboreando meu charuto e lendo e relendo as cláusulas, sobretudo a que rezava sobre o valor.

Mas não era só isso, embora isso fosse bastante. É como eu estava sendo tratado. Quando você falava "Camargo Corrêa" para os ricos do meu tempo, eles provavelmente iriam dizer: esses são ricos. Era a essa estratosfera (a Camargosfera) que eu havia sido lançado por essa força estranha que era o destino.

O fundador do grupo, Sebastião Camargo, foi pai de três filhas. Elas se casaram e formaram a "segunda geração". Às vezes, eu encontrava durante a crise jovens entre 20 e 30 anos, "a terceira geração". Nos referíamos a eles assim mesmo: "hoje teve uma reunião da terceira geração". Ah, que privilégio...

Eu fui convidado para a Castelo de Areia por uma das pessoas decisivas na minha carreira, um legítimo membro da segunda geração, Carlos Pires de Oliveira Dias, o Caco. Cada terço das herdeiras e controladoras do grupo interagia através dos "genros". Caco era um deles. Genro de... de Sebastião Camargo, muito aqui entre nós, pode chamar "seu" Sebastião de "a primeira geração".

Caco era uma delícia. Não tinha nenhuma afetação. Carinhoso, alegre. Sua paixão era a família. E o golfe. Ele foi o meu chefe em toda aquela crise. O ápice da crise foram os primeiros dois anos. Mas eu fiquei lá cinco.

Conheci Caco em Nova York. Ele um dia me mandou uma mensagem. Estávamos em 2009 e eu, com certeza, posso lhe assegurar que pelo menos até os 45 anos eu era um tapado, débil mental. Não fazia a menor ideia de quem era o Caco e o que ele significava dentro do *establishment*. Não vou falar mais sobre ele porque, além de tudo, ele detesta aparecer. Caco, foi mal…

Bom, mas voltando ao relacionamento que nasce nessas horas, encontrei o Caco num apartamento em Nova York e não sabia que havia uma diferença entre a Construtora Camargo Corrêa e o grupo Camargo Corrêa. A construtora era um gigante, mas o grupo era um ninho de gigantes. Na época, eram donos da Alpargatas, de fábricas de cimento, de empresas de transmissão de energia, de 10% do banco Itaú, de estaleiros, de empresas de concessão, *shoppings*. Ah, sim, o Caco "na pessoa física" era dono da Drogasil, a gigante de farmácias. Desculpa aí, Caco.

E o paspalho aqui na maior ignorância e no maior salto alto. Pensei que ele era empreiteiro. Burro eu, né? Sei que uns dias depois ele manda outra mensagem querendo me encontrar. Disse a ele que já tinha ido embora dos Estados Unidos. Ele disse que também estava no Brasil. Galante, fez a primeira de uma infinidade de cortesias comigo:

**— Eu mando o avião te buscar.**

Senti firmeza… Eu ainda morava em Salvador (eh, que vidão...). No dia seguinte, fui para o hangar e enxergo um palácio voador. Era o avião (um dos) da Camargo, um Falcon 50. Pra encurtar a história, é daqueles jatinhos executivos em que o sujeito pode andar em pé. Imagina o colosso?

Fiz ida e volta, sozinho, naquela carruagem da nobreza do século XXI. Ao encontrar o Caco, não deixei de registrar:

> **“— Eu reparei no avião que você me mandou. Você quis dizer, e eu entendi, que está me estendendo o tapete vermelho e me recebendo com um buquê de flores na mão. Eu sei ler esses códigos e saiba que estarei sempre lendo a linguagem dos seus gestos.”**

Sem falar, meu mais novo cliente estava dizendo que considerava minha vinda para o time importante. Estas coisas não estão em manual de comunicação ou de gestão nenhum, ao menos que eu tenha visto. A vida acontece nos silêncios, nos olhares, nas paranoias, nos erros e, quando uma crise acontece, é preciso criar uma sinapse no processo de decisão.

Os impulsos vão e voltam, se retroalimentam e são estancados ou potencializados, no centro do processo decisório. Eu era implantado como uma célula nesses tecidos de decisão corporativa, quando havia um problema no sistema. Tinha que me adaptar e ser assimilado, rapidamente, pelo organismo. E influenciar, com todo o perigo que isso envolve.

Tinha virado um pequeno predador, pisando de mansinho sobre as folhas secas da floresta, atento a tudo, sentindo o vento e pronto para o bote.

Era esse estado de vigília permanente que, sem perceber, passei a vender para os *big shots* que me contratavam.

VILÃO?

Quando cheguei para conversar com a jornalista na hora do almoço daquele dia tenebroso, logo após a busca e apreensão que sofrera, o caso já se transformara no escândalo do dia. Meu nome aparecia envolvido com um dos símbolos da política nacional, com empresários, com milhões e milhões em dinheiro. O enredo surgia associado a suspeitas cabeludas e a expressões nada lisonjeiras, como lavagem de dinheiro, formação de quadrilha, corrupção e por aí vai. Sinceramente, você acha que a jornalista poderia acreditar em alguém que ostentava um escândalo desse tipo como cartão de visitas? O dia estava só começando.

A essa altura, a repercussão da operação policial já tomava grande espaço da mídia, sobretudo nas plataformas de tempo real. O profissional que passara a vida inteira lidando com as acusações e os desgastes públicos dos outros, estava, então, convertido em tema de reportagens do mais novo escândalo.

Eu havia entrado nessa confusão toda porque minha empresa, três anos antes, tinha contratado a empresa de uma outra jornalista, Carolina Oliveira. Juntos, havíamos trabalhado numa das maiores crises empresariais do país, a disputa pelo controle acionário do

Grupo Pão de Açúcar. Uma batalha de bilhões de dólares, tendo no centro um dos maiores conglomerados do país, com mais de 100 mil empregos diretos.

Nessa guerra, um dos flancos de batalha permanente era o noticiário, sobretudo o econômico. Os dois lados se armaram com inúmeros escritórios de comunicação, consultores, assessores de imprensa. Uma batalha empresarial única, pelo porte e pela musculatura financeira dos contendores e por tudo o que estava em jogo.

Eu achava o máximo estar no meio daquela confusão. Só não sabia que a vida de Carolina, depois, seguiria um rumo inusitado, como veremos. E por conta disso eu seria levado também a reboque de uma sucessão de acontecimentos imprevisíveis. Ainda veremos onde isso vai dar.

Por enquanto, o importante é que as ondas de um tsunami midiático começavam a desabar sobre aquele que vivera até ali como salva-vidas. Rádios, jornais, blogues, *sites*, televisões. A enrascada em que eu estava era o ti-ti-ti daqueles dias. E eu dentro daquilo.

O jornal *O Globo* já noticiava em seus canais digitais:

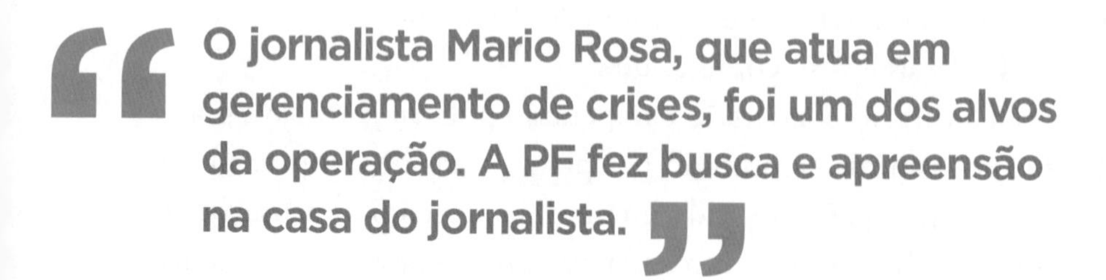


Outro editor, mais mordaz, disparou no Twitter:

**“Polícia Federal na casa do lobista Mario Rosa!”.**

Na revista *Época*:

**"Rosa é um dos consultores de imagem favoritos dos políticos, enquanto Carolina Oliveira era uma jornalista desconhecida do mercado".**

Rezam os manuais de comunicação que uma pessoa citada num escândalo que envolve muitos outros nomes deve adotar a cautela de não se expor. A técnica, que tantas vezes aconselhei, recomenda que, quando muitos são atacados ao mesmo tempo, a melhor atitude é a do caminhão cheio de japoneses. Você não chama a atenção e ponto final.

No outro extremo (lá vai outra metáfora) é o comportamento do judeu, que, em plena plataforma de embarque para o campo de concentração, resolve tomar satisfação com o soldado. Ele está com a razão. Na essência, ele está certo de reclamar contra aquele absurdo. Mas isso só o torna ainda mais alvo, talvez de uma agressão ou de um fuzilamento sumário para intimidar os demais.

Então, sempre acreditei que pessoas ou empresas expostas em processos de desgaste de múltiplas pontas devem jogar com as pretas — não assumir protagonismo para não atrair uma carga desproporcional de atrito. Na teoria, parece lógico. Na prática, quando o alvo era eu, foi totalmente diferente.

Mal me sento diante da repórter e ouço o que não esperava:

> **“ — O jornal quer que eu faça uma entrevista com você. ”**

Passei num moedor de carne naquele encontro. A jornalista me olhava fixamente, nos olhos. Parecia uma psicanálise, eu falava através de tudo, das expressões, dos silêncios. E me sentia sob um escrutínio pelo qual nunca havia passado. Foi intenso.

Ali, era vida real. Eu me defendendo como podia, numa situação desconfortável. Não havia manuais nem consultores a quem recorrer. Estava batendo um pênalti. O pênalti de minha vida. E a torcida não estava nem um pouco a favor. Senti o peso da camisa e a fraqueza das pernas naqueles poucos passos até tocar a bola. Foi uma pequena eternidade.

Mas vejo hoje que aprendi algo que conhecimento técnico nenhum poderia me ensinar. Vendo agora, percebo que estava passando por uma transformação. Finalmente sentia na pele a adrenalina e o pavor que meus assessorados devem ter vivido e que, embora ao lado deles, tantas e tantas vezes ao longo de tantos anos, jamais poderia acessar. Só vivendo. E vivi.

No final das contas, dei a entrevista. Contrariando todas as certezas do consultor.

CARTOLA

Durante mais de dez anos, quase 4.000 dias, eu tive uma convivência intensa com Ricardo Teixeira, então presidente da Confederação Brasileira de Futebol e, na época, um dos personagens cativos do imaginário brasileiro, como comandante desse sonho, que é a seleção. Pois, ao longo de todo esse tempo, trocamos telefonemas diários, às vezes vários, fizemos viagens pelo mundo todo, tivemos bate-papos no avião, em estadas de fins de semana, participamos de reuniões, mas não me recordo de nem uma única vez que tenhamos falado de futebol. Assim, no sentido de esquemas táticos, jogadores etc. Apenas conversávamos sobre os escândalos do dia, dos quais muitas vezes ele era o protagonista, ou de política. Ele adorava política.

Conheci Ricardo em minha primeira etapa como consultor, aquela em que era assessor de imprensa de porta de CPI. E ele me chamou, indicado por um amigo, para cuidar de uma delas: a CPI da Nike, conduzida pela Câmara dos Deputados, em 1999. No ano seguinte, uma outra CPI, a do Futebol, foi instalada no Senado.

Para todos aqueles que forem estudar a história do Brasil um dia e examinarem as mazelas do país na virada para o segundo milênio, um aspecto peculiar de nossa cultura pode ser este: o Congresso brasileiro colocou no topo de suas preocupações investigativas, simultaneamente, em duas Casas, a questão do futebol. A propósito, a CBF não recebia um centavo de dinheiro público. Zero. Mas, ainda assim, estava sendo investigada com lupa pelo parlamento nacional. Questão de prioridades. Bom pra mim, que tinha o que fazer.

O Ricardo que conheci era meio rabugento, mas sabia ser agradável quando queria. Era um exímio contador de histórias, e seu estoque, interminável. Quebrava o gelo com causos de futebol. Era sua especialidade, nas conversas reservadas. Diante das câmeras, era turrão. Nos bastidores, um licor. Gostava de contar como os torcedores são volúveis. Certa vez, a seleção foi jogar no Piauí. A tribuna de honra era ao lado da arquibancada, separada apenas por um vidro. Antes do jogo, ao lado do governador do Estado, alguns torcedores vinham, olhavam o político, batiam a mão no bolso e gritavam:

— Ladrão! Ladrão!

O governador, indignado, disse para Ricardo:

> **— Isso é tudo gente safada. Vieram a soldo. Foram mandados pelos meus inimigos políticos?**

Termina o jogo, o Brasil ganha, a torcida feliz. Agora, os torcedores vinham e gritavam palavras de apoio. O governador exultava:

— Tá vendo, Ricardo, esse povo me ama!

Contava isso e soltava uma gostosa gargalhada.

Em público, sobretudo diante das câmeras, Ricardo tinha uma cara fechada, mais timidez que qualquer outra coisa. No mundo dele, aprendeu a ser implacável. Uma vez ele me contou a primeira lição que recebeu de João Havelange, seu então sogro, espécie de pai e, na ocasião, presidente da Fifa, a entidade máxima do futebol mundial. Ricardo acabara de ser eleito presidente da CBF, em 1989:

**— Ricardo, quem pode mais fode mais,**
ensinou Havelange.

Foi nessa escola do chicote que se forjou o cartola que, durante mais de duas décadas, comandou o futebol brasileiro, tendo chegado a três finais de Copa do Mundo, duas das quais em que se sagrou campeão. Com Giovani, como chamava o ex-sogro, ele não apertava as mãos. Trocava um beijo simbólico, encostando as bochechas, como nos filmes da Máfia. Era assim que nos cumprimentávamos também.

Ricardo costumava dizer que as cinco estrelas do uniforme da seleção "eram da família": três conquistadas por Havelange, duas por ele.

Ricardo administrava seu feudo com mão de ferro e para alguns detalhes aos quais eu não dava a menor importância ele olhava com lupa. Nas vésperas dos jogos da seleção, havia um cerimonial decisório do qual não abria mão. Era uma avalanche de pedidos de ingresso nesses dias. Na véspera, ele despachava pessoalmente quais seriam os agraciados com sua cortesia. Tinha sempre um mapa com a localização exata das poltronas. Distribuía esses convidados de acordo com sua avaliação de poder. Mais próximo a ele estavam os mais prestigiados: políticos, empresários, artistas. Em mais de uma década no futebol, eu nunca fui a um estádio como torcedor. Ia só de terno, roupa exigida na tribuna de honra. Raríssimas vezes não entrei pelas garagens das arenas. Só fui saber o que era assistir a um jogo como um torcedor depois que saí de lá.

As idas para os jogos eram sempre um acontecimento. As ruas das cidades eram fechadas ao trânsito, por batedores, para a seleção passar. Integrei incontáveis vezes esse cortejo, num carro com motorista atrás dos atletas. Nunca fui "boleiro", como são chamados os fanáticos por futebol. Graças a Deus, porque senão não saberia como viver sem aquela coisa toda. É viciante, para quem é adicto.

De terno e gravata, entrei algumas vezes no santuário que é o vestiário da seleção: craques pelados, sem camisa, amarrando a chuteira, em silêncio. Qualquer coisa diferente chama enormemente a atenção. O uniforme do cartola é terno e gravata. Ia aos jogos, mas não sentia exatamente prazer. Para falar a verdade, sofria mais do que o torcedor comum. Afinal, se houvesse um desastre dentro de campo, a culpa era minha! Eu teria uma nova crise no dia seguinte para encarar.

Uma vez, logo depois do escândalo do mensalão, fui a um jogo do Brasil pelas eliminatórias de 2006. Desci longe da tribuna e tive que rodear o estádio, em plena tarde ensolarada e abafada do cerrado. Estava de terno e usava um broche da CBF na lapela. Já estava tão acostumado que nem percebi o quanto era mesmo estranho um sujeito, de terno, indo para um jogo de futebol. De longe, algum gaiato notou a cena inusitada e começou a gritar:

**— E aí, mensalão! Mensalão!**

Os sujeitos imaginaram que aquele cara todo enfatiotado, com broche na lapela e tudo, andando por Brasília, só podia ser um político. Era o auge do desgaste dos políticos, até então. Entrei na brincadeira e gritei de volta, batendo no peito:

**— Me respeita, rapaz! Eu sou cartola, eu sou cartola!**

Era curioso: depois de ver a cartolagem incinerada diante da torcida durante tantos anos, especialmente por comissões investigativas formadas por deputados e senadores, eu me "defendi" da provocação engraçada daqueles estranhos dizendo que eu era dirigente esportivo. Ironias do destino.

Futebol não tem a menor importância, mas é importantíssimo. Como empresa, a CBF é muitíssimo menor do que a fantasia que a "amarelinha" irradia. Mas futebol dá o que falar. Então, se dá o que falar, dá mídia. É uma espécie de Disneylândia em que a bruxa malvada é que comanda o espetáculo, no caso o cartola da ocasião.

Para mim, foi um privilégio conhecer esse mundo de perto. Viajei com Ricardo e com a seleção para todos os continentes. Fui à Fifa em inúmeras oportunidades. Participei do ritual de pomposidade frívola do mundo da bola: desci num aeroporto em Assunção (de um jatinho, é claro), no Paraguai, e embarquei já na pista numa comitiva de Mercedes-Benz pretas. Coisa de república das bananas, você vai dizer, mas vivi o mesmo em Zurique, na Suíça.

Participei de um comboio aéreo de inúmeros helicópteros, num sobrevoo sobre Brasília com dirigentes da Fifa e Ricardo, na época da escolha do Brasil como sede da Copa de 2014. Também estava em outro comboio, então de tanques das Nações Unidas, quando a seleção foi jogar no Haiti. Hotéis badaladíssimos, banquetes, limusines, capitais mundiais, eventos iluminados, primeiras classes, aeronaves particulares, bem-vindo ao mundo da fantasia do futebol.

Havia um *glamour* um tanto duvidoso nesse mundo da bola. Uma vez, em Barcelona, fora acompanhar meu amigo Geddel Vieira Lima, que estava prestes a assumir um ministério. Ele, por sua vez, ciceroneava o recém-eleito governador da Bahia, Jaques Wagner. Fomos jantar num bom restaurante com nossas esposas e me deu na telha de chamar para ali o presidente do Barcelona, Sandro Rosell. Era padrinho de Ricardo Teixeira e eu o conhecia muito bem. Passa um tempo, chega Sandro e faz um encontro entre nós e a maior estrela do futebol mundial naqueles dias, o jogador Ronaldinho, o gaúcho, R7. Vi pouca gente não se encantar com essas coisas. A propósito, naquela noite, quando chegou ao restaurante, Sandro usava um vistoso relógio. Fã das complicações, o governador elogiou a beleza da peça. Sandro o tirou do pulso na hora e ofereceu de presente. O governador correu pro abraço.

Lembro-me de uma cena que me chamou a atenção e me deu uma dimensão dessa enorme fantasia que é o futebol. Estava em Zurique, na sede imponente da Fifa (um edifício que tem mais andares abaixo do chão do que acima da superfície, a propósito). Estava havendo uma reunião do Comitê Executivo, o corpo diretivo da organização em nível mundial, composto de 25 integrantes, dos quais Ricardo era um deles. Eu estava no térreo e notei o enxame de equipes de TV e repórteres do mundo todo. Eram centenas de profissionais. Ao lado, perfiladas uma a uma, mais de uma dezena de limusines pretas. Para que todo aquele alvoroço?

Parecia que algo importantíssimo estava sendo decidido. Parecia que um encontro de chefes de Estado estava em curso e que alguma decisão de impacto mundial estava para ser anunciada. Mas era apenas uma assembleia internacional de cartolas. O que de tão decisivo eles podiam anunciar? Que bola na mão dentro da área não era mais pênalti? Que falta por trás não era mais falta?

Ali, vi que a fantasia humana é coisa séria, capaz de magnetizar a atenção de bilhões de pessoas ao redor do planeta. Uma das mais poderosas plataformas de comunicação global. O futebol é uma coisa estranha, assim como nós, humanos.

Pra mim, o futebol era a forma mais agradável de fazer política o tempo todo, sem nenhuma responsabilidade maior e — melhor — sem dinheiro público. Você não precisa fazer hospital, escola, saneamento, mas está em contato com gente de todas as áreas, em tempo integral. E no imaginário do povo brasileiro existe o presidente da República e o presidente da seleção. Todo o mundo sabe quem é ou já viu. Quando não xingou.

E eu, porque conheci o Ricardo na pindaíba das CPIs, com o tempo fui podendo olhar de dentro e sem reservas esse mundo muito estranho. Sempre comparei meu serviço para ele como alguém que é amigo do dono de um circo. Quando você está no circo, o trapezista, o mágico, o engolidor de facas, o domador dos leões, o palhaço, todo o mundo acha superimportante sua amizade com o dono do espetáculo. Mas, fora dali, ninguém dá muita bola para um dono de circo. Era assim que me sentia: achava aquele tema leve, suave mesmo, sobretudo comparado com os problemas dramáticos que presenciava em outras situações que vivi.

Ricardo fazia gentilezas ou grosserias sem falar. Coisa de mineiro. Falava calado. Vi que eu estava forte quando me convidou um dia para ser membro da delegação brasileira junto à Confederação Sul-Americana de Futebol. Que diabos é isso? Ele me colocou como eleitor dele mesmo. Era eu, o filho dele Roberto e o tio, Marco Antônio, seu braço direito na época. Fui para a Assembleia Geral e sentei no meio daquela cartolagem toda, na bancada tríplice dos brasileiros. Terno e gravata, óbvio...

A eleição se dava de uma maneira bem curiosa: à medida que o cargo específico era mencionado, algum representante levantava, pedia a palavra, elogiava o indicado e defendia que a eleição fosse feita por aclamação. E assim foi a chapa inteira: pipocava alguém elogiando e todos levantamos para aplaudir. Foi assim que "elegi" Ricardo membro do Comitê Executivo da Fifa como representante da Conmebol.

Ao término do conclave, lembro-me de ter comentado com ele:

**— Presidente, quero agradecer toda a autonomia que o senhor me deu. Em nenhum momento o senhor disse**

**como eu deveria aplaudir. Se eu devia aplaudir sentado, de pé, aplaudir rápido ou lento, baixo ou alto. Eu pude aplaudir do jeito que achasse melhor. Obrigado!**

Ele riu, né?

Dormi em todas as casas de Ricardo. Na fazenda, na cidade fluminense de Piraí, na casa de praia em Búzios, na casa de Boca Raton, na Flórida, na casa do Itanhangá, no Rio, onde tive a primazia de dormir no quarto do "padrinho", seu parceiro Sandro Rosell, então presidente do Barcelona. Tinha foto do Sandro na cabeceira. Se chegasse a qualquer momento, estava em casa. Coisas da cartolagem.

Na época das CPIs, o bombardeio era diário. Meu papel era obter o máximo de informações possíveis e modular as respostas e reações. Era uma batalha permanente. Nessa época, ainda falava com repórteres. Era assessor de imprensa e "estrategista" ao mesmo tempo. Ter informação numa CPI não é tentar saber que documentos eles têm, mas tentar entender para onde está indo a correnteza, sobretudo do ponto de vista da mídia. Afinal, só existirá estardalhaço se houver repercussão. E só existirá repercussão se a imprensa cornetear numa determinada direção. Eram dezenas de ligações por dia. Um sufoco.

Naquele momento em especial, Ricardo estava no fundo do poço, sobretudo na relação dele com a rede Globo. Era *Jornal Nacional* todo santo dia. Ou quase. Pra piorar, a seleção (que viria a ser pentacampeã) era um fiasco nas eliminatórias. O Brasil corria o risco de ser desclassificado. Culpa? Da cartolagem, claro. Era um coquetel bombástico.

Nesse atendimento inicial, treinei vários dos fundamentos que fazem parte do arsenal de um consultor de crises: preparação para entrevistas, simulação de depoimentos na CPI, produção de documentos contestando denúncias, cartas para jornais, gogó sem fim em horas de telefonemas com setoristas da comissão, apurações informais com parlamentares com que cruzava em restaurantes, antecipação de cenários, criação de factoides. Ricardo me ajudou muito: seu caso era ao mesmo tempo enorme em termos de visibilidade e de impacto midiático e quase absolutamente irrelevante do ponto de vista institucional. O futebol é importante. Tudo é importante. Mas há coisas muito mais importantes, não é mesmo? Foi um treino magnífico. Era uma necropsia espetacular.

Ricardo estava no limite. Nas madrugadas, muitas vezes enrolando a língua, desabafava comigo suas aflições. Os lamentos, algumas vezes, varavam as horas até o amanhecer. Ali, ouvindo aquele leão ferido, algumas vezes usando a muleta de um golinho a mais aqui ou ali, fui aprendendo um outro significado para o meu papel nessas horas: simplesmente um ouvido confiável para um ser acuado poder descarregar os medos, as mágoas, as raivas, as incompreensões.

Tentávamos reagir como podíamos. No meio daquela muvuca toda, inventamos de anunciar com estardalhaço um feito incrível: o maior contrato de patrocínio do futebol mundial até então, da Ambev, para a seleção brasileira. Era um tiro de canhão naqueles que esculhambavam Ricardo. Se o futebol era uma bagunça e mal administrado, como é que uma das empresas mais respeitadas do país decidia — justamente durante as CPIs — fazer um anúncio bombástico daqueles? Economicamente era ótimo, mas o patrocínio foi um fato talvez ainda mais importante do ponto de vista político. E cacarejamos bastante.

Durante as CPIs, Ricardo costurou o chamado "pacto da bola". Anos antes, ele tinha entrado numa bola dividida com o rei do futebol, Pelé. Brigar com ídolo, ainda mais em público, é marcar gol contra. Ricardo se ferrou e o rei venceu, claro. Todo esfrangalhado pela cobertura impiedosa daqueles dias, criou-se um factoide a contento.

A síntese era uma foto eloquente: Ricardo, Pelé e o ministro do Esporte segurando uma bola. A imprensa esportiva ficou tiririca.

Aquela foto era um drible e tanto. Vim no mesmo jatinho naquele dia com Ricardo e o rei. Durante o voo, um papo ameno danado. Parecia a coisa mais natural do mundo. Mas aquela aproximação, naquele momento, foi um nó tático naqueles que queriam ver o cartola no banco de reservas.

Outro exemplo de como a criação de fatos pode ser uma arma na guerra da sobrevivência em escândalos foi o anúncio da contratação de Luís Felipe Scolari, o Felipão, para técnico da seleção. Pela primeira vez na história e provavelmente pela última, o técnico da seleção foi anunciado em Brasília. Era um momento decisivo da CPI e fizemos aquilo por pura pirraça. Foi goleada. A mídia toda compareceu àquele acontecimento. O plenário da Comissão ficou às moscas. O noticiário dos telejornais e do dia seguinte foi todo Felipão. Era aquilo obra de algum *spin doctor*? Deixo a resposta para os especialistas.

O fato é que estava aprendendo.

RETRANCA

Na minha encarnação futebolística (a primeira, pois acabei tendo outra), comi o pão que o diabo amassou. Era só pancada, o tempo todo. Mas?

O mundo e a bola são redondos. E dão voltas. Ricardo terminou a CPI arruinado. Na noite da aprovação do relatório do Senado, que espinafrava com ele, lembro que passamos a madrugada juntos, num hotel em Brasília. Ricardo tinha 5 dos 11 votos. Faltava apenas um para conquistar a maioria e derrubar o texto. Até que o voto decisivo, do senador e ex-delegado Romeu Tuma, se definiu contra a CBF. Jogo encerrado. Perdemos.

Ricardo, àquela hora do dia, saiu ligando para os senadores que o apoiavam, sendo pragmático, como quase sempre:

> **“ — Vote contra nós. Já perdemos. Não vale a pena se desgastar à toa. ”**

E, assim, no dia decisivo, o relatório foi aprovado por unanimidade: 11 a zero.

Ricardo ficou mal. E no dia seguinte me ligou dizendo que ia renunciar. Disse a ele que renunciar parecia assumir a culpa. Que pensasse um pouco. Ele me respondeu que recebera uma visita de João Havelange naquele dia, pedindo que renunciasse em nome dos netos, filhos de Ricardo. O cartola marrento que o Brasil conhecia ficou abaladíssimo com a posição do sogro.

Ricardo chegou a escrever uma carta de renúncia e a submeteu a alguns presidentes de federações estaduais mais próximos. Foi na casa dele, no Rio. Num certo momento, o então presidente da federação carioca, conhecido como Caixa-D'Água, rasgou a carta de Ricardo na frente dos outros. Disse que não aceitava a renúncia.

Mas Ricardo continuava disposto a largar tudo. Quem desempatou a parada foi o ex-presidente José Sarney, que falou com Ricardo ao telefone. Disse que ele entendia bem essas angústias do poder, que já tinha passado por isso e espertamente sugeriu:

> **“— Olha, Ricardo, eu não estou pedindo para você não renunciar, não. Eu peço apenas para não fazer nada com a cabeça quente. Dê uns dez dias. Se no final você ainda estiver convencido, saia. Não muda nada.”**

Ricardo ficaria no cargo ainda pelos 11 anos seguintes.

Para tornar essa história ainda mais imprevisível, ganhou a Copa de 2002, embora tenha saído com um time desacreditado. Lembro que ele tomou um porre depois da final. E só dormiu com o dia clareando em Tóquio. Tombou na cama exaurido. Dormiu com o troféu da Copa do Mundo na cama.

Campeão do mundo, Ricardo começou a ser cortejado pelo governo. Ele achava, e com boa dose de razão, que uma parte considerável de seus pesadelos tinham sido de alguma forma estimulados pelo governo do então presidente Fernando Henrique Cardoso.

O departamento de futricas, no caso eu, começou a espalhar que talvez ele não fizesse a escala da seleção em Brasília, no retorno ao país. Foi um deus que me livre. Era ano de eleição presidencial. Não parar em Brasília seria um estrago político. Até o presidente Fernando Henrique ligou para mim. Eu dei corda para a dúvida e disse:

**— Presidente, o Ricardo não se sente à vontade para ir ao Palácio. Ele não se sente em casa.**

Aperta pra cá, aperta pra lá, Ricardo topou ir. Foi decisivo o conselho de um amigo do peito dele, o então senador Tasso Jereissati, do mesmo partido do presidente FHC:

**“— Ricardo, seja magnânimo na vitória.”**

E ele foi. Do jeito dele.

No caminho para o Brasil, houve negociações intensas de protocolo. Ricardo era cabreiro. Em 1994, tinha chegado com o caneco do tetra na cabine, fez escala em Brasília, foi ao palácio e viu a festa ser estragada por uma ação da Receita Federal na bagagem da delegação, o chamado "voo da muamba", quando o time chegou ao Rio de Janeiro. Dessa vez, no penta, ele queria que o serviço alfandegário fosse realizado em Brasília, pra não dar chance ao azar. Vi o secretário da Receita Federal em pessoa, em 2002, cuidando do desembaraço das bagagens da seleção na Base Aérea da capital, onde o voo do penta desceu.

Cuidei pessoalmente de transmitir algumas exigências de Ricardo ao governo. Uma delas, inegociável: ele não queria papagaios de pirata na hora em que a seleção chegasse à capital da República. Ninguém. Apenas para que você entenda, num acontecimento midiático como a conquista da Copa, quando o avião da seleção chega ao país, as TVs transmitem ao vivo. Um dos ápices dramáticos é quando a porta do avião se abre. Quem estiver na escada naquela hora pega uma carona no triunfo daquele circo todo. Participa da conquista, mesmo sem ter feito nada por ela. Combinei com a assessora de eventos e amiga íntima do presidente FHC, a publicitária Bia Aydar, que a seleção não ia ser recepcionada por ninguém. Bia sempre foi minha amiga querida. Sempre confiei totalmente nela.

Apesar da vigilância e do alerta todo da Bia, não é que, na hora em que a aeronave desce, com a escada encostada, o ministro do Esporte da ocasião e o número dois dele resolvem subir até o avião? Ricardo tinha pavor dos dois. A cena na televisão é meio patética: o avião da seleção termina o taxiamento, os dois sobem, a porta abre, eles entram um pouquinho e saem dali a pouco. O que o microfone não captou foi o recado de um jogador, tudo combinado com Ricardo:

**— Ih, presidente, a gente não vai descer, não...**

Os dois saem de fininho. Ricardo era turrão.

Foi aquela festa toda, os pentacampeões em caminhão aberto até o palácio, o povo feliz. A cambalhota do jogador Vampeta na rampa do Planalto virou história. Ele estava para lá de Bagdá, de tanta comemoração.

Mas os detalhes podem fazer toda a diferença nessas horas. Um deslize e a festa vira funeral. Tomamos nossas precauções naquele dia. Pelo protocolo, o "gancho" oficial para os jogadores irem ao palácio era receberem uma condecoração das mãos do presidente da República. Condecoração que era devida também ao presidente da CBF. Agora, imagine o seguinte: o presidente da República na rampa do palácio, ladeado de ídolos idolatrados por uma conquista histórica, o microfone do cerimonial anunciando os nomes dos agraciados, a praça dos Três Poderes abarrotada de torcedores, muitos mamados, um sol desgraçado e, de repente, a voz anuncia o próximo da lista:

— Ricardo Teixeira, presidente da CBF.

De zero a dez, qual é a chance de uma vaia colossal? Bastava um gaiato puxar um "uhhhhh" e a multidão ia soltar a garganta. Manchete do dia seguinte? "Teixeira vaiado na festa do penta." Resultado: Ricardo recebeu a comenda discretamente no gabinete presidencial. Já foi com ela no pescoço para a rampa. Seguro morreu de velho...

Ah, sim, um último registro. Só existe uma coisa mais volátil do que eleitor: torcedor. Eleitor muda de voto a cada eleição, torcedor a cada momento de uma partida. Naquele dia da volta do penta, depois de sair do outro lado do mundo, parar em Brasília, andar no meio do sol, ir ao palácio presidencial, a seleção ainda voou para o Rio, pegou um ônibus, circulou pelas ruas congestionadas para receber o carinho popular. Lá pela meia-noite, como o ônibus não conseguia andar tamanha a quantidade de pessoas, decidiu-se interromper o trajeto quando o cortejo estava na zona sul.

O ônibus foi apedrejado!

Não é que o ônibus foi apedrejado porque o Brasil perdeu a Copa, não é que foram apedrejados dez dias depois da conquista da Copa. Foram apedrejados no mesmo dia em que chegaram pentacampeões do mundo. Torcedor não perdoa.

# BOLA PRA
# **FRENTE**

Caneco na mão e com a quinta estrela cerzida sobre o escudo, o jogo tinha recomeçado para Ricardo. Ele detestava os políticos do PSDB, os tucanos, a quem atribuía seus infortúnios políticos. Mas não tinha portas abertas com o provável candidato eleito, em 2002, o líder do Partido dos Trabalhadores, Luiz Inácio Lula da Silva. Foi chegando pelas beiradas.

Em 2002, eu já conhecia bem o então candidato a senador pelo PT do Mato Grosso do Sul, Delcídio do Amaral. Ele não era exatamente um petista. Fora inclusive do PSDB. Tínhamos nos aproximado quando ele era diretor da Petrobras no governo Fernando Henrique. De lá, saiu para disputar uma eleição improvável pelo partido da oposição, então nas graças do eleitorado, o PT.

Falei de Delcídio para Ricardo e combinamos de fazer um gesto, de certa forma até desproporcional: o primeiro lugar onde o troféu da Copa de 2002 foi exposto veio a ser Campo Grande, terra de Delcídio. Fizemos uma cerimônia na casa do candidato. Ricardo foi e levou o caneco, que ficou exposto um dia inteiro no quintal daquele lugar remoto do mapa político nacional.

Não era uma entrada pela porta da frente do petismo, mas era a disponível. Os dois se tornaram amigos pelos anos seguintes, muito antes de Delcídio ou qualquer um de nós supor que o futuro senador um dia se tornaria líder de um governo petista e delator judicial do regime do PT, vejam só, nos escândalos da Petrobras lulista. Quem poderia imaginar?

Ricardo, vazei para a "Folha de São Paulo", declarou voto em Lula no segundo turno.

Posicionou-se, mas a distância continuava glacial. O PT era o símbolo da ética na política, e Ricardo era estigmatizado, claro. Alguns conselheiros de Lula, já presidente, em 2003, atiçavam o presidente para que mantivesse o cartola brasileiro na geladeira. E assim ficou todo o primeiro ano do governo.

O ponto de inflexão aconteceu no início de 2004. O advogado Antônio Carlos de Almeida Castro, o Kakay, muito amigo do todo-poderoso ministro José Dirceu, marcou um café da manhã em sua casa. Fui com Ricardo, Kakay já estava lá com Dirceu. O gelo foi quebrado.

Dirceu criou uma oportunidade política ao mencionar que era interesse do governo brasileiro realizar um jogo amistoso no Haiti, então devastado por uma crise social. Ricardo topou na hora. Foi marcado um encontro entre Lula e o cartola. Já no primeiro contato, Lula foi Lula. Pegou na perna de Ricardo, soltou um palavrão e ficou falando de futebol, uma de suas paixões. A conversa engrenou e, dias depois, o "jogo da paz" foi anunciado para Porto Príncipe, capital do Haiti.

Como filho bonito tem muitos pais, alguns do entorno de Ricardo saíram plantando na imprensa a paternidade daquela sacada magistral. Mas fui testemunha do que aconteceu. Dirceu foi o pai da ideia. Aceitamos de imediato, mas justiça seja feita a ele.

Fui com a seleção e Ricardo para a República Dominicana, país vizinho do Haiti na ilha espanhola, no Caribe, onde havia melhores acomodações para nossos craques. Ficamos lá uns dois dias. Estava com Ricardo quando o presidente Lula veio visitar o nosso hotel e ficou na sala dos jogadores. Brincou, tirou fotos, gravou rápidos vídeos. Dali em diante, a relação fluiu magnificamente.

No dia seguinte, pegamos um voo para Porto Príncipe. Os jogadores foram em cima de tanques das Nações Unidas. Eu também, logo atrás dos ídolos. A distância de dez quilômetros entre o estádio e o aeroporto estava coalhada por milhares e milhares de haitianos em festa. O percurso demorou mais de uma hora. Se o povo quisesse, tomava os tanques e sequestrava os ídolos. Não havia segurança capaz de evitar essa calamidade, tal era o mar de gente por todos os lados. A cidade estava destruída, o cheiro era intenso, a pobreza tocante, mas nada era maior que a euforia daquela massa.

O Brasil jogou e goleou o time da casa. Mas o povo vibrou do mesmo jeito. O jogo da paz fora um sucesso. Mundial.

O passo seguinte de Ricardo foi articular internamente para trazer a Copa de 2014 para o Brasil. Ele estava forte na Fifa e a Copa foi uma compensação de Joseph Blatter para que se sagrasse candidato único em sua própria sucessão. Ricardo e Blatter tinham muitas afinidades. A maior delas é que, quando tinham uma conversa realmente séria, falavam em francês.

Lá por 2007, o projeto embrionário da Copa no Brasil começou a se tornar irreversível. Em 2008, ele me nomeou diretor do Comitê Organizador da Copa. Era responsável pelas relações institucionais e só me reportava a ele. Participei de todas as conversas dele com todos os governadores, prefeitos, ministros e o presidente da República nesse período. Viajamos o Brasil todo, com grande cobertura de mídia.

As relações de Ricardo com a rede Globo, antes fraturadas, já haviam sido recompostas com uma engenhosa articulação comandada por ele. Forte como estava na Fifa, a emissora brasileira só poderia recorrer a ele para solucionar um problema milionário. É que a Globo havia comprado e pago com antecedência os direitos de transmissão para as Copas seguintes da agência credenciada pela Fifa, a ISL. Mas a ISL havia quebrado e a Fifa não era necessariamente obrigada a reconhecer essa transação. Ricardo trabalhou duro e fez a Fifa reconhecer o negócio. Isso tirava uns 200 milhões de dólares de negativo do balanço da Globo, um número estratosférico então, já que a empresa devia dez vezes isso. Com uma única tacada, Ricardo transformou em pó 10% do débito da empresa.

Logo depois, foi recebido pela família Marinho num jantar formal na chamada Casa dos Flamingos, onde vivera o patriarca e fundador do império.

Os problemas do passado eram página virada.

Ricardo adorava políticos, mas ainda não estava com jogo de cintura para tratar com tantos deles, de tantos lugares. Eu ajudava nesse meio de campo. Lembro que fomos ao Recife onde o então governador, Eduardo Campos, queria e precisava que a capital fosse uma das sedes da Copa. Estava com Ricardo no hotel, o governador ligou e Ricardo ainda hesitou. Não esquecia que Campos fora um dos seus algozes mais contumazes na CPI da Câmara, anos antes. Ele me disse:

**— Acho melhor eu não ir.**

**— Presidente, vá. O senhor não tem nada a perder.**

Fomos para a ala residencial do Palácio das Princesas, sede do governo do Estado. Campos nos recebeu com uma garrafa de uísque na mão e foi logo pedindo desculpas:

**— Ricardo, eu errei muito com você, eu era jovem, mas agora quero fazer tudo direitinho.**

Eles ficaram horas, até a madrugada. Entornaram outras garrafas. Saíram bêbados e aliados.

Continuei seguindo Ricardo em todos esses convescotes. À medida que foi se acostumando a conversar com tanta gente importante, foi pegando o traquejo.

Participei de todas as conversas dele com Lula. Certa vez, Lula quis demonstrar gentilmente que poderia ajudar na conquista da Copa, através da diplomacia.

Atalhei, de maneira abrupta:

**— Essa questão vai ser resolvida dentro da Fifa. Ricardo é o único eleitor. Diplomatas não têm nenhum voto.**

Eu era abusado.

Viajamos todas as cidades-sedes candidatas, sempre com alto grau de cobertura das TVs, inevitavelmente a favor. A notícia era boa mesmo.

O fato é que Ricardo ganhou musculatura, a maior desde que começara na cartolagem. E começou também a se permitir certas regalias. Compraria um avião privado para a CBF apenas para seus deslocamentos — quando o conheci, nas CPIs, andava ainda de avião de carreira. Depois veio um helicóptero biturbinado. Uma Mercedes blindada.

Em 2009, decidi tirar um ano sabático em Nova York para me preparar melhor para o desafio. Ricardo concordou, mas acho que não gostou da distância. Fui assim mesmo.

Um dia, em Nova York, marcamos de nos encontrar no restaurante Peter Luger, no Brooklin. Saí da aula e segui com a roupa que estava: uma mochila, uma camiseta e uma sandália. Era julho e o tempo fica abafado na cidade. Eu era da família. Ao chegar, estavam lá apenas sua então mulher, Ana, e sua filha Antonia. Ana eu conhecera alguns anos antes, quando engatara com ele, menina modesta que viera de Campos dos Goytacazes, interior do Rio. Devia ter uns

20 e poucos, mas eu sempre a chamei de dona Ana. E ela nunca contestou. Naquele dia, ela me recebeu de forma brusca:

— O que é isso? Olhando para as minhas havaianas.
— Calor, dona Ana.

Ela repetiu:
— O que é isso?

Eu respondi:
— Verão, dona Ana.

Ficou com a cara emburrada pelas horas seguintes. Ricardo ficou calado. Mas, eu sabia, quando calava, falava.

O fato de não ter dito "que é isso, Ana, você não sabe como o Mario é?" significava que apoiava a manifestação da esposa. Significava que, se ele havia se ordenado rei, devia à moça um tratamento de rainha.

Saí dali desconcertado e fiquei encafifado.

Era aceitar a nova ordem ou cair em desgraça. Mas conhecera um Ricardo frágil e nossa amizade havia se firmado justamente na presunção de que não podia ficar cheio de dedos com ele, para o bem dele. Já tinha muita gente subserviente ao redor. Agora, ele propunha uma mudança no jogo. Se eu precisasse daquilo, talvez topasse. Mas não precisava.

Me divertia mais do que ganhava financeiramente. E minha relação única com ele era o grande diferencial para me manter conectado. Num dos auges das CPIs, lembro que gritei e o xinguei, numa ida para o aeroporto de Brasília. Não tenho orgulho desse rompante. Mas ele engoliu a grosseria e isso serve para mostrar a conexão que havia.

Noutra ocasião, na véspera do anúncio do Brasil como país-sede da Copa de 2014, jantamos com o então governador de São Paulo, José Serra, num restaurante em Zurique. Havíamos definido que a Copa não poderia ter um viés partidário. Não poderia ser de um partido, sobretudo do PT, que comandava o país. Então, fomos fazendo gestos para o lado da oposição. Batalhei muito para que o governador de São Paulo, o maior símbolo da oposição, estivesse no evento de anúncio do Brasil como sede. Ficou combinado que ele sairia do país, atravessaria o Atlântico, mas teria de ter um lugar de destaque na foto do evento. Combinei isso com Ricardo. Ele topou.

Na hora H, aquela gentarada toda, Brasil anunciado, presidente da República, ministros, governadores, mídia pra todo o lado e noto que o governador de São Paulo está numa cadeira do auditório, meio de lado. Eu atravesso aquele burburinho, vou até Ricardo e lembro a ele:

**— Presidente, o governador Serra.**

Ele me olha com cara de bravo:

**— Tô ocupado!**

Eu olho fixamente nos olhos dele e urro:

**— Não fale assim comigo.**

Ato contínuo, trago o governador para a foto ao lado de Ricardo e dos demais. Tudo isso acontecia com muita naturalidade. Fazia porque era o melhor para ele. Essas relações têm de ter uma sincronia perfeita. E, se não podia ficar desafiando à toa por mera vaidade, também não podia ter medo. Nas crises, é preciso falar o que é necessário e não só o que é lisonjeiro. Já estava acostumado e essa era a base de minha ligação com ele.

Um jornalista amigo meu me lembrou, quando estava escrevendo este livro, como o apresentei a Ricardo, lá pelos idos do ano 2000.

Era tarde da noite e Ricardo estava numa mansão que a CBF tinha na capital da República:

> **— Presidente, este aqui é o Fernando Rodrigues. Ele acha que o senhor é ladrão...**

Fazia essas coisas meio por irresponsabilidade, meio por estilo, meio para quebrar o gelo e aproximar as pessoas. Fiz barbaridades como essa com vários indivíduos. Hoje, não me orgulho tanto. Acho que tinha um pouco de vaidade, de crueldade. Mas funcionava. Em geral, era tão surpreendente que todos relaxavam.

Terminei meu sabático em dezembro. Tinha ido justamente para me preparar para os cinco anos seguintes em meu papel no comitê da Copa. Mal voltei ao Brasil, em janeiro, e comecei a me defrontar com um desfecho imprevisível: talvez eu tivesse que me mandar daquilo tudo, embora tivesse acabado de chegar de um ano de preparação para o novo desafio. Coerência zero, mas percebi Ricardo diferente. A rigor, não houve nada, nenhum episódio. Foi tudo na intuição.

Um mês e pouco depois, pedi que almoçássemos juntos. Ele foi. Usando a assinatura do psicopata que existe dentro de mim, fui de camiseta e sandálias. A mesma roupa daquele almoço em Nova York. Disse que estava saindo, em caráter irrevogável.

— Olha, Ricardo, a Ana é minha amiga. Entre amigos, se um faz ou fala uma bobagem, toma um fora e encaixa. Mas, se é a mulher de meu chefe que fala uma bobagem, tenho que respeitar. Só me tornei diretor desse comitê da Copa porque somos amigos. Daqui a pouco, não seremos nem amigos, nem parceiros de trabalho. Foi por isso que decidi sair.

Ele ficou calado. E calado falava. Entendi que tínhamos chegado ao fim.

Sou eternamente grato por tudo o que me ensinou. Mas nunca mais falei com ele.

ESCÂNDALO
MEU

O caso policial nebuloso em que eu estava envolvido se chamava Operação Acrônimo. Basicamente, a polícia apurava suspeitas de corrupção envolvendo o então ministro da Indústria e Comércio do governo Dilma Rousseff, Fernando Pimentel.

Muito antes do caso existir, eu cruzara com Pimentel algumas vezes por causa da Copa do Mundo no Brasil. Tinha estado com Pimentel numa das centenas de cerimônias públicas de que participei. Aperto de mão e nada mais. Anos depois, eu o conheci — ou melhor, ele me conheceu, pois era homem público e conhecido havia muito tempo. Desconhecido era eu.

Claro, foi por causa de um escândalo. Na campanha presidencial de 2010, ele foi derrubado da coordenação geral depois que surgiu uma denúncia de que havia um escritório da campanha especializado na produção de dossiês. Ele caiu, continuou na disputa por uma vaga de senador em Minas Gerais, em que foi derrotado pelo ex-presidente Itamar Franco.

Meses depois, com a presidenta já eleita, mas ainda não empossada, recebo a ligação de minha amiga, Danielle Fontelles, para que fosse a uma reunião com Pimentel. Devia ser ali por novembro de

2010. Ele estava cotado para assumir algum cargo no governo e tinha algum receio daquelas denúncias da campanha serem ressuscitadas de alguma forma e criarem algum embaraço político. Botei ele na cota do SUS e fui até lá.

Na reunião, estava também uma jovem assessora de imprensa, Carolina Oliveira. Muito antenada. Tinha trabalhado com ele na campanha e talvez viesse com ele, em caso de indicação. Era mais uma conversa em minha vida: o leão ferido vinha, mostrava as feridas, eu olhava, fazia alguns diagnósticos, recomendava alguns remédios e seguia para a próxima jaula do dia.

Pimentel foi nomeado e eu e Carolina começamos a nos falar de vez em quando: eu era o consultor mais velho, e ela, uma profissional jovem, cheia de gás. E isso foi pelo ano de 2011 inteiro. Pimentel, ministro, sofria algumas acusações — e ela ligava pedindo conselhos de como responder para a imprensa. Trocávamos telefonemas, eu dava alguma dica para a crise da ocasião e foi indo. Eu admirava muito a garra dela. Ela já tinha trabalhado na maior agência de comunicação do país, já tinha estado no epicentro de uma campanha presidencial, já tinha participado de uma eleição de senador (perdedora, em que sempre se aprende mais) e já estava como assessora de imprensa de um ministro de Estado. Ela me parecia dedicada.

Lá pelo fim de 2011, um dia, ela me liga e diz que estava pensando em sair do governo. Combinamos de conversar. Ela me contou que havia muitos boatos sobre algum tipo de envolvimento emocional entre ela e o então ministro. Claro, já ouvira esse zum-zum-zum também. Mas, na Corte, respiram-se boatos e oxigênio, nessa ordem. Então, não dava muita bola. Como dizia Ibrahim Sued, noutro de seus bordões sensacionais, "em sociedade, tudo se sabe".

Nas poucas vezes em que estive com ambos juntos, comportavam-se até então como assessora e assessorado. Sem toques, sem nenhuma intimidade além da profissional, na frente de terceiros. Como ela era jovem e tinha um acesso muito próximo a ele, os boatos pululavam. Pra mim, tanto fazia. Achava ela esperta, bem informada, uma pessoa a mais com quem estar conectado nessa grande rede neural de percepções que compunham o meu SUS e o meu dia a dia profissional. Eu era útil para ela, sobretudo meus cabelos brancos. Ela era útil para mim, pois podia às vezes ter uma percepção mais refinada entre o que era o lugar-comum dos boatos e consistência etérea dos fatos nos bastidores.

Nos encontramos e ela disse que não queria mais ficar para não passar constrangimentos. Eu falei que tudo bem e que ela contasse comigo. Ela me disse que estava pensando em abrir uma empresa de assessoria de imprensa e se virar. Eu disse que, quando tivesse tudo arrumadinho, em termos de documentos, ela me avisasse. Assim como fiz com dezenas de jornalistas que saíram da profissão e foram para o mercado ao longo do tempo, disse a ela que poderíamos trabalhar juntos em algum caso. Um dia...

O tempo passou, dezembro, janeiro, fevereiro e ela um dia me avisa que a documentação da empresa já estava pronta. Falei que ia encaixá-la em algum trabalho. Assim, meio simpático. Estava no meu auge profissional naqueles anos. Estava bombando. Depois de mais uma década trabalhando nas crises do futebol, com Ricardo Teixeira e o sobe e desce da seleção brasileira, tinha arranjado desde 2010 tempo livre para rodar a catraca. O futebol não me dava muito dinheiro e tomava muito do meu tempo. Quando fiquei com tempo livre, passei a entender melhor o que queriam dizer com a expressão tempo é dinheiro. Passei a faturar mais porque passei a ter tempo disponível, a cobrar melhor e a ter mais clientes de crise de altíssimo padrão, do meu ponto de vista, claro. Enquanto isso, o SUS continuava a toda.

Sempre achei que consultores são como um beija-flor. Eles não produzem o pólen. Eles pegam o pólen de uma flor e o levam para a outra. Ou seja, na maioria dos casos, eu é que aprendia com os meus cadáveres de reputação, as minhas flores. E usava esse aprendizado, de forma adaptada, para outra situação, com outro personagem. E assim por diante. Portanto, quanto mais flores eu tocasse — no caso, pessoas em desgraça pública —, mais pólen eu poderia carregar. No final das contas, consultores servem também para equalizar as práticas na floresta do mundo corporativo, levando de uma organização para outra as soluções que umas e outras encontraram de melhor. É um equalizador de melhores práticas.

Carolina vinha a calhar: embora jovem, tinha estado em posições de destaque. Já tinha vivido o poder por dentro. Era uma pecinha bacana no meu tabuleiro. Por que não usá-la? Atendia todo o mundo no SUS, mas só quem pagava as minhas contas eram os poucos — e caros — clientes privados de quem cobrava. Jamais trabalhei para governos, repito, sejam estaduais, municipais ou federal. Seja na administração direta, seja na indireta. Jamais trabalhei para empresas estatais nos três níveis. Jamais recebi dinheiro de agências de propaganda ligadas a contas de governo. No século XXI, jamais recebi dinheiro de campanhas políticas. Era 100% privado. Dinheiro público zero.

Das 30 empresas com que trabalhei entre 2010 e 2015, a maioria delas gigantes, em casos cabeludos, como veremos, a empresa de Carolina me atendeu em dois deles. Ela recebeu 5% do meu faturamento quinquenal ao longo dos 30 meses em que me serviu. 5% da minha grana e 2 em 30 dos meus clientes. Era nessa proporção que via a Carolina. E não é que daí é que viria a maior confusão?

Houve questionamentos sobre o valor que minha empresa pagou à empresa dela, ao longo desses 30 meses — não 30 dias nem 30 semanas: 30 meses. Para entender isso, era preciso primeiro ter como premissa que essa foi a maior guerra de comunicação, em termos de despesas e contratação de profissionais, que jamais existiu no Brasil. Era preciso também ter como referência o momento estratosférico de minha vida profissional. Comparado com o salário médio de um brasileiro, os valores pagos a Carolina podiam ser considerados altos, sim. Comparados com meu próprio ganho, porém, representavam apenas 1 de cada 20 reais que ganhei nos cinco anos de meu apogeu profissional. Era dinheiro privado, declarado, tributado e para serviço efetivamente prestado. Não via problemas.

Apenas para você ter uma ideia do momento fora da curva e a maneira fora da curva com que eu lidava com as coisas: paguei ao meu contador naquele período 1 milhão de reais. Oficialmente e tributariamente documentado. Dinheiro demais para um contador que emitia cinco, seis notas por mês? Talvez. Mas, olhando do meu ponto de vista: era o cara que sabia cada detalhe de minha vida, que tinha de recolher todos os impostos e fazer tudo correto. Já imaginou ele me vendo ali bombando, sabendo do meu momento profissional e eu tendo de confiar nele totalmente? Defini então um prêmio anual, além de um fixo razoável por mês. No final de um quinquênio, deu sete dígitos somados. Não era meu dinheiro? Quanto valia pra mim ter a segurança de que podia contar com a confiança de meu contador? Aliás, Evaldo fez tudo certinho e isso foi muito importante para mim.

Uma das jornalistas mais perfurocortantes que conheci, a Malu, me disse assim:

**“ — Você precisa explicar a contratação da Carolina... ”**

Tá bom, Malu, lá vai...

Afinal de contas, como explicar por que contratei Carolina? Primeiro, porque ela era procurada o tempo todo por jornalistas econômicos e da política de primeira linha. E por que eles a procuravam? Porque tinha sido assessora de imprensa de um ministro e, assim, se tornou conhecida e conheceu todos eles. Mas é claro, óbvio, ululante, que a proximidade dela já fora do governo com o então ministro de Estado fazia com que fosse acionada por jornalistas que a consideravam uma "fonte" muito bem informada. Bem informada por quê? Pela proximidade com Pimentel e, a partir de 2012, pela relação pessoal que os dois passaram a assumir publicamente. "Todos" sabiam disso nos bastidores. Por isso, ela era uma baita fonte.

Exatamente por ser uma "fonte" de jornalistas, o fato é que Carolina era uma interlocutora estratégica para qualquer batalha de comunicação: os jornalistas a consideravam "neutra" sobretudo em relação aos assuntos que não tinham diretamente a ver com o ministério. Como ela não era agente público, por que não contratá-la para difundir e checar informações do interesse de um cliente meu, sem que a imprensa a associasse diretamente a ele? Ela ajudava a saber o que a imprensa estava pensando e a espalhar boatos que eram bons que circulassem na imprensa. Por que não?

Carolina era uma grande checadora de informações junto à imprensa. E também disseminava temas que eram de interesse estratégico para influenciar o noticiário. Eu e ela fizemos dezenas e dezenas de interações desse tipo. Trocamos centenas de ligações no período de nossa relação de trabalho, documentadamente. Mantivemos incontáveis contatos pessoais, nos quais podíamos falar com segurança sobre as questões do caso. Claro, tivemos reuniões com nossos clientes, inúmeras. Era um atendimento especial, num caso especial.

Eu alertava um repórter ali, ela de lá, as informações coincidiam e pimba: a notinha emplacava. Eu precisava checar algum rumor dos bastidores e ela acessava repórteres fundamentais que não sabiam que, na verdade, era uma checagem para um dos lados do conflito. Através dela, eu atendi a um cliente que se sentia seguro de poder checar com precisão — e com discrição — se uma intriga publicada ou disseminada era ou não verdade, quem podia estar por trás dela. Com isso, qualifiquei meu próprio atendimento. E ainda ficava com tempo livre para atender meus outros clientes, em que atuava sem ela. Ou seja, na minha cabeça, o meu cliente estava pagando para que eu pudesse atendê-lo melhor, com o reforço de uma jornalista de minha confiança.

Ao longo de 2012, Carolina e o então ministro Pimentel resolveram assumir publicamente um romance. Ele se separou e eles passaram a namorar. Todo o mundo em Brasília tem algum tipo de ligação com alguém. Eu diria que todo o mundo no mundo tem alguma relação com alguma coisa. No meu caso, isso era indiferente.

*(No caso Ambev, o controlador da companhia, Marcel Telles, era um dos nossos trunfos de comunicação. Ele tinha sido membro do conselho de administração da editora Abril anos antes da transação com a Interbrew e ajudara a empresa a desenhar soluções estratégicas em momento importante. Era conhecido pela alta cúpula da editora por suas excepcionais qualificações empresariais. Definitivamente, isso não era uma vulnerabilidade do ponto de vista de convencimento das publicações da editora. A história de qualquer pessoa conta. Sempre. Em qualquer lugar. De alguma forma.)*

A relação dos dois foi se consolidando. No começo de 2014, ele sai do ministério, vira candidato a governador de Minas e vai para uma eleição fadada à derrota. Afinal, o mineiro Aécio Neves seria candidato à presidência da República. Quem imaginava que ele fosse perder justo em casa? Os próprios aecistas diziam que ele sairia de Minas com 3 milhões de votos de vantagem.

Resumo da ópera: Pimentel ganha, vira governador em 2015 e resolve casar com Carolina em abril daquele ano. Eu não tinha contratado uma primeira-dama. Contratei a empresa de uma jornalista para ajudar meus clientes em dois casos pontuais. De repente, Carolina virou uma coisa enorme: era primeira-dama de um estado importante, assim como já haviam sido figuras grandiosas como dona Risoleta Neves e Sarah Kubitschek. Quem poderia imaginar?

Pois, em maio de 2015, na esteira da Operação Acrônimo, fazem uma busca e apreensão na casa da então primeira-dama de Minas. Era o apartamento alugado em nome dela e frequentado também pelo então governador. Vão lá, levam documentos, entre eles o talonário de notas da empresa dela emitidos para a minha empresa entre março de 2012 e outubro de 2014, quando ela não era servidora pública, primeira-dama nem nada.

Suspeitaram que o dinheiro que minha empresa pagou pelos serviços dela, através da empresa dela, fosse alguma forma de mutreta. É como se dissessem que eu tinha virado comparsa de dona Sarah ou de dona Risoleta.

Meu nome entrou no radar. E o resto você já sabe. Foram bater lá em casa. Pois minha casa era sede de minha empresa, algo permitido pela lei. Teoricamente, então, foram à sede de minha empresa, e não à minha casa.

A hipótese era que eu, tivesse sido uma espécie de "operador" de recursos do BNDES para empresas privadas. O BNDES era subordinado no organograma ao ministério de Pimentel. Então, suspeitaram que os pagamentos a Carolina fossem de alguma forma propina. Ai meu Deus...

Nunca fui ao BNDES em toda minha vida. Poderia ter ido, isso não é ilegal. Mas por sorte nunca fui. Nunca liguei pra lá, não conhecia ninguém que trabalhava lá. Jamais recebi recursos do BNDES. Então, era tudo muito absurdo.

Tinha lidado com reputações leprosas o tempo todo. Poderia ter sofrido uma infecção social de inúmeras maneiras. Mas justo dali?

Foi ali que comecei a viver o grande momento de minha maturidade. Foi ali que pude experimentar, numa dose bastante suave comparada com as tragédias dos outros que eu vivi de perto, o que é realmente estar na mira do *laser*. Sentir, sentir. E não só pensar.

Foi aí que eu pude conectar uma porção de coisas que havia vivido e dar a elas um sentido razoavelmente comum. Este livro é uma tentativa de compartilhar um pouco disso com você, talvez apenas para entretenimento seu, talvez sobre alguma coisa que você possa adaptar e utilizar na sua vida ou talvez sirva apenas para você ver como funcionava uma parte desse *iceberg* chamado escândalo, quando eu o habitei.

Aqui não está um boçal cheio de frases feitas ditando regras, de cima para baixo. Aqui está um cara que viu uma porção de coisas e que as colocou em perspectiva, quando sofreu um beliscão.

No dia em que aquela jornalista da *Folha de S.Paulo* me arrancou uma entrevista que eu tecnicamente não deveria ter dado, mas que existencialmente foi um alívio, eu tentei descrever a ela como enxergava a minha atividade. Para variar, com uma metáfora.

Acho que eu fui uma espécie de carteiro trabalhando nos Correios na faixa de Gaza. No meu caminho diário do trabalho, como carteiro, cruzava com bombas caindo, caminhões explodindo, mísseis, rajadas de metralhadora. Vivia num campo minado, mas não era terrorista, inimigo, não era da CIA, nem de Israel, nem palestino. Era só um carteiro trafegando na faixa de Gaza. Sabia que um dia poderia sobrar uma bala ou um tiro de canhão perdido. Por isso, tomava muitos cuidados e sabia que um dia um tijolo poderia cair em minha cabeça e eu jamais saberia de onde veio. É, partiu mesmo do lugar menos esperado...

# CACHORRO GRANDE

Meu SUS era coalhado de gente, mas o meu plano de saúde, para os meus efetivos clientes, era uma pedreira. Eram esses que pagavam meu sustento. Poucos, mas com muitos problemas. Não pagavam mal.

Tive o privilégio de viver crises empresariais, bem no epicentro delas, atendendo quase que exclusivamente donos. Presidentes de empresa, assim no sentido de executivos profissionais, só de vez em quando. O leque de sofrimentos alheios que eu acessava nos meus atendimentos gratuitos me ajudava muito a tratar meus pacientes de verdade. Todos eram de verdade, gente de carne e osso. Mas o "de verdade" aqui é no sentido de que eram esses que me pagavam. Tinha obrigação de servi-los e, na medida do possível, ser útil.

Lá pelo fim de 2011, fui procurado pelo dono de um robusto império que acabara de surgir. O empresário Marcos Molina era dono da Marfrig, um dos maiores frigoríficos do país. A Marfrig era patrocinadora oficial da seleção brasileira, um olimpo do *marketing* para qualquer empresa. Marfrig queria dizer Marcos Frigorífico: Mar-frig. Ele tinha começado num açougue, junto com a mulher Marcia, no interior de São Paulo. Vendia carnes com cortes especiais para restaurantes da elite. Foi indo, indo, indo, pegou a carona do milagre dos anos Lula e virou um megabilionário. A Marfrig chegou a ter o valor na casa dos bilhões de dólares.

Molina usava um disfarce matador, sobretudo pros incautos: tinha cara de bobo, falava que nem caipira e caprichava para errar uma concordância. Nem sempre conseguia. Os que cruzavam com ele o subestimavam. Mas era uma águia. Naqueles tempos, ele estava sofrendo um ataque especulativo empresarial bastante sofisticado. É o que chamam de "shorteamento" de ações. Alguém no mercado financeiro começa a apostar que uma empresa com capital aberto em bolsa vai quebrar, espalha isso o máximo que pode, tenta convencer os outros de que está certo e pimba: se a profecia se realiza, quem apostou contra a empresa arrebenta a boca do balão.

Era sob esse ataque que estava a Marfrig. Molina me contratou para contra-atacar. Trabalhei para a empresa entre novembro de 2011 e outubro de 2012. Doze meses fechados. Cobrei a minha bandeirada. O caso era bom. Em resumo, um *site* de análises econômicas estava descendo a borduna na Marfrig. Semana sim, outra também. Previa o fim da empresa (o que, passados cinco anos quando escrevo este livro, a propósito, não aconteceu).

A internet não estava ainda na pré-história, mas tinha um certo ar charmoso de mistério, principalmente para os jornalistas. Era como se fosse um depositário de informações assim meio que misteriosas. Então, a campanha do site contra a Marfrig tinha, como teve, o potencial de contaminar a empresa junto aos "formadores de opinião", uma casta abstrata formada por colunistas econômicos, editores de cadernos de finanças, comentaristas. O *site* vazava uma avaliação aqui ou ali, isso circulava, fisgava o formador de opinião (que publicava), daí o *site* repercutia e a engrenagem girava. A empresa que se virasse. E se virou.

Fui contratado para pôr em dúvida a imparcialidade do *site*, na época. Alguns colunistas e editores estavam entrando naquela armadilha e fazendo o jogo da especulação. Só que, no meio do caminho, a Marfrig descobriu que o mesmo *site* que publicava aquelas coisas tinha como um dos donos o controlador de um fundo de investimento, vejam só, que estava apostando pesado contra a empresa. Depois ele deixou de ser dono do *site*, mas na época dos ataques havia esse questionamento de conflito de interesses. Bem depois, as autoridades acabariam punindo o autor daqueles ataques à Marfrig.

Como muitas vezes fiz, chamei uma assessoria de imprensa para servir exclusivamente de balcão para aquela crise. Empresas muito especializadas tendem a se comunicar no dia a dia com o seu *trade*. No caso da Marfrig, os fornecedores, as publicações voltadas para a pecuária. Quando uma crise eclode, a empresa sofre o que chamo de deslocamento de caderno: deixa de falar com quem sempre falou na mídia e passa a ser tratada por gente que não a conhece, não é do ramo e provavelmente está com a pulga atrás da orelha.

Então, é sempre bom separar a comunicação do dia a dia e reforçar os canais com o tipo de jornalista que vai tratar desse assunto. Por isso, tínhamos um balcão para o dia a dia da empresa e outro apenas para tratar do problema. O disfarce de Molina em sua simplicidade, nesse caso, atrapalhava um pouco, já que os jornalistas que tinham contato com ele a primeira vez achavam que ele não era, assim, nenhum Steve Jobs. Ele não era um bom empresário porque tinha as manhas de como falar com a imprensa, ele era um bom empresário porque era.

Passamos um ano numa guerra danada. Uma nota aqui, uma fofoca acolá. Nos bastidores, eu e a assessoria de imprensa especializada íamos criando o antídoto, mostrando que o *site* não era assim tão imparcial, que tinha seus interesses etc. e tal. No meio dessa guerra, arranjei uma pontinha do meu contrato para a Carolina. Ela foi superútil. Como acabara de sair da área econômica do governo, era procurada o tempo todo por gente de primeira linha nas redações.

Contratei ela para espalhar brasa pro nosso lado e contra os adversários. Como ninguém na imprensa a associava diretamente a nós, embora ela não estivesse mais no governo, era um bom jabuti para colocar na árvore do noticiário.

Outro ponto forte é que os controladores da empresa, com um pé atrás danado com tudo e todos, como era natural, viam no perfil dela uma qualificação extra: quem já tinha sido do governo jamais ficaria vazando coisas à toa apenas para fazer um afago num amigo de redação. Ela era confiável, o que numa crise não é pouco. Jornalistas não são de guardar segredos (e este livro, de alguma forma, confirma isso até mesmo para um velho como eu). Carolina era boca fechada. E isso, além da competência e das conexões de imprensa dela, tinha um grande valor.

A ciranda do noticiário econômico funciona um pouco assim: alguém descobre um "tema", um ângulo, uma particularidade, faz uma reportagem e outros, quando repercutem, reconhecem a importância do tema e tentam avançar. Como muitas vezes acontece nessa batalha midiática, estabelece-se uma gincana: um tentando conseguir a prenda (o furo, a novidade) antes do outro. Desencadeadas essas engrenagens, o processo ganha pernas próprias. O que o *site* estava tentando fazer, e de certa forma fez com algum sucesso, era jogar essa pedra no lago para criar um maremoto.

A muito custo, apanhando bastante, sofrendo reveses, com o tempo fomos saindo do canto do ringue. Guardo ainda as dezenas, dezenas e dezenas e dezenas de mensagens trocadas com Molina, seus executivos, enfim todo o mundo envolvido no caso. Achei a Carolina jeitosa. Quem sabe não chamava ela de novo?

Aquele ano estava sendo demais. Nunca tinha lidado com confusões tão sofisticadas. Tinha sido treinado, ao longo dos anos, para a briga de rua. Agora, estava praticando esgrima. Numa linguagem mais chula, saíra da calçada e estava batendo ponto na boate.

Normalmente, os leões feridos que eu atendia haviam sido abatidos pelos caçadores de sempre: promotores, parlamentares em CPI, delegados. Naquela fase em que a economia do Brasil estava causando, comecei a ser chamado para conflitos não entre instâncias oficiais e empresas, mas contenciosos entre as próprias empresas.

Foi assim que tive de interromper umas férias em Miami, em julho de 2011, para vir às pressas ao Brasil para conversar com um ícone do meu tempo, o empresário Abilio Diniz.

O rei do varejo, como era conhecido, se convertera em lenda por méritos próprios. Transformara um pequeno comércio de origem familiar na maior rede de supermercados do Brasil. Alguns anos antes, em 2005, vendera o controle de sua máquina de vendas para um investidor baseado na França, Jean-Charles Naouri. Pelo acordo, recebera uma bolada bilionária em dólar e teria de passar o bastão de controlador... para seu colega francês.

No dia 28 de junho daquele ano, Abilio surpreendeu a todos com um lance ousado: anunciou que iria obter recursos do BNDES para formar uma empresa nova. Essa empresa se somaria às forças de todo o grupo Pão de Açúcar com o dinheiro do governo e, juntos, eles passariam a ter uma posição de destaque no *board* mundial do Carrefour.

**A equação era simples: Pão de Açúcar + dinheiro do BNDES = um pedaço do Carrefour mundial.**

Na prática, Jean-Charles Naouri ia ficar chupando o dedo: nesse arranjo, o dinheiro que ele tinha pago pelo controle do Pão de Açúcar ia virar fumaça e ele seria dissolvido, tornando-se minoritário de uma heterodoxa sociedade entre o dinheiro público e um empresário que havia vendido sua empresa.

Como o Brasil estava se achando, essa ideia de criar uma multinacional verde-amarela das gôndolas tinha seu apelo. O governo era nacionalista, coisa e tal. Podia colar. O ex-ministro da Casa Civil, Antonio Palocci, descobriu-se muito depois, havia prestado uma consultoria milionária para Abilio no ano anterior. Embolsara 6,5 milhões por um trabalho de poucos meses, antes de assumir função central na administração federal. O próprio Abilio era membro do Conselho de Desenvolvimento Econômico, o Conselhão, um fórum com sede no Palácio do Planalto. Abilio tinha trânsito total no coração do governo.

Apesar de toda a credibilidade e o respeito que Abilio despertava, a operação anunciada por ele foi impiedosamente bombardeada por todos os lados. A imprensa, então, ficou enfurecida. A oposição estraçalhou a iniciativa. A crítica, central, é que o governo estava querendo usar dinheiro público para criar um novo "campeão nacional", que era invasão do estado na seara privada, que o BNDES tinha que gastar dinheiro com outras prioridades. A lista de objeções era grande.

Jean-Charles Naouri também se abespinhou. Disse que era uma tomada de posição indevida do governo e que o resultado prático da operação era colocar dinheiro público para ajudar um empresário, no caso Abilio, a não cumprir um contrato que havia assinado. Naouri disse que não aceitava embalar aquele bebê de Rosemary de jeito nenhum.

Diante da gritaria geral, o BNDES (através de sua empresa de participações, a BNDESpar) anunciou no dia 12 de julho que o negócio estava morto. O governo voltou atrás de forma oficial e definitiva.

Foi só depois disso, às 11 horas e sete minutos do dia 14 de julho, que eu recebi uma mensagem por *e-mail* da suave e habilidosa filha de Abilio, Ana Maria. Ela me convidava para ir a São Paulo. Expliquei que estava fora do país e que poderia fazer um bate e volta. Combinamos o encontro para o dia 20 de julho, ao meio-dia. Avisei, antes de ir, que, por um dever de lealdade, tinha de informar que havia sido procurado por um executivo do Casino. Não havia estado com ele ainda. Ana Maria disse que tudo bem.

Encontrei Ana Maria e Abilio na sede da *holding* familiar, a Península. Ficamos os três durante algumas horas. Uma coisa muito intimista, numa salinha pequena. Abilio, realmente um gigante. Ana, uma dama muito atilada.

Voltei para Miami com uma saborosíssima banana para descascar: Abilio ou Casino?

Era uma situação única em todos os meus tempos de consultor. Na prática, teria de arbitrar qual grupo escolher, fazer uma espécie de julgamento antecipado, pois aquele caso apresentava posições de comunicação tão cruciais que teria de assumir qual das duas eu me sentiria mais confortável para defender.

Síntese dessas minhas reflexões foi o *e-mail* mandado para Ana Maria Diniz às 15 horas e 27 minutos do dia 24 de julho, quando já estava de volta a Miami. Começava agradecendo pelo privilégio de ter estado com aquele ícone, Abilio, como também por ter contado com a gentileza daquela grande dama, Ana.

A partir desse ponto, discorri um pouco mais sobre mim mesmo e sobre como enxergava o exercício de minha atividade.

Disse que social e economicamente minha missão seria sempre a de defender o *status quo*.

(Eu não era um lacaio?)

E onde a defesa do *status quo* parecia mais nítida para mim naquele caso? Embora a associação de um grande empresário brasileiro a uma gigante internacional do varejo fosse um feito notável; embora o formato oficial de aporte de dinheiro público brasileiro já tivesse sido rechaçado, esse movimento teria como consequência ferir um princípio básico do *status quo*: o cumprimento de contratos.

A meu ver, o *status quo* era respeitar a venda já formalizada pelo Grupo Pão de Açúcar ao grupo Casino. Disse que essa era a minha posição pessoal e que, se o Casino não viesse a me contratar, então ficaria fora do caso, pois não teria condições de defender uma posição que não fosse de meu convencimento pessoal, mesmo admitindo que nunca fui dono da verdade e que pudesse estar errado.

Tinha pulado de um barco, mas ainda não havia entrado no outro. Às 17 horas e seis minutos daquele dia 24 de julho, Ana ainda me perguntou se havia fechado com o Casino. Disse que não, mas que iria entabular tratativas mais definitivas a partir daquele ponto.

Comecei no Casino reportando-me ao executivo Ulisses Kameyama. Ele passaria a ser meu imediato, mas eu participaria também de encontros periódicos com o braço direito de Jean-Charles Naouri, Arnaud, e posteriormente com o presidente do Casino Brasil.

A guerra em torno do Pão de Açúcar foi a maior batalha de comunicação, imprensa e relações públicas de que participei em todos os anos nesta atividade. Tudo era diferente, maior, mais sutil. Até aquele momento, tinha sido a maior disputa comercial privada do país.

Fui contratado diretamente pelo Casino França, o que me exigiu remeter notas fiscais regularmente pelo Banco Central. É um processo burocrático: os valores das *invoices* são cotados em dólar e remetidos, no caso da França, após o fechamento oficial dos valores. Para facilitar, fazia essa "exportação" de serviços quatro vezes por ano. Comecei a trabalhar no Casino no final de julho de 2011, recebendo a gentileza de embolsar meu primeiro ganho como se contasse do dia primeiro do mês. Fiquei até o fim de 2014 nesse caso.

Tivemos inúmeros desafios para que esse modelo de crise pudesse se integrar. Era tamanha a quantidade de profissionais de comunicação, consultores e empresas de relações públicas contratados pelos franceses que esse vasto time teria de atuar de maneira harmônica e complementar.

Havia também uma força bastante poderosa, com alguns dos maiores escritórios de negócios e de assessoramento jurídico.

O Casino não economizou migalhas e mobilizou todos os recursos humanos possíveis para a batalha.

Nosso único objetivo nessa transação eminentemente privada era tornar inevitável — pela pressão, pela resposta, pelo questionamento se fosse o caso — que o grupo de Abilio em algum momento capitulasse e se dispusesse a passar o controle do GPA, nos termos assinados anos antes e pelo qual o Casino pagara escrupulosamente o valor combinado.

O grande entrave é que Abilio imaginava ter aceitado aquela negociação quando as perspectivas do Brasil não eram tão animadoras quanto haviam se tornado. Recebera a sua parte inicial, mas queria ou desfazer o negócio — já formalizado — ou receber uma compensação adicional, já que o país estava em pleno *boom* das *commodities*.

Tínhamos de monitorar, de todas as formas, as ações do outro lado, assim como estávamos sendo monitorados também.

Havia uma paranoia constante de espionagem e as salas onde nos reuníamos eram regular e previamente inspecionadas pelo pessoal de segurança para detectar equipamentos de monitoração. Isso foi citado no livro *Abilio*, da jornalista Cristiane Correa, em que meu nome inclusive aparece como um dos que auxiliaram na comunicação dos franceses nessa batalha.

A confiança, sempre essencial, nesse caso era questão de vida ou morte.

As informações eram compartimentadas. Somente quem estava no topo decisório da hierarquia do Casino tinha uma noção geral de tudo. Nós, fornecedores, sabíamos do nosso quintal específico, mas do vizinho não fazíamos ideia. Essa era uma cadeia de interações e informações na qual nada era mais fundamental do que a confiança absoluta que precisava existir. Se qualquer um de nós se tornasse informante do outro lado, mesmo que involuntariamente, isso teria consequências sérias, e talvez decisivas. Era um clima permanente, e longo, de guerra fria. Soviético era soviético, ianque era ianque. E, no meio disso, a ameaça nuclear diária de ambos os lados.

Um dos primeiros gestos do Casino foi dar uma demonstração de força: adquiriu mais de 1 bilhão de dólares em ações sem direito a voto do GPA. Estava economicamente mostrando as garras e sinalizando para Abilio que aquilo era briga de cachorro grande. Abilio nunca cruzara com um contendor tão poderoso e obstinado e aquele ranger de dentes bilionário tinha uma mensagem que ia muito além da aquisição em si das ações: Naouri começara o jogo movendo uma pecinha secundária na casa do bilhão de dólares. Estava disposto a lutar pelos seus direitos. O outro lado sentiu o recado.

Na superfície do noticiário e mesmo dos tribunais, nada estava acontecendo. Mas, sob a placidez das aparências, uma correnteza intensa se deslocava com força nos bastidores: eram boatos diários que precisavam ser checados mesmo que precariamente, avaliados e uma potencial reação estudada. Isso acontecia o tempo todo. Uma pequena notícia, uma declaração, uma afirmação indireta, tudo tinha de ser interpretado cuidadosamente.

A maior conquista que tive nesse caso foi ser gradativa e progressivamente mais e mais consultado. Era tanta gente que poucos — relativamente — participavam dos debates cruciais. Relativamente, é claro. Participei de dezenas e dezenas de reuniões com o mesmo formato: executivos do Casino, inúmeros advogados, equipes de relações públicas, consultores. Enchia uma mesa grande. As conversas eram sempre em inglês e duravam muito. Eram meticulosas e dissecavam o fantasma do dia ou da semana.

Qual era o grande objetivo do Casino? Que acontecesse o que aconteceu: que os dois atores privados, numa negociação eminentemente privada, sem intervenção nenhuma de qualquer instância estatal, sentassem um dia à mesa, fizessem um acordo e o controle do GPA trocasse de mãos. Foi isso o que acabou ocorrendo no dia 6 de setembro de 2013. Abilio e Naouri puseram fim à disputa.

Abilio chegou a contratar um especialista em negociações de guerra — guerra de verdade — para assessorá-lo.

Era o fim de um desgastante processo. Naouri tinha força, mas estava lutando no campo adversário. Morava em Paris, a dez mil quilômetros dos centros de decisão do embate, no Brasil. Por isso, reforçou sua tropa. Já Abilio jogava em casa, diante da torcida. Era um *insider*.

Para se ter uma noção das dificuldades enfrentadas pelo empresário francês, durante o conflito, o Casino chegou a enviar um pedido formal de audiência para a presidente da República, Dilma Rousseff. O pedido foi desconsiderado, sob a alegação de que ela não queria tomar partido enquanto a disputa não tivesse chegado a um resultado final. Enquanto isso, Abilio ia ao palácio presidencial várias vezes, inclusive como membro do Conselho Econômico do governo.

Terminada a guerra, o Casino entende que Naouri tinha de vir ao Brasil para apresentar à presidente os planos de investimento do grupo para os próximos anos. O pedido de audiência não foi atendido, mais uma vez.

Finalmente, usando seu prestígio pessoal, Naouri consegue se colocar como membro de uma engenhosa Comissão Empresarial França-Brasil e vem na comitiva do presidente francês François Hollande, na visita oficial ao Brasil. Mais: ele consegue no protocolo francês ser um dos apenas cinco integrantes de uma mesa com apenas outros cinco integrantes brasileiros, ministros, capitaneados pelos dois presidentes.

Solicitação de Naouri: já que ele ia estar não apenas no Brasil, mas em Brasília, já que não apenas em Brasília, mas no palácio presidencial, já que não apenas no palácio presidencial, mas numa reunião bilateral com a própria presidente, então não seria possível na saída do encontro ele ter apenas cinco, não mais do que cinco minutos de bate-papo com a presidente? Numa cadeira qualquer, numa antessala qualquer, só para apresentar os planos grandiosos de longo prazo que o Casino tinha para o Brasil? Afinal, àquela altura, tornara-se o maior empregador brasileiro. Nem assim houve um encontro. Influência não era o forte do Casino por aqui.

# MODUS OPERANDI

Na guerra do Casino, havia um exército de línguas afiadas, olhos de lince e ouvidos de tísico.

A infantaria da comunicação era a de um império. O Casino havia contratado a maior agência de relações públicas do Brasil naquele tempo, a FSB. A segunda também estava conosco: a CDN. A terceira também: a In Press. No meio disso, incorporou-se também a Néctar, com papel decisivo e fundamental. Havia inúmeros consultores de comunicação. Os melhores disponíveis. Alguns foram contratados apenas a título de retenção: recebiam para não fazer nada, mas ficavam impedidos eticamente de trabalhar contra o Casino.

Era dinheiro de uma empresa privada e não havia a obrigação de apresentar qualquer contraprestação de serviço, se assim o contratante entendesse. Não trabalhar contra, em alguns casos, já era o próprio serviço. O orçamento daquele esforço era parrudo: cobrei minha bandeirada anual, relativamente robusta. Era relevante para mim, mas equivalia a menos de três meses da fatura da maior empresa de comunicação contratada. Ganhava bem, mas não era o item mais caro.

Havia grandes profissionais do ramo no nosso time, ícones como Roberto D'Ávila e Eduardo Oinegue. Eu tinha sido jogado no meio dessa salada de frutas. Fui, aos poucos, sendo mais e mais demandado. Via o evento das crises como um organismo neural, uma rede de sinapses de informação que precisam ser detectadas, processadas e respondidas continuamente. Já era assim que meu chefe no caso via as coisas e acho que ajudei a reforçar essa convicção.

Você vai conhecer aqui um pouco do *modus operandi* daquele consultor. Por sinal, *modus operandi* que não estava em nenhum manual. Acho que o de ninguém está, ao menos totalmente. Quando falo *modus operandi*, talvez fosse mais preciso dizer modo de pensar. Afinal, este livro todo é o meu *modus operandi*: como me relacionei com os clientes, com a imprensa, com as situações adversas. Mas, aqui, é como se você pudesse entender o processo interno de algumas decisões que tomei.

Certa vez, lá por 2002, utilizei o presidente da República como meu assessor de imprensa. É isso mesmo que você leu.

Um empresário do Paraná havia me procurado naqueles dias por causa do escândalo Lunus, que liquidou a candidatura presidencial da ex-governadora Roseana Sarney. Houve um flagrante e dinheiro foi apreendido num determinado local. A acusação envolvia o grupo político de Roseana e, por tabela, de algum modo, a empresa daquele paranaense.

Marcamos um almoço em São Paulo. Ele me comoveu com a história da morte de uma filha. Sem mais nem porquê, telefonei naquela mesma hora para o presidente Fernando Henrique. Falei com a secretária Fátima e ela, imediatamente, passou a ligação. O empresário na minha frente estava sem entender nada: de onde surgiu esse Mario?

Falei ao presidente do problema. Fernando Henrique estava sendo alvo de insinuações maldosas de ter tramado o flagrante. Disse a ele que, se nos ajudasse, seria mais uma prova de que não tinha nada a ver com aquilo. Dou meu testemunho, apenas agora, do que ele fez.

Pedi que nos recebesse no dia seguinte. Ele abriu um espaço na agenda e atendeu no Palácio da Alvorada. Dá pra imaginar a cabeça daquele médio empresário paranaense (nem lembro o nome dele, enquanto escrevo), vendo uma história improvável como aquela acontecendo? Que consultor era esse?

O presidente generosamente nos recebeu e eu pedi a ele que marcasse uma reunião entre o empresário paranaense e um dos controladores da rede Globo. O escândalo Lunus estava o tempo todo na mídia e o empresário com medo de ser arrastado para algo que não tinha nada a ver com ele.

O presidente ligou na hora e marcou para que fôssemos ainda naquela semana. Fui com o empresário à sala de João Roberto Marinho. Explicamos que a empresa podia ser destruída se houvesse qualquer erro de avaliação jornalística. Ele nos ouviu e ligou para o apresentador do *Jornal Nacional*, Willian Bonner, que nos recebeu ao lado do estúdio, acompanhado de sua então esposa, Fátima Bernardes, também apresentadora, na época, do telejornal.

Sei lá por que eu me meti nessa história. Talvez por mera vaidade, talvez para me achar importante, talvez apenas por irresponsabilidade. Talvez, quem sabe, movido pelo genuíno desejo de ajudar um desesperado que me sensibilizou. Talvez por tudo isso junto ou por qualquer outra coisa que descubra no divã. Seja o que for, era problema meu: fazia com meu tempo o que bem entendesse. Aliás, não cobrei nada do cara de cujo nome nem me lembro. Só falei com ele naqueles dias. Nunca mais.

O fato é que situações como essa serviam para que eu fizesse meus experimentos profissionais. Daquele caso ficou a certeza de que o melhor assessor de imprensa pode não ser um jornalista. Pode ser o presidente da República, em determinadas situações. Ou qualquer outro interlocutor. Por isso, quanto maior fosse a minha rede de contatos, melhor seria a minha capacidade de atendimento. Tudo se encaixava num caleidoscópio íntimo e infinito que nem eu mesmo tinha ideia de como manipular.

Pode parecer estranho pra quem não está nesse jogo. Mas as interlocuções com a imprensa, sobretudo em momentos de aflição, podem vir de onde menos se espera. Tanto para cima quanto para baixo.

O presidente do Senado, Renan Calheiros, certa vez, recebeu um gesto parecido da presidente Dilma. Foi ela quem marcou um encontro dele com o editor da revista *Veja*, Eurípedes Alcântara. Ela tinha um bom diálogo com Eurípedes num certo momento, Renan sabia disso e ela se prontificou a ajudar: marcou uma conversa entre os dois e assim aconteceu. Renan já tinha feito gestos antes e a revista e ele quebraram um pouquinho mais do gelo.

Com o passar do tempo, fui percebendo que estava no epicentro de um território com três vértices: o triângulo da mídia, o da política e o das empresas. E eu ali, bem no meio. Esses três triângulos, sobretudo nas fronteiras, não são tão nítidos. Tem hora que a imprensa tem poder econômico ou político decisivo sobre alguém. Tem horas que a política é que tem poder sobre a mídia e sobre as empresas. Tem horas que as empresas é que são a locomotiva e puxam as composições midiáticas e políticas.

Então, no meio disso, eu tinha informações da política e da economia para os jornalistas. Tinha percepções da imprensa e da política para compartilhar com as empresas. E tinha, por último, algum pulso das empresas e da mídia para apetecer a curiosidade insaciável dos políticos, para compartilhar com eles.

Eu deitava e rolava. Não estava fazendo nada fora da lei.

Podia com isso potencializar minha capacidade de atendimento, baseada, como todas as atividades de comunicação, em informação. Não informações secretas ou sigilosas. Não na base de influenciar legislações ou me meter com liberações de verbas ou pagamentos.

O que me interessava era aquele burburinho rouco dos salões, sussurrado entre ouvidos, sobretudo nas épocas paranoicas das crises. Isso tinha o seu valor, no meu tempo. Um político podia me dar uma informação sobre de onde uma notícia tinha saído. Um empresário podia ser amigo de um jornalista. Um jornalista podia me ajudar a ter um bastidor que tivesse importância para um empresário. Era nessa faixa de Gaza que eu circulava.

Relacionamento pode não resolver tudo, mas também não atrapalha totalmente. Graças aos ensinamentos providenciais do mago Paulo Coelho, cedo percebi a importância do Banco de Favores.

Foi essa instituição que me levou a acudir o senador Eduardo Braga, entre o primeiro e o segundo turno das eleições de 2014. Era meu amigo de muito tempo. Ele estava fadado a perder e o desafio àquela altura era apenas morrer com dignidade, não perder de tanto. Não destruir o capital político dele. Me chamou, eu fui e, como sempre, não recebi nem cobrei nada. Nunca recebi dinheiro de governos ou de políticos. Por opção pessoal. Nada contra. Não é ilegal.

Braga foi um dos três candidatos a governador que pediram ajuda ao consultor de crises naquele ano. O outro foi Renan Filho, que é mais ou menos assim da família, e Fernando Pimentel, de Minas Gerais. Ajudei todos. Fui a esses estados algumas vezes. Como sempre acontece na política, muito ti-ti-ti. O pessoal da província amazônica sapecou uma nota que ficou algumas horas na capa do portal UOL:

> **“Ex-favorito, Braga contrata gestor de crises no Amazonas.”**

Nunca houve contrato nenhum. Mas o cara da “crise” desembarcando numa campanha era realmente um ótimo mau agouro a ser explorado pelos adversários. A mídia manauara me concedeu certa fama efêmera — para atingir o candidato Braga, é claro. Disse um portal:

> **“Ao contratar uma pessoa com esse perfil, Braga admitiu que sua campanha está em crise.”**

Já estava acostumado com esse jogo de ter sido “contratado” através da mídia, quando na verdade estava exercitando meu *modus operandi* de me divertir, aprender e ampliar minha rede de contatos. Foi assim em Minas, foi assim em Alagoas, foi assim também no Paraná, quando ajudei o governador Richa em meio à crise com os professores. “No pacote de soluções, o governador Beto Richa contratou a peso de ouro o jornalista Mario Rosa”, dizia um *site* paranaense. Uma coluna, na *Gazeta do Povo*, também anotou: “Na noite de quarta-feira e, segundo boas fontes, fechou contrato”. E mais outro: “Richa contrata consultor de escândalos”.

Sinceramente, eu não ligava pra essas coisas, por mais que não fossem exatas. O fato é que o acesso a políticos e a empresas de primeira linha reforçava também meu acesso a jornalistas de primeira linha. E vice-versa. Era esse o jogo.

O primeiro alicerce de meu *modus operandi* eu consolidei ao ler um livro de autoajuda. Sim, autoajuda, sim, por menos chique que isso seja. Um amigo, Alexej, me deu um exemplar de *How to be a successful consultant* (Como ser um consultor de sucesso) quando eu estava engatinhando na atividade. O livro é de um consultor americano especializado em *shopping centers*. Nada a ver, mas exatamente por isso me chamou a atenção. Ele enumerava vários dilemas e desafios que eu, recém-lançado consultor de crises, já pressentia abaixo da linha do Equador. Um dos ensinamentos eu adotei na hora e nunca mais me esqueci dele:

"Antes de assinar o contrato, diga só o que vai fazer. Somente depois é que diga como".

O "como" dessa profissão foi surgindo aos poucos, com base nas experiências, no que vivi, no que deu certo ou não. Essencialmente, eu acreditava que tudo se conectava no infinito e que, portanto, nada era em vão. No caso dos políticos, atendê-los e não cobrar deles me dava um diferencial e ainda permitia que, ao me conhecerem de outros carnavais, quando os consultasse sobre alguma avaliação estratégica que dissesse respeito aos meus clientes, eles saberiam que não era um mercenário que estava ali se aproveitando da situação. Sobretudo quando uma empresa está sob intenso tiroteio, estabelecer interlocutores confiáveis que nos permitam minimamente saber (ou imaginar saber) para onde estão indo as coisas, isso não era pouco.

Crises são uma epidemia de boatos. Boatos que, na maioria das vezes, não viram notícia, mas que infestam o ambiente das redações e dos bastidores. Treinamos esses mecanismos de checagem e rechecagem de boatos, ao limite da exaustão, no caso Casino. Cada lado tinha sua artilharia e seus radares.

Do lado de Abilio, estava uma competentíssima profissional do ramo, Maristella Maffei, dona da Máquina da Notícia. O consultor Marcelo Onaga também estava lá, assim como Gustavo Krieger, que havia sido assessor de imprensa de Michel Temer na presidência da Câmara dos Deputados e depois se tornaria a principal face midiática do candidato a presidente Aécio Neves, em 2014. Todos tinham suas conexões.

No caso do Casino, dada a paranoia permanente com espionagem e a necessidade de aumentar nossa capacidade de acesso a jornalistas, fui eu que sugeri em dado momento que contratássemos a empresa da jornalista Carolina Oliveira. Já estava havia um ano trabalhando com os franceses e, sinceramente, não tinha muita paciência de ficar nessa moagem dos contatos com repórteres o tempo todo. Ela acabara de sair de uma assessoria na área econômica do governo, tinha uma alentada agenda de contatos com os principais colunistas do setor e me parecia discreta.

Ela foi avaliada por meus chefes e sua contratação consentida. Abriguei-a num aditivo de meu contrato, tudo devidamente registrado oficialmente. O fato de morar em Brasília facilitava muito nosso contato pessoal, condição de segurança fundamental requerida naquele contexto carregado de desconfianças. Ela disseminou e checou muitas notícias naquela batalha midiática. Plantava e colhia, como também faziam os do outro lado.

Muito tempo depois, quando aquela guerra já chegara ao fim, aquela relação profissional e privada foi colocada sob uma perspectiva que nunca existiu. Houve o preço de um desgaste pessoal. Viveria uma pequena polêmica que jamais imaginara, da qual retirei inúmeros ensinamentos, dos quais o estímulo de expor estas memórias profissionais é a parte mais visível.

Normalmente, atuava em contato com diversas áreas. Na questão da imprensa, especificamente, sempre com as empresas de relações públicas que já estavam atuando e, muitas vezes, chamando eu mesmo outros profissionais para me darem apoio. Foi assim que sugeri, e foi criada, a diretoria de comunicação da *holding* da Camargo. Indiquei Marcello D'Angelo para a nova função O mesmo eu fiz na empresa aérea Gol. Hélio Muniz ficou com o lugar. Atuei também como uma espécie de *headhunter* e participei da indicação e da escolha dos titulares. Indiquei vários profissionais e empresas ou subcontratei em certas ocasiões. O próprio Marcelo Onaga, que depois trabalhou com Abilio Diniz, eu havia indicado antes para dirigir a comunicação do banco BVA. Fazia parte do meu papel.

Numa crise, uma das formas mais complexas de agir é simplesmente não agir. Ficar em silêncio é uma forma de não agir, de reduzir a eletricidade do assunto, através da passividade ou da ausência de resposta. Não agir é diferente da inação. É uma decisão premeditada de que a melhor coisa a fazer é não fazer nada.

Quando alguém poderoso ou alguma organização poderosa fala, o assunto fica mais importante unicamente porque a fala confere relevância ao tema. Às vezes, falar ajuda a exterminar o assunto. Noutras, aumenta sua combustão. Então, não falar é uma forma extrema de tentar não contribuir para um destaque inconveniente de um questionamento.

Uma vez, uma empresa que estava para lançar ações na bolsa de valores me contratou unicamente para evitar marolas de mídia, como se eu pudesse fazer isso. Mas eu estava atento a tudo o que envolvesse a empresa. Qualquer ruído, em minhas constantes rondas com jornalistas de diversas áreas, o alarme iria tocar. Não foi o caso e a operação, com o tempo, nem foi realizada.

Como sempre fui pornográfico comigo mesmo e politicamente incorretíssimo nas minhas metáforas, em algumas situações de crise em que defendia ficarmos parados, eu usava uma imagem chula. Peço humildemente que retirem crianças e idosos da sala. Peço desculpas aos leitores que não querem cruzar com palavreado chulo, mas era assim que eu tratava as coisas, muitas vezes em ambientes sóbrios e sob olhares austeros, pouco acostumados a essas barbaridades verbais. Em nome da fidelidade aos fatos, foi assim que disse:

> **“Quando alguém enfia uma trolha em você, não se mexa. Se mexer, você faz o jogo do adversário. Ele chega ao orgasmo.”**

O consultor de imagens tinha uma embalagem, no seu auge. Primeiro, nunca usava terno. Nem meia. Sempre camiseta preta e calças casuais. Era para ficar claro, claríssimo, indubitável, que eu não era dali. Tava só de passagem. Era um estrangeiro. Não iria, portanto, me submeter às normas silenciosas do poder. Sempre respeitei as hierarquias e fui leal às causas que defendi, mas sempre também destoei do comportamento corporativo tradicional, se entendesse ser o caso. Fazia isso pela palavra, mas também pela roupa. Acho que era o meu papel ser percebido assim.

Uma das coisas que vi acontecer muitas vezes, nos contextos de crise, é a tentação de contratar um consultor como se fosse um daqueles barquinhos que levam oferenda para Iemanjá. É muito comum na Bahia: na virada do ano, os devotos colocam agrados num barquinho e o lançam às aguas para obter as graças da deusa dos mares. Algumas vezes, achavam que eu era esse barquinho: era como se minha contratação fosse uma espécie de penitência, uma oferenda para que os deuses da mídia fossem de alguma forma reverenciados e que deixassem aquelas pessoas em paz.

Sempre que percebi esse tipo de atitude, fielmente eu o mencionei. Nesses casos, não aceitava o trabalho, por não me achar necessário ou útil. Em geral, as pessoas depois agradeciam por não ter explorado um momento de fragilidade delas. Para o consultor, essa boa fama junto aos clientes contava.

Tive casos em que minha "produção" documental, em termos de textos e discursos, era vistosa. No caso do Casino e da Marfrig, tinha centenas de mensagens trocadas e recebidas, sobre as questões de comunicação do dia.

Mas havia casos, como o de Léo Pinheiro, dono da construtora OAS, em que o melhor atendimento era o mais discreto e pessoal. Léo era a única pessoa com quem lidava na empresa, além de eventualmente o diretor jurídico. Era um atendimento muito especial. Não produzia documentos, quase não nos falávamos ao telefone, quase não trocávamos mensagens. Ele era uma pessoa do olho no olho. Sabia que seus passos eram ou poderiam ser monitorados. Estive com ele no máximo 20 vezes nesse período. Ele acabaria sendo preso durante nosso contrato, com os desdobramentos da Operação Lava-Jato. Honraram meu contrato integralmente, mesmo com a empresa passando por sérias dificuldades. Sempre tive um grande orgulho de tê-lo servido.

No caso do escândalo da Fifa, em 2015, também troquei pouquíssimas mensagens com os condutores da CBF. Tive muitos, muitos, contatos pessoais, conversas a dois ou, no máximo, a quatro com o presidente da entidade. Com o FBI zanzando por aí, embora não conversássemos nada fora dos protocolos, todo o cuidado era pouco. Desses tempos, lembro-me de poucos atendimentos tradicionais, vamos dizer assim: o treinamento prévio de Marco Polo Del Nero antes de seu depoimento à CPI do Futebol no Senado, assim como o mesmo procedimento ao seu substituto, o coronel Nunes.

Em seu *modus operandi*, o consultor de crises sempre acreditou que conhecer pessoas e ser conhecido por elas poderia ser um ativo mais valioso do que apenas celebrar contratos. O critério era o do aleatório: recebia ou se encontrava com todos que recorriam a ele, fosse um ex-deputado estadual do Pará, fossem ministros ou presidentes, fossem empresários ou líderes setoriais, fosse um vice-prefeito de uma cidade do interior do Rio, como Itaguaí. Tinha alma de enfermeiro.

E foi assim que um dia o vice-prefeito daquela cidade apareceu lá em casa. O titular estava para ser cassado e ele precisava de um apoio de imprensa. Havia muitas acusações contra o então prefeito ("o prefeito da Ferrari") e a repercussão do caso na mídia poderia impactar o processo político junto aos vereadores.

Não fazia a menor ideia de como ajudar. Ofereci alguns conselhos e indiquei um amigo jornalista, o competente, querido e leal Bob Machado, para que o auxiliasse. Não cobrei nada, seguindo os meus preceitos. O caso ganhou algum espaço na mídia carioca. No final, o vice assumiu.

Os problemas não têm necessariamente o tamanho que têm, mas aquele que atribuem a eles. Sempre procurei ser solidário. As pessoas que recorriam ao consultor de crises, com suas angústias, mereciam respeito. Era o caso do dono de um dos melhores hotéis do Brasil naqueles tempos, o Emiliano, onde sempre me hospedava. Certa ocasião, Carlos Alberto me fez uma consulta sobre um tema que despertava nele algum desconforto. É que o *chef* italiano de seu renomado restaurante, também do hotel, havia decidido sair e ele contratara outro, com a missão de mudar o cardápio. Ele imaginava que isso poderia suscitar alguma indigesta polêmica junto ao restrito microcosmo dos críticos de gastronomia.

Dependendo da excelência de um profissional ou de um segmento, uma simples questão como essa poderia gerar o receio de um questionamento. Por menor que fosse, por menos que você ache que aquilo era um problema, para aquele ser humano era. Carlos Alberto sempre conduziu seu estabelecimento com absoluto rigor e busca de altíssimo padrão. Eu o tranquilizei e disse que não, não, aquilo não tinha nenhum potencial devastador. A troca do *chef* do restaurante renomado nunca se transformou em um tema. A preocupação traduzia, antes de tudo, o enorme zelo do proprietário, meu amigo, com tudo o que dissesse respeito à sua marca. Esse era um dos segredos, inclusive, do sucesso merecido que alcançara. Eu iria cobrar por aquele aconselhamento? Como? Iria pedir um desconto no *couvert*?

O presidente da Fiesp, Paulo Skaf, um dia me recebeu em seu gabinete, na sede de contornos piramidais na avenida Paulista, centro financeiro de São Paulo. Papo vai, papo vem, ele me pergunta como poderíamos ter uma "relação profissional". Disse que apenas ter acesso a ele já era um privilégio e que contasse comigo, sem necessidade nenhuma de pagamentos. Ele estranhou e me pediu uma proposta de honorários. Soltei uma cifra que o surpreendeu:

— *Três mil reais.*
— *Três mil reais?*
— *Se o senhor achou muito caro, pode ser a metade.*

Ele riu e a conversa agradável fluiu por ainda uma hora. Achava realmente um privilégio aquele acesso. Mais importante do que a materialização financeira que pudesse advir dele. Skaf não estava passando por nenhuma crise. Logo, eu não considerava necessário aquele vínculo. Os pacientes me escolhiam, mas eu os escolhia também. Quando achava que não havia por que me contratar, sempre declinei ou ajudei a pessoa a perceber. Achava que isso só me diferenciava dos demais.

Achava que, se fosse efetivado sem necessidade, com o passar dos meses, o cliente talvez não ficasse satisfeito. E, se isso acontecesse, não queria tê-lo como um propagandista frustrado de ter contratado o consultor. Não queria, seguindo aquela frase de uma palestra distante de um de meus mentores, me transformar numa *commodity*.

Fazia isso o tempo todo. Certa vez, o poderoso controlador da siderúrgica CSN, Benjamin Steinbruch, também me chamou para um encontro. Também sondou a possibilidade de uma "relação" profissional. Achava que ele não precisava de meus serviços. E fui conduzindo a conversa até ele se dar conta disso também. Ele não precisava de mim para reverenciar Iemanjá.

Acesso a jornalistas depende de diversos fatores. Ser alguém que "circula" é um deles. Dá poder não de derrubar matérias inconvenientes, mas de estabelecer relacionamentos perenes que, nas crises, são testados no seu limite máximo. Ter esse ativo valoriza consultores na hora de serem cogitados para assessorar empresas em momentos delicados. Mas esses dois tripés também têm valor para a terceira variável dessa equação: políticos estão sempre ávidos de saber nuances de fonte confiável sobre a crise da vez.

Meu *modus operandi* era composto de uma articulação sólida com braços de comunicação de primeira linha, que me transmitiam impulsos que buscava checar e traduzir para que pudéssemos adotar, a cada momento, a melhor posição. Era um quebra-cabeça de inúmeros encaixes. Sempre que pude, tentei ampliar o espectro de peças para colocá-las à disposição dos clientes, nas crises de que participei

Era assim, com essas múltiplas variáveis subjetivas, intempestivas e casuais, que funcionava o *modus operandi* do consultor de crises.

ENFERMARIA

O Rei estava em perigo, e os súditos, atônitos.

O cantor Roberto Carlos, o Rei, estava enfrentando algo raro em toda a sua longa e iluminada carreira: uma pequena polêmica.

Era o ano de 2013. Roberto tinha uma posição clara sobre uma questão controversa: defendia algum tipo de salvaguarda para autorizar ou não a publicação de biografias. Achava que ninguém mais, além dele, podia ser realmente fiel para relatar tudo o que vivera, sentira e pensara. Havia, também, implicações econômicas: se transformassem a vida do Rei em obra de domínio público e aberto, haveria o risco da proliferação de distorções, turbinadas ainda pelos interesses econômicos que poderiam inevitavelmente surgir, como tudo o que dizia respeito ao Rei.

Tive uma participação coadjuvante nesse caso, mas pude captar minimamente o que significa estar na cauda de um cometa de popularidade, como o Rei. Mesmo que longe do epicentro do astro, senti a vibração incomum de uma estrela.

O caso das biografias foi um dos inúmeros que chegaram ao meu pronto-socorro de bolas divididas. Quando achava o caso interessante, atendia os pacientes de graça, pelo mero prazer de me exercitar e pela curiosidade de aprender. Não foi diferente dessa vez.

A biografia de Roberto já tinha um problema com elas. O Rei lutara até na justiça para impedir a publicação do espetacular livro *Roberto Carlos em Detalhes*, do jornalista Paulo Cesar de Araújo. Era uma biografia não autorizada do Rei.

Na ocasião da polêmica, havia uma discussão sobre o novo Código Civil. As biografias não autorizadas deveriam ser legalmente permitidas ou não? Todo o mundo sabia, ou imaginava saber, o que Roberto pensava.

A grande confusão começou quando o grupo Procure Saber entrou num terreno minado. Era composto de um batalhão de monstros sagrados da música, formado por nomes como Chico Buarque, Caetano Veloso, Gilberto Gil, Djavan, além do próprio Roberto. Pois essa vanguarda do pensamento, através de sua então porta-voz, anunciou apoio à posição de criar algum obstáculo para a publicação de biografias não autorizadas. Isso foi recebido pela imprensa com perplexidade: estariam alguns dos nomes mais consagrados na defesa das teses libertárias endossando a abominável censura?

O olimpo veio abaixo.

A imprensa caiu matando em cima dos mitos, sempre idolatrados por suas posições avançadas.

É nesse ponto que eu entro na história. Um belo dia, o empresário de Roberto, Dody Sirena, me telefona e me pede uma avaliação sobre o tema. Ele me consulta sobre a ideia de que Roberto concedesse uma entrevista ao programa mais popular da maior TV do país, o *Fantástico*, da rede Globo. Faço meus comentários e, no fim de semana, o Rei concede a entrevista dando um cavalo de pau: diz que era, sim, favorável às biografias não autorizadas e que aceitava discutir o tema. Com isso, o Procure Saber ficou numa sinuca de bico: a causa que defendia não era das mais confortáveis e o Rei, que anteriormente encarnava uma posição mais conservadora, evoluíra e ficara mais liberal do que o grupo.

No meio disso, diante do estardalhaço impiedoso na imprensa, as estrelas do Procure Saber gravaram um vídeo e postaram na internet, dizendo que haviam adotado uma posição um tanto radical. Meu amigo, minha amiga, pense num bafafá. Publicaram que eu estava por trás do texto dos artistas, o que não era fato.

Depois do telefonema, mandei um texto com algumas sugestões de posicionamento público para o empresário de Roberto. Troquei outros telefonemas nos dias seguintes e coisa e tal. Estava lá, ajudando o Rei, um dos meus grandes amigos de vida inteira, o advogado Kakay. Sempre fui fã de Kakay, como pessoa, como profissional, como tudo.

Meu nome circulou naquele estrelato e uma senhora de lá resolveu vazar a inusitada presença de um consultor de crises habitando a morada dos deuses. Qual não é minha surpresa quando, no dia seguinte, leio meu nome na coluna mais importante do jornal *O Globo*, de Ancelmo Gois. Era o tema de abertura, sob o título "Lei Roberto Carlos":

> "Roberto Carlos, que ontem deu entrevista para o 'Fantástico', resolveu assumir ele mesmo o comando da luta contra as biografias não autorizadas, que nas últimas semanas esteve com o pessoal do Procure Saber. Na nova etapa, o quartel-general será transferido para o escritório do criminalista Antonio Carlos de Almeida Castro, o Kakay".

Em seguida, sob o título "Era do escândalo...":

> "Kakay contratou o jornalista Mario Rosa, autor do livro *A era do escândalo*, e que tem uma consultoria especializada em crises. Rosa trabalhou com Ricardo Teixeira na CBF".

No dia seguinte, outra nota, na mesma coluna:

**"Os artistas receberam de Mario Rosa, consultor de crises, um texto-base que começa pedindo desculpas ao Brasil 'se não nos fizemos entender'".**

Eis que me vejo dando uma entrevista de pergunta e resposta, na mesma semana, para o caderno de cultura do jornal *O Globo*. Estava acostumado com clientes em outros cadernos. Aquilo era realmente novidade. Declarei que, se fosse uma empresa, o Procure Saber mudaria de marca. Sobrou pra mim até na coluna semanal assinada por Caetano, também no jornal *O Globo*:

**"Hoje, leio que um administrador de crises sugere que o Procure Saber seja desfeito, já que a mácula de atitude de censores pode sumir das imagens dos artistas (...), mas não da de uma associação".**

Ah, sim: já que meu nome tava quicando na área, claro, surgiu um colunista ávido por me dar um chute de bico na cara. A coluna era intitulada "*Lobby* milionário" e dizia:

**"Incluindo honorários do advogado Kakay e do especialista em comunicação de crise Mario Rosa, além de despesas com eventuais lobistas, estima-se que Roberto Carlos, afastado do movimento Procure Saber, deverá gastar mais de R$ 2 milhões para evitar a liberdade das biografias".**

Veja bem, meu caro: eu só troquei alguns telefonemas. Nada mais do que isso. Não cobrei nada. Era uma honra. Meu nome acabou aparecendo até em livro sobre o Rei. Mas esse divertido episódio deixou marcada em mim a magnitude astronômica em que trafegam os ídolos. Um pequeno cisco no olho ou um consultor de crises viram uma gigantesca pedreira. A grandeza deles faz tudo ao redor parecer maior do que é.

Já o caso da frágil Eliana Tranchesi era de uma tristeza atroz. Ela era dona da butique Daslu, de altíssimo nível, reverenciada como o templo do consumo. Na esteira do escândalo político do mensalão, a Daslu foi alvo de uma operação policial cinematográfica. Até metralhadoras formaram o aparato da operação. Meca do consumo conspícuo, com uma freguesia de endinheirados, a loja foi cercada e tomada por um contingente de dezenas de agentes da lei. Era o ápice de uma investigação que apurava sonegação de impostos de mercadorias. A loja era especializada em produtos importados.

Num momento em que o Partido dos Trabalhadores com seu decantado histórico de defensor dos mais pobres era sacudido por denúncias de corrupção, a ação na Daslu era peculiarmente simbólica: um ícone da elite era estraçalhado pelo belzebu. Era uma luta de classes na agenda policial.

A exposição negativa na imprensa era devastadora. Fui chamado pessoalmente por Eliana para um almoço na Daslu. Participou também sua sócia então, Donata Meirelles. Eliana estava desnorteada com a espiral mirabolante que o caso assumira. Por maior que fosse, era apenas uma loja de roupas e artigos finos. De repente, fora alçada ao patamar dilacerante de inimigo público número 1 da ocasião. Não havia muito que fazer naquela hora.

Estive muitas e muitas vezes com ela naqueles dias e meses tenebrosos. Como sempre ocorre nessas situações, os desdobramentos se precipitavam imprevisivelmente. Aquela mulher frágil e de garra enfrentava tudo aquilo dominada pelo medo, a perplexidade, a angústia e a resignação. Eram acima de tudo sessões de terapia diante do inevitável. Nunca cobrei um centavo. Eliana morreria tempos depois, de câncer. Guardo com carinho até hoje o requintado conjunto de taças de cristal púrpura que me mandou de presente.

Também não cobrei nada de meu amigo Damião Feliciano. Ele estava cumprindo seu primeiro mandato de deputado federal. Assumira pouco antes como presidente da CPI das obras inacabadas. Quando me procurou, estava sofrendo algumas acusações requentadas, mas amplificadas por sua relativa visibilidade na ocasião. Se perdesse a posição, seria um abalo talvez irreparável em sua carreira política.

Negro, Damião tinha percorrido uma linda trajetória pessoal. Na infância, perambulava ao lado do irmão, Cosme, pelas picadas de barro seco a caminho da escola no interior profundo da Paraíba. Os dois se formaram em medicina.

Depois de nossa conversa, Damião seguiu para a tribuna da Câmara, onde proferiu um discurso se defendendo:

— Não posso acreditar que, por trás dessas injúrias, possa haver nesta casa o preconceito contra um negro, nordestino.

Salvou o posto e a controvérsia se dispersou na poeira do noticiário.

Outro que me procurou bem depois foi o ex-deputado estadual Luiz Afonso Sefer. Ele tinha tido perspectivas promissoras como político. Era dono de um hospital em sua cidade, Belém do Pará. Fora obrigado a renunciar após um escândalo que o envolvia com pedofilia. Uma menina que levara para criar em sua casa prestou depoimento dizendo ter sido molestada. Seus adversários políticos, donos de jornais e TV no estado, amplificaram a repercussão. Foi parar nas TVs, jornais e rádios como alvo de uma denúncia arrasadora. Foi preso em certo momento, condenado a 21 anos em primeira instância.

Um dia, recebi uma ligação do querido amigo e conselheiro Márcio Thomaz Bastos, advogado, que já tinha presidido a Ordem dos Advogados do Brasil e sido ministro da Justiça no primeiro governo Lula. Ele me pedia que fosse ao seu escritório. Cheguei lá e ele me apresentou a Sefer. Auxiliei Sefer ao longo dos anos: formatamos juntos um programa de assistência social que passou a apresentar na emissora de um amigo. Era parte de seu esforço para atenuar as queimaduras que sua reputação sofrera, depois de estar sem mandato. Ajudei também na criação da logomarca e do *jingle* da campanha de seu filho a vereador da capital. Era um Sefer, e aquilo era um primeiro passo para a redenção do clã. Nos encontramos, ao longo dos anos, em São Paulo, Miami e Brasília. Mantivemos incontáveis contatos telefônicos. Soube por ele de sua eleição, em 2014, para deputado estadual novamente. Enfrentou reveses jurídicos e vitórias, ao longo dos anos. Jamais tratamos de dinheiro. Coloquei-o na cota pessoal de meu SUS.

O governador do Paraná, Beto Richa, estava passando por um pesadelo naqueles dias de maio de 2015. Uma onda de ataques, denúncias e, para piorar, um confronto entre a Polícia Militar do estado e servidores da educação. As lideranças sindicais chamavam o episódio de "massacre". As cenas de pessoas feridas eram um tanto chocantes. Ao mesmo tempo, o governador era acossado por acusações contra um parente distante. Muita gente achava que ele ia cair. O que fazer?

Chamou-me a Curitiba para um jantar em seu apartamento de cobertura. Um grupo bem restrito. Falei igual a uma matraca. Sugeri que fosse lançada uma campanha publicitária sobre os investimentos do estado durante a grave crise econômica que abalava o Brasil. O conceito era "O Paraná segue em frente", numa alusão indireta de que ele ia continuar na cadeira e também numa contraposição ao governo federal, que estava levando o país para "trás", por causa da crise econômica. Era assim que as pesquisas de opinião viam o governo Dilma naquele momento. O governador era de um partido de oposição, o PSDB.

Lá pela madrugada, o governador me pergunta como poderíamos "estabelecer uma relação profissional". Disse a ele que não cobrava de políticos, nem recebia nada de partidos ou governos. E que era uma honra estar ali. Como sempre, essa atitude gerava o receio de que estivesse me esquivando. Só conseguia dissipar essa impressão atendendo bastante, telefonando muito, escrevendo e sugerindo frases de efeito ou de posicionamento. Foi o que fiz com Richa. Certa vez, acusaram até a primeira-dama do estado. Sugeri a ele que respondesse através de um *post* e politizasse ao máximo a resposta:

> **“— Não adianta se explicar. Bata no PT, que já é o suficiente. Isso virou briga de torcida: se o senhor vaiar, seu pessoal vaia junto.”**

Sempre muito polido e cuidadoso, Richa saiu daquela zona de cavalheirismo verbal que era de seu estilo e sentou o sarrafo naqueles dias. Deu entrevistas a veículos nacionais, com uma pitadinha de sal a mais que o habitual. A crise foi passando.

Na vida, é preciso ter um pouco de cabeça fria e pé-quente. Problema é quando acontece o contrário.

A fornalha do noticiário não poupava nem mesmo seus sacerdotes. Certo dia, recebo um contato da rede RBS de televisão, o maior grupo de comunicação do sul do país. O império de comunicação regional estava na desconfortável e inusual posição de virar notícia. Tudo por conta de uma festa de adolescentes em Florianópolis, durante a qual um dos jovens herdeiros do grupo se entusiasmara na animação, na companhia de meninas de sua idade, todos menores.

O relato era o de que, na balada regada a álcool, uma das meninas teria sofrido algum tipo de abuso sexual.

A guerra pelo domínio da comunicação no sul estava em franca escalada. O grupo concorrente da RBS não apenas dava destaque principal ao episódio como ressaltava que o conglomerado adversário estaria escondendo o fato por envolver um membro da família controladora. Como redações são povoadas por jornalistas, cada um ali tinha uma sugestão a fazer sobre como conduzir o incidente. Jornalistas eram muito impulsivos e entendiam que inúmeras ações deveriam ser deflagradas, não necessariamente levando em conta os aspectos de como uma corporação deve se comportar nessas horas, mas a partir da cultura de que empresas jornalísticas têm de se posicionar de maneira contundente.

Na reunião com Nelson Sirotsky, presidente do grupo na época e membro da família controladora, o impasse era como tratar editorialmente o assunto, já que a concorrência estava utilizando o caso para colocar em dúvida inclusive os critérios de edição do grupo. Se escondiam aquilo, o que mais não escondiam? Alguns jornalistas mais aguerridos queriam que Sirotsky assinasse um editorial nos dias seguintes tratando diretamente do tema e reafirmando os princípios noticiosos da empresa.

Foi uma interação (houve outras) bastante delicada. O consultor de crises defendeu que os critérios jornalísticos a serem adotados deveriam ser os dela, RBS. Se caísse na armadilha de reagir aos ataques do outro lado, ficaria à mercê de uma agonia sem fim. Se publicasse maciçamente o tema, estaria amplificando sua importância. E o material poderia ser replicado pela concorrente na linha de que "RBS admite...". Se entrasse nesse jogo, no dia em que não noticiasse, o outro lado iria atacar a omissão.

Defendi que a RBS deveria seguir seus próprios critérios, válidos para todos os assuntos: havendo fato novo nas investigações policiais, que fossem publicados. Não havendo, não fazia sentido ampliar artificialmente a cobertura apenas pela pressão de parecer omitir o assunto.

Disse também que, em qualquer organização, a palavra do CEO é a última bala de prata. Ele só fala quando há necessidade extrema e isso precisava ser sopesado com muito rigor para que essa manifestação da mais alta instância não acabasse sendo banalizada.

Decidiu-se conduzir esse caso com os compromissos editoriais, mas sem resvalar para a armadilha da gincana que estava sendo proposta. E assim foi feito.

A RBS atravessou essa trepidação sem maiores abalos. Era um patrimônio admirado e respeitado por seu público.

O consultor se sentiu privilegiado por ter ajudado na organização da estratégia. Claro, não havia o que cobrar. O pagamento era apenas estar ali, auxiliando e criando uma relação de maior confiança com atores de mídia. Credibilidade também é patrimônio.

Também ajudei Marcelo Carvalho e seu sócio numa audiência pública da Rede TV no Senado. Funcionários da extinta Manchete, o antigo nome da rede, queriam questionar alguns pontos do contrato de compra assinado pelos novos donos. O assunto também não teve destaque. Ajudar, sem cobrar, era uma aposta numa relação mais forte e que poderia, ou não, ser útil no futuro para o consultor.

NA
JAULA

Renan Calheiros foi deputado estadual, federal, senador da República, ministro da Justiça, presidente do Congresso Nacional quatro vezes. Foi muita coisa. Mas, pra mim, acima de tudo, foi meu amigo. Quando o conheci, era cabeludo e de oposição. Foi há muito tempo. Ele, do baixo clero da política na Constituinte de 1988. Eu, do baixo clero da imprensa. Baixo clero só fala com baixo clero. E, à medida que ele foi subindo, me tornei amigo de um cara importante.

Nossa amizade surgiu naquela etapa da vida quando ainda fazíamos novos amigos. Não havia comboios oficiais, liturgia, protocolos. Jogávamos pelada na casa dele uma vez por semana. Ele era um atacante esforçado, mas craque foi na política. Seu filho, Renanzinho, era um pirralho que saracoteava por ali. Mais velho, seria deputado federal e governador de Alagoas, terra do pai.

Pelos idos de 2007, Renan estava no meio do maior escândalo que protagonizara até então. Tinha tido uma filha fora do casamento e a mãe o acusara de ter bancado as despesas dela com dinheiro de uma empreiteira. Não apresentou provas, mas Renan estava comendo o pão que o diabo amassou. A acusadora chegou a ser capa da revista masculina *Playboy*. Como sempre fui gaiato, depois, bem depois, às vezes provocava ele com uma tirada abusada:

> **"Presidente, o senhor é o único político que levou o conceito da transparência ao limite máximo: publicou até a amante, pelada, na capa de uma revista nacional. Isso é que é não ter nada a esconder!".**

Pra não perder a amizade, ele fazia cara de paisagem, obviamente constrangido pela impertinência de um velho companheiro. Amigos, às vezes, passam dos limites e são os mais cruéis. Mas a gente releva em nome do passado.

Aquela não era uma crise qualquer. Revolvia os alicerces do lar. Eu conhecia Verônica, sua esposa, desde que era moça. Sempre alegre e carinhosa. Estava obviamente arrasada com tudo aquilo. Mas ficou ao lado do marido o tempo todo. Uma grande mulher.

O furacão político que abatia Renan o alvejava durante sua segunda presidência no Senado. Foi levado ao Conselho de Ética. Foi submetido a quatro votações secretas de cassação de mandato no plenário da Casa. Ali, os leões não costumam refugar carne e sangue. Mas Renan, milagrosamente, graças à sua colossal capacidade de articulação, escapou da morte certa. Manteve o mandato e ainda voltaria, anos depois, a presidir o Legislativo outras duas vezes.

Lembro bem uma noite particularmente triste em que estive com ele na residência oficial. Era Carnaval. Brasília estava vazia. A casa também. Ele estava só. O *frisson* natural do poder, gente entrando e saindo, carros oficiais do lado de fora, tudo isso havia sumido. O leão Calheiros estava com os dias contados e a selva da política já antecipava esse desfecho com distanciamento, esperando o último suspiro da fera acuada, na cova solitária, na derradeira hora.

Fui lá meio desavisado. Renan me recebeu e convidou para jantar. O clima na casa era de velório. Fomos para a mesa. Ele ainda tentou articular umas palavras. Mas estava tão em frangalhos que parecia insepulto, vagando sem rumo.

Sentamos à mesa e nos servimos. Ele devia estar tomando remédios para enfrentar aquele martírio. Na mesa, ao invés do Renan serelepe de sempre, estava sem alma. Prato servido e ele não era capaz de comer. Grogue, abaixava a cabeça e ficava imóvel. Desmaiava sentado e ficava 10,15 minutos apagado. Acordava de quando em vez, balbuciava algo e caía num novo transe de apagão. Insistimos ainda um pouco. Fiz de conta que não havia nada, esperei ele acordar. O pisca-pisca ligava brevemente e voltava a apagar por outros angustiantes minutos. Embora fosse cedo, decidimos dar fim àquele suplício. Na vez que despertou, desejei boa-noite e o deixei lá vivendo sua solitária provação. Saí triste e preocupado.

Esse foi o Renan mais soturno que presenciei em todos os tempos.

Nas semanas seguintes, foi retomando o controle e voltaria a ser a fera que sempre foi.

Renan enfrentaria o pandemônio em grande estilo. Ganhou ali seu título de *honoris causa* da política. Um dia, presidindo a sessão, teve que ouvir a exigência para que renunciasse, vinda do catão do Senado na época, o senador Demóstenes Torres (DEM/GO).

Havia uma matéria da imprensa que anunciava um mirabolante plano de investigar os senadores de Goiás. Renan teria sido o mandante, diziam. Então, bradava Demóstenes, a presidência estava usando a instituição para constranger senadores, para inibi-los. Renan, apregoava Demóstenes, tinha de renunciar à presidência para que não pairasse dúvida de que não usaria a instituição para impedir os colegas de julgá-lo.

Não havia plano nenhum, mas a repercussão fora tão brutal que a única saída acabaria sendo mesmo Renan renunciar à presidência do Senado. Renan já estava havia noves meses sendo capa das revistas, manchete dos telejornais, era o vilão da vez. Mas aquele último peteleco do complô para investigar senadores seria fatal. O senador Demóstenes Torres liderava o movimento. Renan deixou a presidência.

Anos depois, com a revelação de conversas gravadas entre Demóstenes e o bicheiro Carlos Cachoeira, foi a Renan que ele foi se socorrer para não perder o mandato. Estive várias vezes no apartamento de Demóstenes (eu era amigo de Renan, né?) e o antes implacável senador precisava de Renan, agora o líder da maior bancada no Senado. Renan bem que tentou ajudar aquele que o desgraçara anos antes, mas a máquina de triturar políticos que surge da combinação de política e exposição negativa na imprensa já estava em plena operação. Demóstenes tornou-se o segundo senador cassado da história do Senado. As circunstâncias não permitiram que sobrevivesse ao primeiro pelotão de fuzilamento dos quatro que Renan passara. Torci por Demóstenes. Não gostava daqueles linchamentos.

Como, afinal, definir minha relação com Renan? Sinceramente, amigo, amiga, eu mesmo não sei. Você tem os seus amigos, mas algum deles participou de dois *impeachments*, vivia o dia inteiro recebendo ministros e autoridades durante anos, voava em aeronaves oficiais, embarcava nelas ouvindo o solene toque militar de um corneteiro e você ali cruzando com essa gente toda o tempo todo? Eu era amigo na pessoa física ou na jurídica? Onde terminava uma e começava a outra, no caso de Renan?

Fomos ficando velhos e aquela amizade lá de trás foi tomando outra forma. Eu virara consultor de crises. Prosperara sem precisar de nem um centavo dele ou de governos. Nunca me pagou um níquel. Do ponto de vista dele, menos um urubu sobre aquela carniça. Pra mim, à medida que ele foi crescendo, eu tinha acesso a um bocado de percepções que me permitiam fazer uma avaliação dos fatos e dos desdobramentos um pouquinho mais precisa que o noticiário.

Claro, isso me ajudou, sobretudo quando os enormes grupos econômicos que eu auxiliei precisavam saber "para onde estão indo as coisas" na política ou quando os próprios não estavam sendo massacrados por alguma investigação parlamentar. Porque, sim, políticos são réus do imaginário que, de tempos em tempos, vestem a toga de juiz, quando membros de CPIs.

Acho que conheci ou cruzei com a capital inteira e com o capital inteiro também apenas sendo alguém da "casa" do presidente do Congresso. Eles é que iam lá. São algumas migalhas do banquete real que entopem a despensa do camareiro. Uma vantagem? Profissionalmente, sim, mas você também fica marcado aos olhos dos outros. Como minhas atividades eram bem definidas — fazer fofoca, intriga e tiradas —, todos sabiam exatamente o que eu era. A começar por aquele que me concedia sua confiança. Eu podia arrotar, de vez em quando, um sonoro "estive com fulano ontem e ele me falou que...". Um ou outro interlocutor devia olhar para mim com o mesmo estupor que os tupinambás sentiram quando ouviram o rojão de Caramuru.

Essa relação me fortalecia como alguém "bem informado". Mas, quando ele caía em desgraça (e isso era quase sempre), eu também virava um sarnento. Não é do jogo?

Algum detrator e mesmo pessoas sem maldade colocavam nisso que eu era o rótulo de "lobista". Não era a minha atividade, embora parecesse de alguma forma. Um tenente dos bombeiros se veste muito parecido com um general do Exército. Sua rotina é parecida, eles pertencem a uma tropa, trabalham em quartéis. Mas são duas coisas diferentes, sabemos. Em comum, usam uniforme. Mas suas semelhanças cessam aí. Eu andei ao lado de poderosos. Lobistas também. Mas eram coisas diversas.

Acho que lobistas são caras que defendem interesses econômicos específicos, tentam influenciar a aprovação de leis, a regulação de normas, a liberação de recursos públicos. Eu nunca fiz nada disso. Eu atendi clientes atacados e interagia com diversos públicos — imprensa, políticos, advogados, publicitários, empresários — exclusivamente para ajudá-los a atravessar o pior momento. Minhas conexões, é claro, não me prejudicavam, pois ficava sabendo das coisas que me interessavam: rumores, venenos, perfídias. Eu podia ouvir a rádio corredor do poder. Nunca quis saber de informações privilegiadas e não tinha acesso a elas. Futrica política privilegiada, essa sim. Cruzava por mim. Se tivesse pretensões literárias, lançaria o *Fofocas do Planalto.*

De outro lado, para caras como Renan, eu podia ser mão de obra escrava. Como nunca fui de trabalhar muito e ele tinha demandas colossais toda hora, criou-se uma liga: discursos, entrevistas, programas políticos, desmentidos, iniciativas de grande impacto, desmentidos, factoides, frases de efeito, desmentidos, estratégias de enfrentamento do abismo do dia, avaliação de cenários, desmentidos, antecipação de fatos, todas as suas campanhas, todas as suas candidaturas a quase tudo, desmentidos, cadeias de rede nacional, falas em programas partidários — e talvez o mais precioso bem que velhos amigos só podem desfrutar com outros velhos amigos: um saboroso e vazio papo furado.

O amigo chega à casa oficial tarde da noite, depois de ter estado no palco o dia inteiro, e tudo o que precisa é só de um velho puxa-saco para passar o tempo. Quando o puxa-saco era um cara como eu, independente financeiramente e mordaz feito um capeta, aí a fera ficava ali algumas horas relaxando um pouco.

Nas múltiplas relações que eu conciliava, Renan foi um treino e tanto. Um cadáver de almanaque. Com ele, aprendi tanto, tanto, tanto. E pude calibrar minha mão de cirurgião numa balança de nanotubo, dessas que podem aferir o peso de um próton. Usava depois esse treinamento todo com meus clientes, quando pegavam carona no meu Samu.

Com o tempo, Renan e eu fomos ganhando tanta interação no modo de expressar em palavras o que ele pensava que ficávamos na madrugada fazendo a carpintaria retórica do dia ou dos dias seguintes. Já estávamos tão alinhados que eu fazia as frases já na primeira pessoa, como se fosse ele falando — já saía assim:

**“A melhor forma de eu falar neste momento é com meu silêncio.”**

No dia seguinte, via a frase dele na TV e achava o máximo. Não me sentia o autor dela. Eu apenas era um anexo da cabeça dele dando forma aos pensamentos que ele tinha e eu apenas exteriorizava, formatava, de vez em quando. Mas, pra isso, tinha que pensar como ele. Não era ele que estava pensando como eu.

O fato é que o convívio de três décadas com essa fera, tamanha a magnitude dos seus problemas, foi também um privilégio daqueles. Vivi com ele inúmeras pequenas conspirações. Pra mim, era bom, pois via como elas acontecem por dentro, e não apenas como elas pareciam ter acontecido, pelos jornais.

Antônio Carlos Magalhães, o ACM (lá vou eu...um político poderosíssimo de meu tempo, que foi de tudo, prefeito de Salvador, três vezes governador da Bahia, ministro, senador, presidente do Congresso) estava pela bola sete. Tinha sido obrigado a renunciar em 2001 depois de uma briga ciclópica com seu arqui-inimigo de então, Jader Barbalho (outro monstro, deputado, senador, ministro, governador do Pará, presidente do Senado). Os dois caíram.

Em 2003, ACM volta ao Senado e novamente seu mandato entra em pane. Desta vez, surgira a acusação de que ele grampeara adversários quando fora governador da Bahia pela última vez. Adversários, em termos. O velho estava apaixonado por uma moça e, diziam seus detratores, decidiu monitorar suas conversas telefônicas. Foi tomando gosto e sobrou pra todo o mundo. É o que diziam. Como em *O Alienista*, de Machado de Assis.

Como ele já estava com a imunidade baixa, essa alegação de abuso de poder era um coquetel molotov.

Antônio Carlos foi o único político, durante esse tempo todo, que eu atendi profissionalmente. Ou seja, cobrei. Mas até onde eu sei acho que ele nem sabia. Fui contratado pelo antigo e leal escudeiro dele, Carlos Laranjeira, que havia sido um dos sócios da empreiteira baiana OAS. Os inimigos de ACM pichavam os muros dos canteiros da construtora anos antes com os dizeres "Obrigado, Amigo Sogro". É porque outro sócio da empresa, Cesar Mata Pires, era genro de ACM.

Seja como for, encontrei Laranjeira muito, muito tempo depois disso tudo. Ele já estava fora da empreiteira. Acho que quem me pagou foi a televisão que pertencia à família, afiliada da rede Globo na Bahia. Laranjeira fez apenas uma exigência:

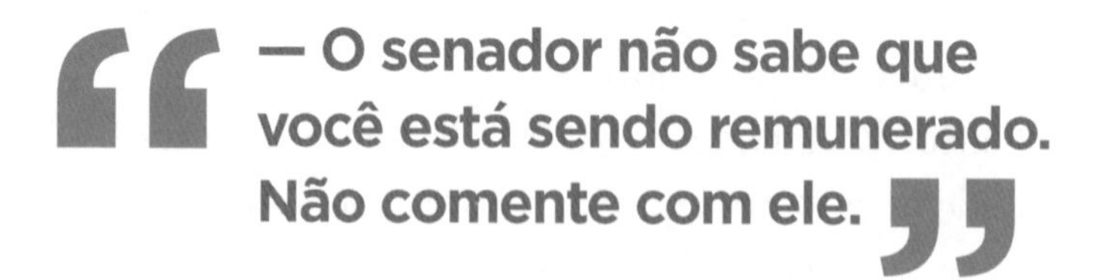


ACM acabou escapando por uma série de fatores. O fundamental foi que o governo Lula não quis: preferia tê-lo fraco a tê-lo morto.

Dei uma porção de conselhos e fiz uma série de interlocuções de mídia para ele. Ficamos amigos. Sinto saudades.

Uma de minhas ajudas fundamentais foi aparar uma aresta gigante. ACM brigara feio com o PMDB de Jader e, por tabela, passara a patrola em Renan. E não é que agora Renan era líder do PMDB no Senado (mais uma vez), justamente a bancada decisiva para estraçalhar ou não o velho coronel?

Me pediram para ajudar. E lá fui eu encontrar o líder Renan numa churrascaria a uma da madrugada. Falei com ele se não toparia um encontro reservado com ACM. Era como pedir a Jesus que se encontrasse com o cão. Fui, fui, fui, até que ele aquiesceu. Meu argumento matador foi:

— O senhor não tem nada a perder. Se ajudar e ele morrer, o senhor tentou. Se ajudar e ele sobreviver, fez parte da salvação.

Renan já estava maturando, àquela altura, a eleição para a presidência do Senado. ACM e o partido conservador dele eram uma peça importante nesse jogo. Por que não fazer uma pequena aposta nessa roleta?

Saí de lá duas e pouco da madrugada. Liguei para Laranjeira e marquei às oito da manhã num campo neutro, o apartamento em que eu morava na Asa Sul em Brasília. Pedi ao senador, muito visado na época, que entrasse pela garagem. Renan entraria pelo térreo.

E não é que, às sete horas da manhã, me liga Renan roendo a corda:

— Mario, não sei, é melhor não ir...

— Líder, não faça uma coisa dessa. Já falei com ele e não tenho como avisá-lo a esta altura.

Renan foi. ACM já estava na sala do apartamento. Fiz aquele lero-lero introdutório e saí de minha própria casa. Eles ficaram ali conversando duas horas.

Nada vazou. Conspiração boa é essa: a que você não leu nos jornais.

ACM sobreviveu e se tornou um grande entusiasta de Renan. No leito da morte, quando Renan estava atravessando o calvário que o levaria a renunciar à presidência do Senado, um ACM pálido e magérrimo ligava para ele do hospital:

— Estou contigo. Conte com meu voto.

Naquela técnica das garrafinhas de memória que ficam boiando por aí até chegaram ao continente da consciência, ao iniciar este parágrafo, fiquei tentando lembrar outro causo sobre Renan pra lhe contar. Ainda não apareceu no meu radar. E, quando surgir, você esbarrará com ele no próximo parágrafo.

Ah, lembrei uns outros fragmentos...

Bobagenzinhas, mas que podem criar falsas polêmicas, o que não é conveniente. Você vê, meu caro, mesmo quando a memória nos guia, nem sempre as memórias de alguém podem ser totalmente dissecadas. Assim como a realidade, assim como o noticiário, vemos apenas uma fresta. E o resto? Pura imaginação.

# PERRENGUE

Três meses depois da visita dos policiais à minha casa, aí o bicho pegou.

No ano de 2015, a Fifa e o futebol no mundo todo estavam vivendo um terremoto: o presidente Joseph Blatter tinha sido apeado do poder, o número dois dele também, vários presidentes de federações nacionais foram presos pela polícia americana, o FBI, numa cinematográfica operação em Zurique. José Maria Marin, ex-presidente da CBF, também tava em cana. Ricardo Teixeira, como sempre, na alça de mira. O presidente da CBF naquele momento, Marco Polo Del Nero, por prevenção, imaginava ser mais prudente não se afastar do país. Ninguém sabia o que o FBI podia fazer.

Com o mundo do futebol de ponta-cabeça, uma viatura da Polícia Federal, um delegado e agentes cruzaram os portões da CBF naquele dia 1º de outubro. Alerta máximo. Imprensa mobilizada. A casa caiu? Quem era o alvo agora?

Eu.

Sim, eu.

Por mais incrível que pareça, no meio daquele tiroteio todo no mundo do futebol, a viatura policial estava ali por minha causa, cumprindo uma das dezenas de buscas e apreensões determinadas para aquele dia na esteira da Operação Acrônimo.

Nas horas seguintes, o consultor de crises sentiu algo inimaginável, uma vergonha terrível; afinal, ele era contratado para administrar o escândalo dos outros. Então como poderia ele fazer o escândalo ir bater na porta alheia?

Quem poderia imaginar, no futebol mundial, que uma operação da Polícia Federal naquele território, se acontecesse, teria como foco um assessor de imprensa?

Pois isso aconteceu. Faz parte do jogo, essa caixinha de surpresas.

A viatura saiu de lá com a cópia de um contrato meu (a CBF nunca teve dinheiro público, diga-se), regularmente registrado em ambas as contabilidades, com impostos recolhidos, coisa e tal. Mas o estrago já estava feito. Em mim.

Este capítulo é para falar de alguns perrengues pelos quais passei, alguns tropeços que tive. Nas crises, as pessoas sofrem uma porção de situações que não são notícia, mas deixam marcas na alma delas. Não foi diferente comigo. Senti algumas coisas na pele de um modo que manual nenhum contempla, técnica nenhuma ensina, teorias não são capazes de preparar.

Destino? Para que pudesse descer do pedestal das certezas frias e fosse mergulhado nas águas turvas da imprevisão? Não sei. Estava Deus ali naquele dia me fazendo de cobaia de meus próprios conceitos e fazendo um encontro de contas entre o que ficava ou não de pé? Talvez.

Só sei que daquilo nasceu este livro, embora não fizesse ideia naquele dia. Daquilo nasceu a semente da reflexão e do relato nestas páginas.

Nas horas seguintes ao sensacional acontecimento na CBF, o noticiário já estava em polvorosa. O oráculo do jornalismo esportivo, Juca Kfouri, sapecou uma nota que ficou o dia inteiro na *home page* do maior portal do país, o UOL, com direito a uma foto minha, é claro. Título: "E agora, Rosa?".

"A Polícia Federal esteve na CBF ontem, como parte da Operação Acrônimo. Segundo a *Folha de S.Paulo*, na CBF o alvo foi um contrato da MR Consultoria. A empresa pertence ao jornalista Mario Rosa, investigado na Acrônimo, e foi contratada no final do primeiro semestre para prestar consultoria ao presidente da entidade, Marco Polo Del Nero. Mario Rosa é um velho conhecido da CBF. 'Administrador de crises', trabalhou durante uma década com Ricardo Teixeira como seu assessor pessoal e até no COL, Comitê Organizador da Copa do Mundo."

Ele encerrava assim:

"Chegou a hora de Rosa administrar a própria crise por gostar de viver perigosamente".

O assunto tava bombando nas páginas de esporte. Futebol dá audiência. Na ESPN:

"De surpresa, a CBF recebeu a visita de agentes da Polícia Federal nesta quinta-feira. Desta vez, entretanto, a presença na entidade não teve nada a ver com os escândalos da Fifa ou a investigação do FBI... a empresa do consultor Mario Rosa está sendo alvo de uma investigação... a surpresa foi muito grande para os presentes, já que a CBF estava movimentada por conta de uma reunião com 13 representantes de clubes...".

Outro *site* de esporte bastante acessado:

> **"O elo entre a CBF e a operação é o ex-relações--públicas da CBF, Mario Rosa, que coordenou a campanha de Fernando Pimentel (e que trabalhou também com José Dirceu e Antonio Palocci)".**

Veja bem: esse *post* anterior permite entender muito da lógica da notícia nessas horas.

Primeiro, eu não era "ex" coisa nenhuma. Por trás do "ex", o que existe é um forma velada de estigmatização: eu era "relações-públicas" até o escândalo. Depois, "ex". O que passei a ser? Bandido?

No noticiário de escândalos, fala-se às vezes sem dizer. É uma regra que não está nos manuais de redação, mas que existe no manual da vida. Ah, sim: não "coordenei" campanha nenhuma, assim como jamais "trabalhei" para Dirceu e Palocci.

O conjunto todo dessas breves linhas tinha um subtexto que era tudo, menos "imparcial". Dirceu e Palocci estavam no noticiário como vilões. Eu era um "ex". Logo... eu era de alguma forma vilão.

Não está escrito ali: "Mario é vilão". Está sugerido, à prova de processos. Eu conhecia aquele circo e, sinceramente, não me importava. Já tinha deixado de ser jornalista para me dar tanta importância.

A lona daquele espetáculo me era familiar, mas o que eu estava sentindo e iria sentir nas horas, dias, semanas e meses seguintes era uma revelação.

Senti vergonha, senti constrangimento, senti que virara um leproso e que ninguém iria tocar em mim outra vez. Senti que o consultor acabara de falecer e estava sendo velado em praça pública. Naquele dia, assim como na CBF, outras 15 ou mais empresas com que havia trabalhado nos anos anteriores receberam a visita da polícia. Todas privadas, todas com notas fiscais, impostos recolhidos. Mas que vergonha, meu Deus...

Imagine um camburão chegar à sede de uma empresa em que você trabalhou, às vezes um edifício inteiro, cheio de gente que você nunca viu. Aquele burburinho todo: "O que foi?", "O que foi?", "Polícia!". "Nossa!", "Por quê?", "Ah, é um tal de Mario Rosa", "Xiiii...".

Passei aquele dia recebendo mensagens no celular. "Polícia Federal aqui pedindo seu contrato." Mais uma vez, como fiz naqueles dias, peço desculpas aos meus clientes que passaram por aquilo. Imagino a situação e só posso dizer que nunca desejei causar esse constrangimento. Desculpem-me.

Você, agora, vai conhecer um pouco do calvário de quem passa por esses perrengues. Gente que você só vê na TV e que não escreve sobre isso, como eu. Tenho uma longa lista de sapos que engoli. Vou mostrar meu pequeno brejo pra você.

Primeiro, também não quero me vitimizar tanto. Meus clientes foram muito legais. Todos eles mantiveram meus contratos até o fim previsto. Pior ainda seria passar por aquilo tudo na pindaíba total. Não foi o meu caso, mas acontece. Obrigado, clientes, por terem me apoiado num momento tão delicado de minha vida, mesmo tendo levado a vocês o contrário do que eu supostamente deveria prover: dor de cabeça. Estava ali para ser um analgésico. Vocês pagaram por isso e eu lhes trouxe uma pequena cefaleia.

Sim, mas agora vamos encharcar isso aqui com um pouquinho de sangue: o meu.

Sangrei.

Nunca fui uma empresa. Não tenho, portanto, concorrentes. Nunca tive contas que pudessem estar "no mercado" para serem disputadas diretamente. Por isso não tinha adversários diretos. Ainda assim, como em qualquer atividade da vida, meu "sucesso" não passava em vão. E aí, meu amigo, é na hora do tropeço que surge alguém terminando de empurrá-lo. É assim mesmo, mas dói.

> **— Gosto muito do Mario, mas estou preocupado com ele** — disse um colega de ofício, coincidentemente para um cliente meu, um cara bem importante.
> **— É? Por quê?**
> **— É que ele está pra ser preso, né?**

Coisa linda, viu? Algum cliente fala no telefone com um cara que está para ser preso? Ainda mais se esse cara estiver cuidando dos problemas dele, cliente?

Era uma tentativa de me tornar um vírus contagioso. Mas... o cliente era muito mais amigo meu do que do meu preocupado colega. Então, veio falar comigo. Disse a ele que o gesto teria para sempre a minha gratidão. E tem, chefe.

Esses ataques, de um jeito ou de outro, todo o mundo sofre. Sobrevivem aqueles que têm sorte ou que têm um sistema imunológico de reputação capaz de ser abatido e continuar vivo — fraco no começo, mas depois melhorando. Uma vez, um colunista amigo meu publicou uma nota errada. Foi conversar com um veterano mestre do jornalismo que já tinha visto tudo. Ele o acalmou com o seguinte comentário:

> **“— Isso vai passar. Só encalha quem navega.”**

O consultor nunca tinha estado antes na pele daquele organismo vivo que absorve e observa tudo, aquele indivíduo que os profissionais chamam vagamente pelo nome de “cliente”. Pois eu estava ali, vejo hoje, aprendendo para compartilhar com você e lhe contar depois algumas coisas que só sentindo para falar.

O território mental desse ser no olho do furacão é um campo minado de pequenas perfídias, algumas tentações malignas que surgem de onde menos se imagina, algumas doses de muita paranoia, prostração e surpresas.

Surpresas ruins, mas também boas. O pior das crises é que não são uma coisa só. São várias, por vezes contraditórias. Ouso dizer que senti enormes prazeres. Como assim? Este livro é um exemplo disso. Não vou lhe dizer que foi só paúra. Teve muita coisa boa também.

Somos treinados para sermos insensíveis. Assim, com a "objetividade", é que servimos aos outros. Vendemos o que se convenciona chamar de "racionalidade", saber, conhecimento. Cada um dê um nome.

Mas, quando a gente sofre, fica mais próximo dos sentimentos. Os mesmos sentimentos que tentamos congelar quando a crise é dos outros e somos chamados a ajudar. Quando sofremos — e sentimos, sentimos finalmente —, gestos cotidianos que antes tenderíamos a jogar no triturador do distanciamento, nessas horas, eles nos atravessam e nos comovem.

Recebi muito amor durante meu padecimento. Senti muita coisa boa vinda dos outros. E isso me sensibilizou, entre outros motivos, porque estava capaz de sentir, já que a blindagem da suposta "razão" estava mais fina. Que bom, meu Deus!

Manuais de crise não contemplam verdadeiros tratados filosóficos do amor e da solidariedade que podem acontecer em pequenos gestos, silenciosos e talvez até inconscientes. Quer ver?

Patrícia, que trabalhava lá em casa, no dia seguinte da busca e apreensão, falou comigo através de seu TOC (transtorno obsessivo compulsivo) por limpeza. Acordei e ela estava desinfetando a sala toda, lavando tudo, passando álcool e pano em todas as cadeiras. Vi aquilo e "ouvi" o que o TOC dela estava querendo me dizer:

> **"— Seu Mario, se eu pudesse limpar isso da sua vida, eu iria fazer."**

Vi (ouvi com os olhos, melhor dizendo), fiquei com a vista molhada e recebi aquela injeção de amor na veia. Onde está isso nos manuais? Mas, a partir daquele momento, isso estava em mim e, agora, também em você.

(Deixe-me falar aqui um pouco de Deus, essa criatura que está "do outro lado", ou seja, não faz parte de nenhum manual de redação ou de relações públicas. Deus só existe do lado de cá?)

(O consultor conciliou sua sensação subjetiva de que a matéria não é tudo com a convicção de que, depois dela, não há nada. Acreditava, então, que Deus só existe para quem está vivo. A internet existe? Há algo além do *hardware*? Sim, claro que sim: enquanto o computador está plugado e funcionando. Não existe internet para computadores quebrados. Então, Deus existia e podia vê-lo na intuição, na percepção extrassensorial, no destino, no acaso. Podia senti-lo enquanto estava vivo, nessas coisas. Pouco importava qual nome davam a ele. Mas sempre acreditei que nós dois só iríamos nos relacionar enquanto eu vivesse. Só enquanto o sinal estivesse verde.)

Após a eclusão de minha crise, bem depois, vivi um dos momentos transcendentais de minha vida. Convidado pelo presidente Chiquinho e pelo ex-presidente Alvinho fui para o centro do barracão da Mangueira, em pleno ensaio de sábado à noite da escola de samba. Havia milhares de pessoas da comunidade no local. O ensaio parou. O mestre-sala e a porta-bandeira vieram bailando e gingando até nós. Tive a honra de beijar o manto verde e rosa! Só então o ensaio recomeçou e o barracão voltou a sambar. Depois de ter sido jurado de Miss Brasil, considero essa a maior honra que recebi em vida. E a terceira foi ter participado do treinamento do nosso glorioso exército.

O fato é que a gente não vive só tragédias durante as crises. É uma montanha-russa emocional. Claro, com muito mais quedas apavorantes do que elevações jubilosas.

Quando a onda tava sinistra pro meu lado, os fuxicos não paravam. Nessas horas, o mais difícil é filtrar o que é e o que não é. E, olha, na essência, eu estava muito seguro. Porque sabia que não tinha feito nada de errado. Mas, mesmo assim, a gente fica cismado: é o destino da gente que tá acontecendo ali, em tempo real. E, às vezes, tragédias acontecem e tragam vidas, sendo as pessoas inocentes ou não.

Um amigo meu descambou uma vez de onde estava lá pra casa. Com os olhos fixos em mim, avaliando qualquer movimento meu, anunciou solene:

> **— Um advogado amigo me disse que encontraram mensagens suas com fulano (um cara bem queimado). Só vim aqui lhe dizer.**

Olhei para meu amigo e nem me dei ao trabalho de me preocupar. Aquilo nunca tinha existido, mas perguntei a mim mesmo: por que ele está fazendo isso? Vingança? Amizade genuína? Teste? Desconfiança? Prazer? Descuido? Tudo isso junto? O quê?

Esse mesmo amigo mandou um recado depois por um terceiro me avisando de que eu fora citado numa delação premiada. Não era nem próximo remotamente da verdade. Mas, àquela altura, eu já tava vacinado.

No meu calvariozinho particular, tive que descer do salto alto e encarar momentos chatos. O presidente da associação de empresas aéreas para a qual eu trabalhava, Eduardo Sanovicz, dias depois da busca por lá, me chamou para uma conversa. Me disse que o setor estava passando por dificuldades e que teria de fazer um corte geral de despesas de 40% para o ano seguinte.

Falei pra ele que o importante, para mim, naquele contrato era o endosso institucional que ele representava. Ganhava relativamente pouquinho ali (pouquinho em relação aos valores de meu auge): R$ 15 mil por mês, bruto. Disse a ele que topava uma redução para R$ 3.000 por mês. Foi só aí que vi que o buraco era mais embaixo. Ele disse:

**— Eu não vou renovar nosso contrato...**

Senti a fisgada. Como recriminar alguém que comandava uma organização, precisava ser rigoroso e havia tomado uma bola nas costas como aquela, a de ver a polícia entrando em seu escritório por causa de um consultor?

Ainda tentei remediar e inventamos um contrato que eu nunca tinha feito antes: era um contrato de "potenciais" horas técnicas. Funcionava assim: se um dia ele quisesse se reunir comigo, ele marcaria uma agenda e pediria um horário. Se ficássemos duas horas, por exemplo, ele pagaria por um valor previamente fixado. Se não me procurasse nunca, não pagava nada.

Tava tão bola murcha que assinei o primeiro contrato de minha vida que não previa pagamento nem qualquer tipo de atendimento. Um contrato virtual. Tecnicamente, continuava contratado, mas, na prática, fui colocado a uma confortável distância sanitária dali. Era o máximo que podia.

Nesses tempos, um grande empresário foi preso. Pensou em meu nome e o mencionou assim que chegou ao presídio. Levei bomba: o executivo de uma empresa de comunicação que atendia o grupo logo me interceptou em pleno voo com um disparo verbal, informando que eu estava sendo investigado. Tecnicamente, fez o que devia fazer. Foi só por técnica? Nunca vou saber. Não sei se impuseram o mesmo critério sumário que recomendaram contra mim.

Você sente que você está por baixo quando alguém recomenda a um preso que não tenha contato contigo para não prejudicar a imagem... dele.

Hoje, acho que o que aprendi com essas coisas todas valeu tanto ou mais do que qualquer remuneração. Foi um patrimônio imaterial que adquiri involuntariamente.

Mas não pense que minha provação tava acabando. Tinha ainda muito perrengue.

Nessas horas, a cobaia do escândalo é submetida a experimentos que nem Joseph Mengele seria capaz de imaginar. Pra você ter uma ideia, no meio daquela algazarra política toda em que sempre vivi, claro, tinha alguns caras que me odiavam. Faz parte, né? Guarda-costas troca tiros e quem leva não esquece e, se cruzar contigo na calada da noite, descarrega o tambor.

Você imagina o que uma autoridade, dessas de altíssimo, altíssimo calibre, foi dizer para o presidente de uma empresa a quem servia? Os dois se encontraram numa audiência em palácio, meu nome surgiu por acaso e o sujeito metralhou. Sofri um atentado de terrorismo profissional:

> **— O Mario é bom... mas você tem que ficar apenas um pouquinho de olho porque soube que ele está para ser preso pela Operação Lava-Jato por lavagem de dinheiro para o Renan...**

Numa única frase, o babalorixá me queimava com o cliente, me colocava envolvido na mais temida investigação policial em curso e, ainda por cima, ou por baixo, me atribuía uma relação criminosa com o então presidente do Congresso Nacional.

Nada disso era verdade, mas, para o cliente que ouvia aquilo atônito, era verdade que uma autoridade estava dizendo isso para ele, alguém que podia "saber" de algo sigiloso.

Dias depois, recebi uma ligação de um amigo que trabalhava na empresa me pedindo para conversar "num telefone seguro". Lá vinha encrenca. Pedi o aparelho do jardineiro emprestado e liguei na linha direta do restaurante em que ele estava, numa cidade do Sudeste. Ele me falou o que acontecera. Esbocei a tranquilidade dos inocentes. Ele disse que me conhecia. Mas aquele chefe não falou mais comigo.

Meu caro, minha cara, há algumas coisas com que você vai ter que conviver se um dia a sombra da suspeição atravessar o seu céu: ninguém acredita em você totalmente. Ninguém sabe da sua vida tanto quanto você. As pessoas só sabem o que viveram e o resto porque leram ou viram em algum lugar. Ou ouviram.

A verdade é que a gente não sabe. Ou não sabe direito. Ou não sabe tudo. Ou não sabe nada e pensa que sabe. Eu vi o olhar da dúvida me encarando.

Logo depois da série de buscas, cruzei num avião com o executivo de uma instituição a que servia. Vim conversando no voo, altas horas. Ele já havia passado por poucas e boas. Já tinha enfrentando acusações sérias de perto. Já tivera até câncer. Era uma pessoa num adiantado estágio existencial.

Sem jeito, a certa altura, acabei falando do meu incidente. Discorri o oceano de provas e elementos que me inocentavam. Ele ouvia atento. Num dado momento, eu perguntei, assim por perguntar, se ele achava que eu era inocente.

**— Sinceramente, não.**

E olha que ele já tinha passado por tudo na vida. Não tinha acesso a nenhum elemento concreto do meu caso. Nos conhecíamos havia décadas, a ponto de ter sido ele quem me indicara para a organização em que trabalhava, tamanha a confiança e a boa imagem que fazia de mim. Isso desmoronou no primeiro peteleco. Acontece.

Outra história mais engraçada aconteceu com meu então sogro. Ele era delegado aposentado e, uns anos antes, passara ele próprio por um escândalo doloroso. De homem da lei tinha sido acusado de ser mandante de um assassinato. Esse sofreu...

Foram mais de dez anos de processo. Chegou a ficar detido por 15 dias certa vez. Era o nome dele de manhã, de tarde e de noite nos jornais, nas rádios e na TV. Foi inocentado ao final.

Casei com a filha dele depois. Brincava que casei com um *case*.

Depois daquela confusão toda comigo, meu sogro foi demonstrar solidariedade. Foi me tranquilizar. Claro, aquele meu enrosco ocasional despertava uma torrente de sentimentos armazenados nele.

Ficamos fazendo um debate sobre tudo o que poderia acontecer. Ele dizendo que eu era inocente e que tudo ia passar. Eu dizendo que os inocentes às vezes sofrem injustiças. Ele contestando de lá, eu daqui. Até que, a certa altura, aquele homem carinhoso e bondoso que me conhecia havia duas décadas, era o avô da minha filha e fora lá pra me ajudar, nem ele, coitado, aguentou. Antes de meia hora, naquele papo olho no olho, capitulou:

**— A não ser que tenha alguma coisa que eu não saiba...**

Ali eu vi que toda ajuda era bem-vinda, mas era eu comigo mesmo. Assim como fora antes com meu ex-sogro, assim como vai ser sempre com qualquer um.

Na esteira daquela avalanche emocional toda, meses depois meu casamento de quase duas décadas acabou. Haja coração! Além de tudo, tava só.

É muito difícil saber como reagir em horas de crise, sobretudo quando ela atinge você. É bom ouvir conselhos, avaliar possibilidades, ter lido sobre o assunto. Mas, no final das contas, você vai ter sempre que administrar dois relógios que quase nunca estão em sincronia.

O tempo do inocente é o já, é o agora, mas o tempo do réu é o nunca. Quando uma pessoa é injustamente atacada, tudo o que ela gostaria é de ter uma reparação imediata, quase instantânea. Já um culpado ou um acusado sabe que, quanto mais o tempo passar, suas chances serão melhores. E no meio disso? Quando alguém não é culpado ou não tão culpado quanto dizem, precisa, mais do que nunca, lembrar que nada como o tempo para cicatrizar as feridas e colocar as coisas em perspectiva.

# PERGUNTAS

Tive de encarar, antes desta escrita, uma reflexão profunda que emoldura qualquer relação de prestação de serviços e confiança. São duas perguntas cruciais que você poderia me fazer:

*Pergunta 1: Por que escreveu este livro?*

Você entende porque está lendo. Por curiosidade, deleite ou por busca de informação. Em última instância, só está lendo porque eu escrevi.

Mas você me pergunta: por que escreveu? Qual é o objetivo deste livro, o significado, o propósito?

Talvez eu pudesse responder que se trata apenas de um livro de memórias. Mas a resposta ainda assim talvez não fosse suficiente. Em outros momentos, você poderia deduzir que estou apenas querendo me explicar. Outras passagens poderiam indicar que é somente mais um profissional vendendo seu peixe. Eu poderia também arriscar outras respostas, mas acho que você se sentiria mais respeitado como leitor ou como leitora se eu investisse numa explicação mais completa.

A grande realidade é que não tinha uma resposta absoluta para abarcar todas as indagações possíveis. O fundamental, para mim, foi tentar explicar o meu próprio e improvável ofício, algo que não constava de nenhum guia de profissões, embora muitos depois a exercessem. Porque, quando fui confrontado pública e oficialmente com esse questionamento, percebi que tinha de explicar o que fazia para que pudessem entender o que não fazia. Este seria o depoimento que faria, se instado fosse.

"Consultor de crise" era um rótulo vago e um tanto enigmático que fui dissecando aqui, para seu entendimento e para o meu próprio. Achei que essas experiências incomuns que tive, por se darem de algum modo na esfera pública, não me pertenciam mais. Precisava compartilhá-las para minha própria defesa, para a defesa de minha própria vida e daquilo em que acreditei. E, ao fazer isso, entendi estar sendo útil para que você entendesse melhor como funcionavam algumas engrenagens de um mundo escondido por trás daquilo que você lê, ouve ou vê. Pensei estar fazendo uma contribuição para o interesse coletivo, embora instado por minhas aflições pessoais mais profundas.

*Pergunta 2: Pode o padre revelar o conteúdo da confissão? Pode o psicólogo contar o que conversou no divã? É correto? Se sim — e obviamente entendi que sim —, acho que deveria falar sobre esse delicado ponto também.*

A verdade é que tive minha intimidade profissional exposta à minha revelia. As cláusulas de confidencialidade foram abertas em processo público, por vários de meus clientes que foram aos autos detalhar a natureza do auxílio que lhes prestei. Ou seja, vi-me na situação de ter meus clientes falando de mim. E resolvi falar de mim também. Minha história não ia ser contada só pelos outros. É uma situação extrema porque poucos profissionais passaram, reconheço.

Revelo alguns detalhes pontuais de histórias que vivi há décadas e que não estão mais sob o calor do debate público. Não creio que possam, assim, impactar o curso dos acontecimentos. Todos os citados aqui sabiam exatamente o que vivemos juntos, para avaliar o que está escrito aqui.

Se puder ser útil de alguma forma para que forme suas próprias convicções, acho que o infortúnio que atravessou minha vida terá uma justificativa mais louvável e mais ampla do que a mera compilação de impulsos de uma vaidade pessoal.

Procurei obstinadamente não criar melindres nem ferir suscetibilidades — se é que isso é possível, publicamente — atendo-me exclusivamente às reminiscências essenciais do que testemunhei e que permaneceram vivas em minha memória.

Imaginei não ter quebrado nenhum código, embora entendesse que caminhava num terreno acidentado. Será uma delação premiada? Não. Porque não tinha o que delatar, nem tinha o que ganhar.

Da mesma forma que meus concorrentes poderiam dizer que quebrei confidencialidades (o que, em última instância, só meus clientes saberiam avaliar), outros diriam que continuei escrevendo *releases* sobre meus ex-assessorados, que é coisa de *spin doctor*. Pode ser mesmo? Você sabe quem você é? Sabe totalmente? Nem eu sabia. Há quem pontue: não foi muito condescendente com figuras muito execradas? Condescendente, eu?

Está duvidando da minha imparcialidade?

Quando alguém faz memórias, é um encontro com muitas coisas. Inclusive com a morte. Você diria: uma tentativa de aproximação seria filosoficamente mais adequada. Tudo bem. Mas, em algum sentido, é uma experiência racional e viva do que a morte poderia significar. O ambiente das memórias é de exumação de si. A morte é algo que extrapola este mundo e, sendo assim, acima do bem e do mal. Não estava morto quando escrevia este livro, por suposto.

Não estava acima do bem e do mal, portanto. Esta é uma precária aproximação. Como tudo.

Se há algo instigante neste relato, é que foram memórias a quente. O sangue de todos os citados, quase todos, ainda estava pulsando nas carótidas quando isto foi publicado. Este texto passou pelo plebiscito dos contemporâneos aqui mencionados, durante o seu tempo.

Caberá a você tirar suas conclusões. Saiba apenas que fiz um relato visceral, expondo-me mais do que talvez devesse e expondo-me mais do que a qualquer outro. A pulsão de ser compreendido e de fazer compreender falou mais alto. Tentei ser verdadeiro, ao compartilhar com você, para a sua melhor compreensão, o mundo difuso e misterioso que habitei. Como diria meu amigo Siron Franco, na dúvida ultrapasse...

Deixe-me falar uma coisa aqui: você já reparou que frisei muitas vezes a origem de meu dinheiro. Privado. Não haveria nada de errado se tivesse sido público. Muitas empresas e profissionais sérios atendem e recebem de governos. É absolutamente legal. A questão é que me impus uma limitação desde o início: se era para cruzar a fronteira entre imprensa, políticos e empresas, ia receber de um lado só. Não iria, jamais, misturar as seringas. Para não correr o risco de morrer contaminado.

A diferença entre receber dinheiro público e privado é uma só: uma coisa é explicar o que eu fiz com o meu dinheiro, outra coisa é falar o que eu fiz com o seu.

Nunca toquei na sua grana, tenha certeza. Ganhei das corporações e empresas que me contrataram. Ao fazer isso, me impus uma espécie de sacrifício. Sim, sacrifício sim. Porque tinha contatos e *expertise* suficientes para disputar contas públicas. Ao não fazê-lo, limitei espontaneamente meus potenciais ganhos. Tudo por uma norma de consultor de crises mesmo: prevenir, prevenir, prevenir.

*(Assim, quando enfrentei o meu barraco, não tinha dinheiro saindo do erário, cruzando minha conta e indo para outro lugar. Tinha*

*apenas dinheiro privado trafegando pela contabilidade oficial e aterrissando suavemente no meu patrimônio declarado. Graças a Deus, controlei minha ganância.)*

Depois de tudo que aconteceu comigo comecei a repensar até mesmo este ponto. Será que um dia vou trabalhar para governos? Como consultor de crises, jamais. Como marqueteiro em campanhas, jamais. Na comunicação pública de alguma forma? Dei uma entrevista a *O Estado de S. Paulo* dizendo que o consultor de crises tinha morrido durante a crise. Então, se ele morreu sua reencarnação pode ser uma coisa nova sim. Quem sabe...

Por último, fazer livros na era digital permite um intercâmbio único de opiniões e influências. Enviei este texto para o meu pai profissional no jornalismo, Etevaldo Dias. Etevaldo foi jornalista por 40 anos. Quando escrevia este livro, ele comandava uma agência de comunicação havia um quarto de século. Foi porta-voz da presidência da República. Não em qualquer crise, mas porta-voz na crise do *impeachment* de Fernando Collor. Pois foi esse olhar calejado por uma vida nada usual que me mandou suas observações. Faço considerações a cada tópico mencionado por ele. Etevaldo foi generoso. Vamos a ele:

"Caríssimo, li seu livro e reli vários capítulos, tentei ser um leitor, não o amigo, nem jornalista 'coleguinha'. Como você pediu com insistência para que fosse honesto, decidi fazê-lo honestamente. Veja minhas observações como uma boa conversa de amigo e pai profissional.

"Bom, gosto de escrever por itens, é mais fácil de expor ideias e facilita a leitura.

"O livro é uma boa leitura, tem caso, bastidores, revelações — jamais imaginei que Duda não escreve mais que 15 linhas — e o caso da 'Cervejaria' é um tratado de comunicação e relações públicas. Claro, não há como fugir da impressão de que se trata do 'Livro Branco do

Mario Rosa', um livro de defesa prévia. Creio que é exatamente isto que você pretendia, contar as coisas a partir da sua visão e interpretação do trabalho de consultor de crises vivendo a própria crise.

"Ressalte-se que você foi cuidadoso e generoso com os seus clientes — nenhum deles fica mal no livro. Você é benevolente com todos eles, até aqueles que romperam contrato de modo injusto."

Falo eu: Calma! As 15 linhas do Duda só mostram o prodígio que ele era. O negócio dele era criar *jingles* curtos, comerciais arrebatadores, e não discursos palavrosos e vazios.

"Curioso, quem sofre mais críticas no livro é o próprio autor." Vamos às minhas observações:

"1 — Não gostei de você se colocar como "lacaio do poder". Você nunca foi lacaio de ninguém. Ganhou prêmio Esso (aliás sob minha chefia no *JB*) com matéria de denúncia, altiva e independente, não de lacaio.

"Como consultor de crise, foi mais procurado do que procurou os nobres da Corte, foi mais cortejado do que cortejou."

Falo eu: Concordo com você, em parte. O uso da palavra "lacaio" é um recurso digamos assim literário. Ia falar o quê? Era o bambambã, o tal? O "lacaio"não é apenas para eu baixar a minha bola e mostrar ao leitor que eu não estava me achando, mas é também uma questão sociológica de proporções: as pessoas que atendi, essas sim, eram as protagonistas. Eu era um observador privilegiado. Só isso.

"2 — Preste atenção nas críticas que faz aos manuais de crise. Você desmerece os livros que escreveu. Cuidado com esta abordagem.

Seus livros fazem parte da formação de milhares de estudantes de comunicação e você pode confundi-los: 'Devo confiar nos livros de Mario Rosa? Ou tudo que li não passa de uma farsa?'. Ocorre que há uma diferença entre viver a própria crise e falar sobre o importante papel do uso de ferramentas de comunicação para superar crises. Contradições assim acontecem em todas as profissões. O grande curandeiro João de Deus teve que abandonar suas crenças, pregações e milagres e correr para o tradicional tratamento do dr. Raul Cutait.

"Ao longo do livro, em passagens esparsas, você trata do assunto, mas creio que merece uma reflexão mais profunda pontual. Você deve mostrar que seus livros o ajudam a entender e superar a própria crise."

Falo eu: Concordo mais uma vez e isso me ajuda a contextualizar melhor. Este livro não é contra os manuais, meninos e meninas. Vocês vão ver que eu segui muitas coisas deles no meu próprio caso. O que este livro tenta mostrar é que os *cases* são contados sempre do fim para o começo, enquanto a vida acontece do começo para o fim. Qual é o problema? Os manuais cristalizam um certo artificialismo da vida, ao descrevê-la como a sucessão de coisas lógicas e racionais, quando não é só isso. Que bom ter uma base de racionalidade alheia para tocar a vida. Que bom treinar várias vezes como se bate um pênalti. Mas... no pênalti do campeonato, o treino é fundamental, mas ali é a vida que está acontecendo. Foi só isso o que quis dizer: não abram apenas as suas mentes. Abram também os corações.

"3 — O pau que levou da *Veja* está confuso, não dá nomes para o leitor, mas qualquer jornalista sabe de que se trata, portanto gera clima de falso acobertamento dos fatos. Melhor seria você simplificar com algo assim 'Um fato trivial nas relações com colegas jornalistas motivou uma intriga maldosa que me gerou um tremendo...'. Enfim, o que deveria ser apenas fofoca corriqueira de redações acabou por tornar-se uma ofensa pública, injusta e desnecessária que lhe causou estragos emocionais e profissionais. Mais ou menos isso."

Falo eu: Registrado.

"4 — Creio que você abusa da figura do 'Pai Rosa'. Não me parece justo com seu talento se colocar assim tão escrachado e folclórico e, nestes tempos de politicamente correto, ofender devotos de religiões afro-brasileiras. A meu ver, não existe isso de 'Pai Rosa', conselheiro místico, nada disso; houve trabalho, análise e aconselhamento profissional."

Falo eu: Não quero ofender ninguém e peço desculpas. Minha mãe foi espírita a vida toda. Frequentei terreiros com ela, acompanhando-a quando criança. Também não quero ofender outras religiões. Aliás, quero pedir desculpas a todos aqueles que se ofendem com pedidos de desculpas também. E àqueles que são contra o politicamente correto. Enfim, acho que médiuns e sacerdotes desempenham também uma função de apoio psicológico, além do espiritual. Achei que, em algumas situações que a vida me colocou, minha contribuição diante de figuras ilustres não era a de enunciar conselhos técnicos, mas, acima de tudo, confortá-los usando a linguagem da técnica como meio, não como fim. Achava que era muito mais um ritual do que um atendimento. Só isso.

"5 — O caso do Roger Abdelmassih não me causou boa impressão. A meu ver, você passa a ideia de "tirando o lado ruim, ele é bom". Você insiste que trabalhou de graça, isto só complica, como alguém pode ouvir, aconselhar, ajudar um criminoso só para aprender como um criminoso reage a sua crise? Afinal, você diz que virou amigo da família e ao leitor passa a ideia de que provavelmente sabia que ele ia fugir. Não dá para acreditar que fez tudo por amor e pesquisa científica da comunicação."

Falo eu: Não sabia da fuga, nem de longe insinuo isso. Como todo o mundo, soube pela imprensa. Acho que ele jamais me confiaria uma coisa dessas. Lembre-se: para ele, eu era jornalista, de alguma forma. Lidei com muitas pessoas que eram o inimigo público número um da ocasião exatamente do mesmo modo: podendo observar de perto. Registro no livro que o caso de Roger trafegava numa atmosfera emocional que, definitivamente, era única, por todo o enredo de sofrimentos em que se desdobrava. Meu registro de memória não significa defesa. Apenas registro.

"6 — Não acho boa ideia terminar livro com perguntas: ora, o leitor compra um livro para ter respostas e não dúvidas. Além do mais, não se esqueça de que o seu processo levará anos, mas um dia vai terminar — e bem, tenho certeza — e o livro vai ficar para todos os séculos e séculos, amém."

Falo eu: O objetivo do livro é esse mesmo: vamos nos perguntar mais, pessoal. Nossas certezas repetitivas talvez não sejam as melhores respostas que possamos dar. Sobretudo para nós mesmos. Não é para jogar todas as certezas fora. É apenas para questioná-las mais e ver o que sobra.

Obrigado ET (era assim que chamava o Etevaldo).

Ah, sim, só mais uma coisa: não leve tudo isso aqui muito a sério. Lembra-se do bife no prato e do boi no pasto? Você não está vendo o laranjal da minha vida. Está vendo o suco concentrado dentro da embalagem na prateleira. Concentradas, com o sumo de centenas de laranjas, as vidas ficam densas. Mais densas do que foram ou do que pareciam ser, quando vividas.

# CONSULTOR **DE CRISES?**

Eu não sei explicar exatamente como surgiu esse meio de ganhar a vida ao longo de quase 20 anos. Fui aprendendo meio que na pancada o que eu iria fazer.

Retrospectivamente, achava que acertei sem querer quando defini um foco bem específico para o que pretendia. Estava jovem, com 34 anos, e, sem qualquer planejamento, decidi que iria atuar como uma espécie muito especializada de assessor de imprensa: só iria atuar nos momentos dramáticos de meus clientes.

Enquanto tudo estivesse bem, eu não seria necessário. O telefone não iria tocar. Só seria acionado quando uma confusão de alto teor explosivo acontecesse. Assim, tornei-me uma espécie de motorista do Samu da reputação dos outros, aquela ambulância para os casos de emergência. Minha função seria correr muito e com a sirene ligada, recolher o paciente espatifado no chão e levá-lo às pressas para o pronto-socorro. Dali em diante, não era mais comigo. Trabalhava só nos escândalos. O antes e o depois ficariam para outros profissionais.

Era realmente muito estranha essa atividade. Era mais estranho ainda imaginar que havia mercado para isso. Acho que essa "profissão" era muito reveladora da realidade do nosso tempo: de repente, um sujeito conseguia viver única e exclusivamente de oferecer aconselhamento para pessoas cuja reputação estava sendo incinerada publicamente. Não sei se 500 anos antes isso teria sido possível ou se 500 anos depois será necessário.

Era por isso que achava essa profissão esquisita um sintoma de uma fase da história. Houve um tempo — o nosso — em que empresas e líderes contratavam pessoas, como eu, apenas para lidar melhor com seus perrengues.

*(Nos tempos das carruagens reais, lá pelo século XIX, devia haver alguns caras que sabiam tudo sobre o que um veículo como aquele deveria ter para transportar um monarca. Talvez eles atendessem encomendas de diversos reinos. Mil anos antes das carruagens, esse "negócio" não existia porque elas não existiam. Hoje, esse negócio não existe porque reis não andam mais com veículos movidos a cavalo. Então, talvez isso aconteça com a profissão em que atuei. Há precedentes).*

Ao longo dos anos, fui cruzando com todo tipo de encrenca. Achava realmente fascinante ter acesso àquelas pessoas alvejadas. Era como um veterinário que pudesse ir à jaula do leão dopado e olhar suas presas bem de perto. Podia ver o leão frágil, caído, fraco. Podia abrir a boca dele e tocar na sua mandíbula. Eu nunca convivi com os leões fortes. Apenas com os abatidos com tiro, e tiro pesado, capaz de derrubar leões.

Nessas horas, não fazia juízos morais. Atraía-me a curiosidade. Até porque, na maioria dos casos, eu não era contratado ou não cobrava. Como você já sabe a esta altura, sempre tive poucos clientes e desses obtive uma remuneração bem, bem bacana. Tão bacana que podia me dar ao luxo de "praticar" o quanto quisesse com outros, de graça, para aprender com eles e utilizar esse conhecimento acumulado com os meus clientes efetivos.

Por isso sempre fiz um paralelo com a medicina forense, só que aplicada à comunicação: aprendia com os cadáveres ou sobreviventes dilacerados que me procuravam. Tinha a oportunidade de dissecá-los, de ver as suas feridas, tumores e entranhas, podia olhar de perto o "inimigo público número 1" da ocasião. E podia aplicar depois tudo o que observei em meus próprios pacientes, na mesa de cirurgia, tentando salvá-los. Como você já viu, adorava metáforas. Mas as comparações servem para aproximá-lo desse mundo estranho que habitei profissionalmente.

Comunicação de crise não é nenhuma invenção minha, é claro. Isso já existia nos Estados Unidos há muito tempo. Basicamente, da mesma forma que uma planta industrial é preparada para a hipótese de explosão (faz-se tudo para que isso nunca aconteça), por extensão os planos de contingência foram transpostos para o ambiente das relações públicas. A palavra-chave é prevenção, e a premissa é que se pode planejar, antes, e prever ações e reações que são inevitáveis durante uma crise. Li muitos livros sobre o tema. Talvez a novidade, no meu caso, tenha sido "tropicalizar" esses conceitos e focar o atendimento de crises, e apenas delas, no contexto dos escândalos brasileiros.

Prevenção por quê? Porque somos muito mais criativos para acertar do que para errar. Desde a copa das árvores, inventamos milhões, bilhões de coisas boas. Mas, desde então, também erramos quase sempre os mesmos erros.

São sete — e apenas sete — os pecados capitais. Não fomos ainda capazes de inventar o oitavo, embora já tenhamos chegado à Lua, criado a internet e construído monumentais cidades ao redor da Terra. Porque erramos do mesmo jeito, quase sempre, devemos prestar bastante atenção nos nossos erros. Nunca fomos muito criativos no ato de pecar.

Comecei em grande estilo. Meu primeiro cliente foi o financista Daniel Dantas. Eram os idos de 1999 e o dono do Grupo

Opportunity ainda não tinha enfrentado tantas polêmicas naquela época. Acabaria até sendo preso anos depois em meio à Operação Satiagraha. Um choque na época, mas já não estava mais com ele. O tempo passou e ele conseguiu reverter o processo e obter vitórias notáveis no campo judicial. O Daniel com que trabalhei ainda não era um personagem polêmico, mas já iniciava sua trajetória de embates empresariais como um dos capitães do processo de privatização posto em prática pelo governo de então.

Comecei com um *fee* mensal robusto para os meus padrões, sobretudo na época: US$ 15 mil. Cheguei a Daniel graças à indicação de um amigo comum, empresário de primeira linha também. Basicamente, nesse período, o consultor de crises ainda não havia nascido. Tinha, é claro, um ótimo relacionamento com a imprensa, pois acabara de sair de lá e meus contemporâneos é que estavam em várias posições de destaque.

Daniel era realmente muito impressionante, um sujeito simpático e sedutor, sobretudo quando queria. Tinha encontros regulares com ele. Participei de diversas conversas dele com jornalistas. Era interessante, agradável, sólido. Enfim, matador. Com o passar do tempo, o grupo foi entrando em embates naturais de uma corporação com crescentes interesses conflitantes. Passei a ser mais demandado para esse combate de noticiário: influenciar a cobertura jornalística, tentar fazer com que nossa versão prevalecesse sobre a do adversário e, de vez em quando, claro, agir na ofensiva e buscar espaço para desgastar as teses de nossos concorrentes. É do jogo e sempre será.

Com o passar do tempo, porém, fui me sentindo deslocado (lembre-se de que eu não estava planejando nada. Estava apenas entregue a esse jorro aleatório que chamamos vida). Me incomodava um pouco o crescente volume de conflitos — de mídia — que tinha de administrar. Ao mesmo tempo, o *fee* era bom…

Hesitei durante uns dias e dei um outro salto no escuro. Fui ao Daniel e me lembro de formular a ele, pela primeira vez, sem querer, coisa do momento, um conceito que iria me guiar por todos os anos seguintes, até hoje:

**— Eu não sou pistoleiro. Eu sou guarda-costas. Eu morro por você, mas eu não mato por você. Posso até trocar tiros, mas para nos defender. Não existem muitos bilionários no Brasil. Se eu apenas atirar contra eles, eu vou estar matando mercado. E do ponto de vista econômico, a longo prazo, não é o melhor para mim.**

Sou muito grato a Daniel primeiro pela oportunidade e, acima de tudo, por ter-me ajudado a entender o que eu mesmo nem sabia. Pedi demissão, mas saí feliz da vida. Meu calendário de confusões estava só começando.

# "TRAFICANTE!", "PEDÓFILO!", **"SONEGADOR!"**

Um tempo desses, um amigo que tinha saído das redações veio me pedir conselhos sobre como trabalhar "do lado de cá". O lado "de lá" é o jornalismo. Quando deixamos a profissão, mudamos de lado. Segundo essa visão, bastante incrustada na cultura jornalística, atuamos em lados opostos. Não acho que seja bem assim, mas é assim que os atores desse jogo veem a partida.

Meu amigo veio me procurar porque, àquela altura, já havia me consolidado na atividade. Disse a ele o que realmente penso: como as pessoas avaliam as outras muito pelos resultados, tendem a acreditar que aqueles que prosperaram profissionalmente tenham alguma coisa para ensinar.

No meu caso, lembrei a ele, tinha tomado inúmeras decisões erradas. Deixei a profissão sem saber exatamente porquê. Comecei uma profissão nova que não sabia qual era. Não fazia ideia se seria promissora. Ou seja, fiz escolhas sem pensar e acabei "acertando" meio sem querer. Vejo hoje que, ao sair das zonas de conforto, flertei com o desastre, mas, ao mesmo tempo, isso abriu para mim novas oportunidades para as quais o destino se encarregou de me guiar. Não era exatamente um exemplo de modelo decisório, mas uma casualidade estatística. Felizmente, acabou dando certo, fui feliz pra burro, mas à minha revelia. Minha autobiografia facilmente se chamaria "Apesar de mim".

**— Olha, não acho que sei algo a mais do que você, sinceramente. Se puder compartilhar apenas uma coisa, que só percebi bem depois, é que sempre me joguei inteiro no que vivi. Fui jornalista e adorava. Quando perdi o encanto, saí, entrei nesse troço aqui de coração. Olhando hoje, se posso enxergar uma característica, acho que fiz as coisas que realmente queria fazer e não fiz o que não queria. Quando a gente dá o melhor que tem, pode até não ser o suficiente, mas estamos fazendo o máximo que podemos. E, quando fazemos o nosso máximo, as chances de acertar são maiores do que quando estamos apenas parcialmente. É a única coisa que acho que eu sei.**

E realmente eu abracei totalmente a profissão que eu estava aprendendo a conhecer. Um dos meus primeiros casos de crise foi o de um bingo eletrônico que, lá pelo ano 2000, estava provocando um enorme bafafá. Era o Poupa Ganha. Seu dono era um empresário piauiense, Paulo Guimarães. O negócio consistia em comprar espaços de publicidade na TV aberta, fazer as promoções e muita propaganda. Estava espalhado pelo país e rendia um dinheirão com as apostas.

Só que o dono era também proprietário de uma grande distribuidora de medicamentos e, àquela altura, havia sido instalada uma CPI para investigar o narcotráfico. Veja só que encrenca: certa vez, um lote de medicamentos de tarja preta havia sido extraviado. Tecnicamente, remédios são drogas. E a tal CPI queria vincular o pobre coitado (talvez rico coitado) ao tráfico de drogas, veja só!

A internet ainda estava dando seus primeiros passos. E o Piauí era ainda um lugar remoto, sobretudo para a mídia do centro-sul. De repente, aparece um empresário piauiense "suspeito" de tráfico de drogas (o extravio de um lote de remédios) e pronto: ele era tratado por alguns membros da CPI como traficante, e a mídia, sempre sedenta nessas horas, podia embarcar facilmente nessa viagem, sobretudo porque era secundada por suspeitas vazadas "em *off*", ou seja, sem autoria, por um parlamentar empoderado pela força de uma CPI. Claro, isso seria mortal para o bingo. Quem é que aposta no jogo de um traficante?

Para piorar, era vazado no zum-zum-zum da CPI, aqui e ali, que o "traficante" operava uma "pista clandestina" numa cidade do "interior do Maranhão", a 600 quilômetros da capital maranhense, São Luís.

Na verdade, a tal pista no interior do Maranhão era homologada pelas autoridades aeronáuticas e operada pela distribuidora. O "interior do Maranhão" — uma descrição maldosa e distorcida que servia apenas para sugerir um lugar remoto e obviamente suspeito — estava situada na cidade de Timon. Quem já foi a Teresina, capital do Piauí, sabe que Timon é uma espécie de bairro da capital piauiense. Geograficamente, fica no Maranhão, mas, na prática, faz parte da Grande Teresina.

Logo no começo, para mim, ser consultor de crise era atuar como uma espécie de assessor de imprensa de porta de CPI. Interagia diretamente com os repórteres escalados para a cobertura da comissão. O negócio deles era emplacar matérias. E a suspeita era realmente apetitosa, embora inspirada por interesses nada republicanos de alguns parlamentares que, de um lado, queriam aparecer na imprensa, enquanto nos bastidores mandavam recados e mais recados para o "investigado", empresário de sucesso. Para piorar, os concorrentes festejavam o infortúnio do adversário. E alguns veículos de comunicação, que pretendiam disputar o mercado do Poupa Ganha, estavam predispostos a veicular a suspeita nos seus noticiários.

Enfim, um nó difícil de desatar e com o qual convivi durante meses.

Lembro que um dia procurei um repórter que cobria a CPI e expliquei a ele o que estava acontecendo. Protocolarmente, ele disse que ia registrar "o outro lado". Eu reagi: como assim o outro lado? Não existem dois lados. O fato é um só: a pista não é clandestina e extravio de remédios não é tráfico de drogas.

Ele ouviu e, secamente, respondeu: "Tudo bem. Vou colocar na matéria como o outro lado, como argumento da defesa".

Ou seja, primeiro vinha a "suspeita da CPI", como fato principal, e a explicação era apenas um detalhe no pé da matéria. Quem é que pode ganhar uma batalha desigual como essa? Simplesmente não pode. Até porque a cobertura de CPIs é feita de Brasília e ninguém sai de lá para averiguar *in loco* uma "pista clandestina a 600 quilômetros de São Luís".

Nesse diálogo de surdos, decidimos tirar uma foto da pista num enquadramento que mostrasse a pista do aeroporto de Teresina. As duas estavam situadas a uns três quilômetros de distância. Alugamos um helicóptero. Era possível ver perfeitamente que a pista em questão era até maior e apta para receber aeronaves como Boeings. Passamos a mostrar a foto para os repórteres, assim como o boletim de ocorrência da Vigilância Sanitária que atestava o extravio dos medicamentos.

Com o tempo e as suspeitas crescentes quanto aos algozes parlamentares de credibilidade duvidosa, o tema foi perdendo força. O "traficante" era um empresário pragmático e, quando percebeu que um canal de televisão queria competir no mercado de bingos eletrônicos, achou que chegara a hora de acabar com o negócio. Fechou o bingo, pagou todos os fornecedores e apostadores e a polêmica desapareceu.

*(Curioso registrar que naquele Brasil não tão distante assim recebi meu pagamento à vista. Era como lidava com esse perfil de clientes para evitar calotes. Recebia o equivalente a seis meses de trabalho antecipadamente assim que me incorporava à causa. Cerca de US$ 50 mil, pagos em*

*reais. No dia em que fui receber, fiquei um tanto surpreso: o encarregado de me pagar apareceu com uma caixa enorme lacrada. Dentro, o valor estava dividido em notas de pequeno valor, amassadas, formando um grande volume. Daí me dei conta de que era dinheiro de bingo, com cédulas de um, cinco e dez reais bem amassadas. Parecia dinheiro de igreja. Era dinheiro do povo, arrecadado no Poupa Ganha. Levei a caixa para casa e, no dia seguinte, depositei em minha conta. Emiti a nota e a vida seguiu. Com o passar dos anos, esse país primitivo iria desaparecer do meu dia a dia. À medida que fosse trabalhando para corporações mais sofisticadas, o relacionamento bancário seria todo eletrônico. Ao longo de minha carreira, pude sentir que os avanços em termos de boas práticas bancárias realmente chegavam para ficar. Lembro o caixote de notas com uma certa nostalgia do que era trabalhar na minha nova profissão nos seus primórdios.)*

O "pedófilo" veio logo depois. Era assim que era retratado Carlos Santiago, paulista, dono da maior rede de combustíveis do estado de São Paulo, a Aster Petróleo. Naquela virada do milênio, a Aster aparecia como um fenômeno que incomodava as cinco grandes multinacionais de combustível que, havia décadas, dominavam o setor no país. A Aster possuía quase 300 postos no coração estratégico do sistema, a cidade e o interior de São Paulo. Havia crescido graças a um lance ousado do seu criador: ele conseguiu algumas decisões judiciais que dispensavam o pagamento de certos impostos dos combustíveis. Essa vantagem econômica ele usava para lubrificar e expandir rapidamente sua rede.

O cartel das empresas internacionais, espertamente, decidiu lançar uma campanha institucional com publicidade e amplo apoio de veículos de comunicação, alertando para o perigo dos postos que vendiam gasolina adulterada. Era uma campanha de utilidade pública, mas com o propósito econômico de tirar do mercado os postos que se utilizavam dessa artimanha.

Acontece que, no caso da Aster, não havia gasolina adulterada. Ela crescera vendendo bons produtos, turbinada pelas liminares que garantiam a ela margem maior e, portanto, maior capacidade de expansão, sobretudo no território do maior mercado consumidor do país. Então o que fizeram os concorrentes? Descobriram que o dono da Aster estava respondendo por algo ligado à prostituição infantil. Nada tinha a ver com a qualidade da gasolina, mas um "pedófilo" bem que vinha a calhar.

A história era realmente delicada. Certa vez, ele estava no mesmo lugar que uma garota de programa, que aparentava ser maior de idade. Mas a cafetina da moça estava com problemas com a polícia e armou-se um flagrante contra Carlos, que foi até preso. Atenção: Carlos foi inocentado ao fim dessa história toda, anos depois, mas, naqueles dias, a chapa dele estava assando.

O caso não era dos mais fáceis. Mas nosso esforço era demonstrar que a gasolina dos postos era de primeira e que eventuais questionamentos sobre o dono da distribuidora em nada prejudicavam os consumidores.

Eu achava o máximo viver essas complicações, confesso.

Logo depois dos postos, surgiu em minha vida um típico empreendedor brasileiro. Seu nome era Paulo Panarello, dono da Panarello, a maior distribuidora de medicamentos do país na época. Sua base de operações era Goiás, estado que havia atraído inúmeras empresas através de incentivos fiscais.

Eis que, de repente, surge uma CPI dos medicamentos e era preciso encontrar um vilão. Como os laboratórios farmacêuticos eram entidades internacionais, desde logo o governo decidiu que eles não poderiam ser molestados. Para não prejudicar a imagem do país no exterior. Sobrou então para as distribuidoras nacionais, Panarello à frente. Por ser a maior, era o maior alvo. As menores automaticamente se associaram aos deputados, oferecendo inclusive munição para demonizar a distribuidora líder.

Daí a distribuidora, convertida agora em "sonegadora", acabou se tornando o foco de atenção dos investigadores parlamentares. Quanto mais batessem nela, mais faziam o jogo das outras, que queriam se apropriar do espólio que estava em jogo.

Paulo Panarello, um goiano simples, com tino raro para o comércio, abrira a distribuidora na marra. Vivia totalmente dedicado à empresa e à família. Passamos por aquela tempestade, com muita dificuldade. Lembro do jatinho que ele tinha: o carpete tinha uma capa plástica. Um jatinho particular e plástico para proteger o carpete da cabine? Esse era o Paulo.

Ele foi depor na CPI. Não era nenhum tribuno. Falava como caipira e era tímido. A empresa estava tão mobilizada que os funcionários passaram o depoimento todo, transmitido pela TV, rezando, alguns de joelho.

O dono havia contratado um ex-secretário da Receita Federal que produziu bastante conteúdo que inocentava a empresa. O desgaste foi, aos poucos, diminuindo. Essa era uma guerra midiática de guerrilha. A empresa não era tão importante a ponto de ganhar muito destaque negativo, mas qualquer arranhãozinho doía pra burro.

Fizemos algumas alianças, naquele momento, com veículos de comunicação. Fizemos campanhas institucionais, propaganda. E, de vez em quando, uma matéria boa aqui ou ali começou a sair. Era o suficiente.

No auge da CPI, fizemos *road shows* em redações. O âncora Boris Casoy nos recebeu com grande gentileza e generosidade.

Anos depois, Panarello vendeu a empresa para uma multinacional. De hábitos simples, não ficou muito confortável com a fortuna. Gostava mesmo era de circular freneticamente pelas filiais, rodar o país em seu jatinho de carpete plastificado, negociar, comprar equipamentos. Com a aposentadoria milionária que conquistou, foi entrando em depressão. Até que um dia se suicidou de madrugada, jogando-se da varanda de seu apartamento de altíssimo padrão, em Goiânia.

Vivi muitos dramas de perto.

Eu os chamava de *case*, até um deles acontecer comigo. Passei a ver que aquilo era vida, a minha e a dos outros. Seja como for, essas experiências ajudaram a definir meu modelo de atendimento. E ainda tinha muita coisa para acontecer.

# RELAÇÕES **PERIGOSAS**

Corumbá, no interior do Mato Grosso do Sul, não muito longe da fronteira com a Bolívia, estava quente como o diabo naquele começo de outubro. A cidade fica incrustada num maciço de pedra em meio ao pantanal. Eu me lembro de alguém me falar que as piscinas ali — artigo de luxo — não eram escavadas: era preciso usar dinamite para construí-las. Imagine uma pedra encravada num lugar ardente. Eu estava ali na véspera da eleição de um amigo meu como senador da República. Delcídio do Amaral, que conheci anos antes como Delcídio Gómez, ou simplesmente Delta ou Talento, como sempre o chamei.

Fora visitar a mãe de Delcídio, uma pantaneira que poderia ser personagem de qualquer produção. Morava numa casa de madeira com palafitas, comuns no pantanal. Onça ali não era coisa de documentário: era parte da paisagem. Delcídio e a mãe eram uma substância só.

No dia da eleição, percorri as zonas eleitorais com ele, situadas na rede estadual de ensino. Saímos depois para Campo Grande, capital do estado, num monomotor tão vulnerável quanto apertado e escaldante. Lá, acompanhamos o dia. No final, Delcídio estava eleito.

O mundo do poder é cheio de relações acumuladas ao longo do tempo. Elas vão adquirindo significados, positivos ou negativos, à medida que as trajetórias pessoais seguem seu curso. É um jogo perigoso, sempre, mas é nas relações pessoais, na confiança, na admiração e, às vezes, na antipatia que uma parte desse torneio é disputada.

Naquele dia, em Corumbá, nem eu, nem Delcídio, nem ninguém poderia sequer supor que ele acabaria se tornando parte de um capítulo da história do país, como veio a se tornar, ainda mais na situação de desconforto de ter seu mandato arrancado por seus pares e se ver diante da inevitabilidade de se tornar um colaborador judicial. Aquela cena foi 14 anos antes disso tudo.

Conhecer há muito tempo, ter algum tipo de intimidade, isso pode fazer diferença, sobretudo nas crises. Durante elas, todos estão desconfiados de tudo e, se você de alguma forma possui uma credencial de conhecimento prévio, isso definitivamente não atrapalha. No caso de Delcídio, eu o conhecera na moagem, como ele dizia. Eu o acompanhei lá no início, quando íamos fazer corpo a corpo e distribuir santinhos nas ruas. Conhecia sua fiel companheira Maika e vi suas duas filhas ainda meninas.

A imparcialidade é tão difícil de encontrar no mundo, não?

Ele saber quem eu era e, sobretudo, como eu era tinha uma enorme importância para mim. Eu o ajudei em algumas situações ao longo de anos. E ele foi sempre carinhoso e generoso em termos afetivos e pessoais.

Estava em 2001 num restaurante no Leblon, Rio, quando o ainda diretor da BR, Delcídio, nos chamou para tomar uma decisão crucial. O PMDB, o DEM e o PSDB, além do PT, o queriam filiar para a eleição de 2002. Eu disse:

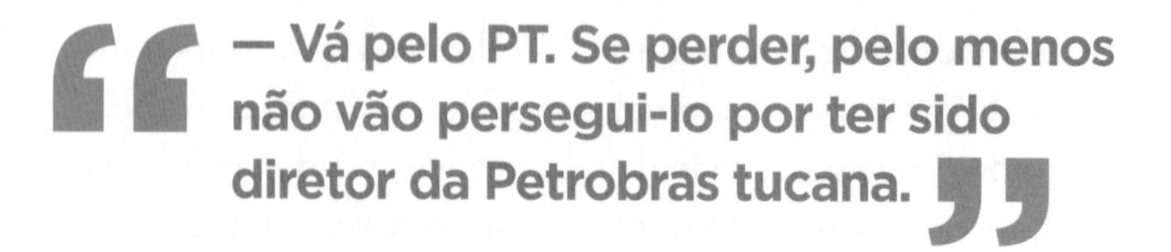

O PT era o porta-voz da moralidade então.

Delcídio acolheu essa linha. Virou secretário do governador sul-mato-grossense, Zeca do PT, e depois candidato ao Senado, e não é que, uma década depois, Delcídio se tornaria acusador numa colaboração judicial contra os desmandos da Petrobras petista? Surpreendentes os caminhos da vida.

No mundo da comunicação, que faz parte do mundo do poder e do mundo das relações humanas — e diria mais, do mundo do mundo! — milhagem conta. Não são relações técnicas e científicas. Por isso o consultor voava feito mariposa, de um lado para o outro. Não era algo sistemático ou pragmático. Era instinto: conhecia gente de todo tipo e, lá na frente, isso podia ser bom ou, pelo menos, podia não ser ruim.

Nas minhas relações com a imprensa, isso tinha o seu valor. Era a versão editorial do Banco de Favores: uma informação aqui, uma percepção acolá. Era importante ter também na imprensa gente que confiasse em mim.

Um jornalista amigo me lembrou a expressão americana que pode ser aplicável a caras como eu: *pundits*. Caras que oferecem para a imprensa suas opiniões e *insides* do poder ou da política, a partir de seu conhecimento dos meandros. Fernando Rodrigues, disparado o melhor jornalista de minha geração e a versão humana do Google (melhor, eu diria), chamava personagens assim de "cognoscentes". Muito chique, mas acho que mariposa também é uma boa definição.

O fato é que, para ser *pundit*, é preciso comer muita poeira antes.

Eu estava em Barcelona quando fui me encontrar com o empresário Gregório Marin Preciado. Ele tinha estado na imprensa um tempo antes como um alvo para atingir a candidatura de José Serra à presidência da República em 2002. Tinha estado também com Gregorinho, seu filho. Os dois abriram o coração. Quando voltei ao Brasil, Serra me chamou para ir ao seu gabinete de senador, em Brasília. Me olhou nos olhos para ter certeza de que eu não estava do lado da futrica, mas do dele.

**— Senador, quando eu tinha vontade de bater, eu estava na imprensa. Não estou mais. Isso já passou.**

Ao longo dos anos, sempre que me encontrava, Serra casualmente fazia um elogio como só ele sabia fazer, sobretudo na frente de terceiros:

**— O Mario? É perigoso...**

O cognoscente aqui, eu, redarguia:

**— Se eu fosse, o senhor não sabia...**

Noutra situação, lá vinha ele:

**— O Mario? É perigoso...**
**— Modéstia sua...**

Não era fácil a vida de *pundit*. Serra sempre foi o meu candidato eterno a presidente. Quanto mais o tempo passou, foi ficando melhor.

Fazer parte da paisagem era muito importante para se movimentar no poder. E poder não era só a política: era o mundo empresarial e da imprensa também. Tudo isso é poder. Um dia, um futuro ministro me procurou alarmado. É que havia gravações entre ele e uma morenaça que trabalhava com um doleiro. Ele estava com medo de que isso fosse parar num telejornal. Liguei para o repórter:

**— É só sexo. Não tem grana.**

O nome do cara não saiu. Noutra vez, dois deputados citados numa lista de doações de empreiteira pediam a minha ajuda sobre como reagir. Um deles também se tornaria ministro depois. Minha única recomendação foi "Dê a resposta através de sua assessoria". "A assessoria do deputado afirma que...". Não grave nem poste nada nas redes sociais. Esse tipo de fragmento, um dia, pode virar contra você. Respostas terceirizadas, nunca. Minha inspiração eram os bumerangues: lançar é fácil, mas tem que ver como volta.

*(Sempre acreditei na força da primeira reação. É como um diapasão: dá o tom do resto).*

Foi assim que me vi descascando abacaxis de todos os lados na política. Governadores em campanha ou em chamas, senadores, deputados, prefeitos. De graça, também, era covardia: quem podia competir?

Uma das coisas que políticos adoram falar de jornalistas é que somos fofoqueiros. Me coloquei aqui no "somos" porque os políticos também achavam isso de caras como eu: para os jornalistas, não somos mais jornalistas. Para todos os demais, nunca deixamos de ser. Achava que os dois lados estavam certos. Ou seja, não somos de nenhum lado. Como eu me via? Sem lado mesmo. Era a arrumadeira do motel, e não o dono, nem os fregueses.

Mas os políticos sempre deixaram claro, aqui e ali, que eu era futriqueiro. Eu sempre me defendia:

**"— Saí da faculdade de jornalismo absolutamente comprometido a só falar a verdade e a nunca fazer fofoca. Daí comecei a andar só com políticos, empreiteiros, criminalistas, acusadores e me tornei o que sou. De quem é a culpa?"**

Mantive um contato regular e prazeroso com José Dirceu. Acompanhei muitas de suas interações políticas e midiáticas ao longo dos anos.

No livro de Otávio Cabral, *Dirceu, a Biografia*, resenhado pela *Folha de S.Paulo*, sou mencionado numa interação com Dirceu. O episódio narrado no livro ocorre depois, bem depois, de Dirceu ter sido acusado de ser chefe de quadrilha do mensalão. Dizia a resenha da *Folha*:

"Ainda nessa fase, não faltaram atritos com Lula. O ex-presidente 'quer me proibir de ganhar dinheiro', teria reclamado Dirceu a um confidente, Mario Rosa. Este comenta: 'Lula tem razão. Imagina você com dinheiro como ia mandar mais do que ele no PT'".

Dirceu responde a sério, segundo Otávio Cabral: "E eu lá preciso de dinheiro para mandar mais do que o Lula no PT?".

Dirceu, abatido, era ainda uma força da natureza. Sempre respeitei José Dirceu. Alguns desinformados na imprensa publicaram inúmeras vezes que eu havia recebido recursos da empresa dele. Foi necessário que toda a estrutura empresarial dele fosse esquadrinhada nas quebras de sigilo bancário para que essa intriga perdesse qualquer veracidade: gostava de Dirceu e admirava a forma potente com que exercitava sua liderança. Éramos amigos, nunca patrão e empregado, o que sempre me honrou, por sinal.

Outro querido amigo era Paulo "Preto", Paulo Vieira de Souza, acusado de ser de tudo pelo pessoal do PT. Ele era do PSDB. Um dia, no meu perrengue, pedi a ajuda de Paulo e ele, como sempre, foi solidário. Mais do que tudo, aquele macho "alfíssimo" gostava de ser reconhecido pelo seu mais importante triunfo: ele era *Iron Man*, um superatleta. Ali, me deu uma grande lição:

**— Mario, você chegou ao cume do Himalaia?**

**— Himalaia?**

— Sim, o seu Himalaia.

— Acho que sim. Acho que cheguei.

— E você olhou bastante? Olhou tudo? Viu direito? Guardou a imagem na memória?

— Vi sim.

— Então agora começa a descida. Quase ninguém chega lá e quem chega só não sofre mais porque pelo menos ficou com a lembrança do que viu.

— Paulo, muito obrigado!

Uma vez o senador Lindberg Farias, um fenômeno do qual sempre fui fã, me pediu uma resposta no meio de uma carreata no interior do estado do Rio. Minutos depois, estava postada. Era um vídeo dele com muita emoção. Ele era ágil.

Noutra vez, num casamento do senador Romero Jucá, em Brasília, encontrei o então presidente da Câmara, Eduardo Cunha, durante a recepção. A paranoia era geral, efeito da Operação Lava-Jato, que acossava a política. Fui cumprimentá-lo. Eu o respeitava. Com a mão em concha encobrindo os lábios, ele demonstrou que estava alerta:

— Mario, estamos todos aqui sendo monitorados.

Garçons, intrusos, abelhudos podiam estar disfarçados em todo lugar. Era esse o clima.

Nos fins de tarde de sábado, fui recebido algumas vezes na Casa da Dinda, residência do ex-presidente Fernando Collor, senador então. Uma linda vista, baforadas de charuto (dele; não fumava ali), um anfitrião agradável e gentil e o fio condutor de sempre: rumores de bastidores.

José Roberto Arruda, um dos melhores governadores de Brasília, que foi estraçalhado, me chamou algumas vezes para conversar. Era uma fera ferida.

Participei, sem querer, dos bastidores da eleição de Severino Cavalcanti para a presidência da Câmara dos Deputados, em 2005. Severino foi a surpresa daqueles dias e sua eleição foi considerada um escracho, já que ele não era assim nenhum Winston Churchill. Caiu pouco depois, vitimado por uma acusação espalhafatosa.

Da campanha de Severino, ganhei um irmão: conheci o deputado Ciro Nogueira, considerado então o "príncipe" do baixo clero. Anos depois, ele cometeu a estultice de se candidatar a senador pelo Piauí. Não tinha a menor chance, era o quarto colocado e havia apenas duas vagas. Rodei com ele o estado. Me lembro de um comício numa noite em Uruçuí, bem ao sul daquela unidade da Federação. Comemos poeira. Ele foi eleito senador e depois se tornou presidente nacional de um partido. Confiava em mim e eu nele.

Um dos episódios mais inconsequentes em que me meti foi a pedido de Ricardo Teixeira. Ele tinha um amigo, de apelido Pororoca, que estava sofrendo um calor na CPI dos Correios, logo após o escândalo do mensalão. Pois bem: um dia me vejo levando o Pororoca à sede da rede Globo em São Paulo, onde Delcídio estava prestes a participar da gravação de um programa, *Altas Horas*. Cheguei com o Pororoca, passei pelo balcão, segui para o camarim e lá o apresentei a Delcídio, na época presidente da CPI. Disse que meu convidado era amigo de Ricardo. Se Delcídio não confiasse muito em mim, ia achar que tinha algum caroço naquele angu. Ficamos ali cinco minutos, Delcídio foi para a gravação e eu nunca mais vi o Pororoca, nem, claro, cobrei nada dele. Depois o Ricardo me ligou e disse que o amigo estava grato.

(Ah, sim: duas historinhas com empresários que vou declinar os nomes, mas revelam alguns aspectos de uma forma íntima de pensar, quando não estão posando para a imprensa.)

Uma vez, falei com um grande publicitário sobre um grande empresário que adorava um contencioso. Perguntei:

— Você acha que ele é bandido?

O grande publicitário trabalhava para a empresa arqui-inimiga do fã de contenciosos. Respondeu-me:

— Não, ele não é bandido!

Estranhei tanta generosidade:

— Não?

Emendou:

**“— O bandido começa batendo carteira, usando canivete. Daí junta um pouquinho, compra um revolver 38 e assalta uma padaria. Depois compra um 45, uma metralhadora e assalta um banco. Esse fulano não corre nem esse risco. Ele pede seu dinheiro emprestado, vai até a loja, compra uma arma, volta e te assalta. Rouba você com o dinheiro que deu a ele. Ele não é bandido. Bandido investe alguma coisa e assume algum risco. Ele não.”**

Doutra vez, um importante empresário havia morrido num triste acidente causado por ele mesmo. Fui conversar com alguém da família, alguns dias depois. Eu disse:

— É, fulano morreu...
— É, mas pelo menos morreu fazendo o que mais gostava de fazer...

Achei bonito o toque. E perguntei:

— Pilotar, né?
— Não, cagada...

Mudei de assunto.

Ser mariposa dos holofotes alheios é uma fonte permanente de aprendizado. Naquela cabine apertada daquele voo de volta de Corumbá, com Delcídio, imaturamente eu perguntei ao candidato que estava vivendo o dia mais tenso de sua vida política:

— O que vai fazer se perder a eleição?

Ele me respondeu qualquer coisa e esse episódio sumiu da minha memória. Mais de uma década depois, num jantar em Brasília com sua guerreira esposa, Maika, ela me lembrou aquela pergunta desnecessária que havia feito. Tinha estado com ele aqueles anos todos. Tinha corrido o estado em sua primeira campanha. Tínhamos inúmeras vivências. Mas, às vezes, um segundo vira a nossa marca para sempre. Mesmo que não tenhamos tido a intenção de incomodar.

Essas relações são perigosas não apenas porque envolvem fama, prestígio e poder. São perigosas porque mantê-las ao longo do tempo é um mistério insondável. Na aparência, transcorrem com leveza e suavidade, mas, emocionalmente, as mudanças de estado físico podem ser fulminantes e arrasadoras. Às vezes, dez segundos e uma frase perdidos no tempo podem ser suficientes para sublimar uma vivência inteira, como eu aprendi.

Freedom

# MINHA **CRISE**

## Casa de ferreiro... espeto de aço.

Quando minha crise se abateu sobre mim, tomei muitas decisões e indecisões baseadas na intuição, no impulso, na avaliação precária de consequências. Saí convencido de que, numa tempestade dessas, se você for muito afortunado, talvez possa controlar o manche do navio, mas ninguém controla as ondas nem as correntezas do mar. Parte das soluções é uma combinação de destino com, em margem bem menor, perícia.

Você vai ver como agi quando minha batata estava assando.

Naquele novelo cheio de nós em que eu estava, muitas coisas tiveram que acontecer para que a percepção inicial sobre minha atuação fosse ficando mais parecida com a realidade. Foram desdobramentos sobre os quais não tinha qualquer capacidade de influência.

Por exemplo, houve duas delações premiadas nesse período no meu caso. Uma, de uma querida amiga, Danielle Fonteles. Ela era dona de uma agência de comunicação digital, a Pepper. A empresa recebeu um pagamento na campanha presidencial de 2010 que não tinha nada a ver com o caso em que eu estava, a Operação Acrônimo.

Mas ela também estava nesse meu caso e fez uma colaboração judicial contribuindo para o esclarecimento de muitos fatos. A imprensa noticiou amplamente o conteúdo da delação. Meu nome não estava no meio.

Depois, foi a vez de um personagem central da Acrônimo falar: o empresário Bené, como era apelidado, a peça-chave das apurações. Claro, eu o conhecia, gostava dele, mas nunca recebera ou fizera pagamentos a ele, assim como também não à Pepper. Ele fez a colaboração premiada dele, a imprensa noticiou amplamente o conteúdo e também não fui mencionado.

Houve ampla cobertura na imprensa dos conteúdos dessas delações.

Casos complexos, principalmente os que envolvem aspectos criminais, são um organismo de múltiplos tentáculos. Seus próprios fatos são importantes porque, afinal, a verdade importa. Mas, no meu caso, foi preciso que desdobramentos terríveis e indesejáveis, ocorridos com pessoas que conhecia e de quem gostava, acontecessem para que o meu destino pudesse resistir. Não há ciência para isso. Os preceitos técnicos, a meu ver, têm o seu valor. Mas daí em diante, meu amigo, minha amiga, é a vida...

Sem muita pompa ou designações honoríficas, vejo hoje que segui bastante os manuais também. Estabeleci desde o início um comitê de gestão de crises à minha volta. Deparei com três *fronts* diferentes: mídia, política e jurídico.

Comecei contratando um conselheiro e gerenciador de crises para mim. Seu nome, Luiz Rila, um experimentado, discreto e confiável jornalista que me serviu de terapeuta, auditor, assessor de imprensa, amigo, analista político, conselheiro jurídico, confessor, guia espiritual. Enfim, foi para mim o que fui para outros.

A primeira decisão que tomei, no auge da ida da polícia à minha casa, foi facultar a Rila acesso integral a todos os meus documentos. Dei a ele minha senha do provedor da internet, para que ele lesse — uma a uma — todas as 15 mil mensagens que acumulara ao longo dos anos com todo o mundo, clientes, amigos, jornalistas etc.

Ele se debruçou principalmente sobre as duas empresas que me colocavam em minha trama e leu, linha a linha, as centenas de mensagens profissionais trocadas por conta daqueles atendimentos. Depois, imprimiu uma a uma e fez uma pasta para cada cliente. Ele me avisou que as mensagens tinham o que deveriam ter: troca de impressões e aconselhamentos profissionais, diante do impasse de cada dia. Nada além disso.

Noutra frente, pedi a Rila que se articulasse com meu contador e tivesse acesso a todas as minhas declarações de renda, todas as notas fiscais emitidas, todos os contratos, todas as guias de imposto recolhidas. Enfim, pedi que fizessem uma devassa em minha vida. Uma auditoria externa a meu respeito. Viu milhares de ligações de minha conta telefônica também.

Evaldo, meu amigo e contador, passou as férias de julho inteiras debruçado na mineração desses números todos. Preparou relatórios circunstanciados sobre cada questão. Como ele sempre foi psicopata na questão de recolhimento de impostos, estava tranquilo. Mas foi muito bom receber dele e de Rila um atestado de que, dali, não viriam problemas.

Veja como são essas coisas: como Evaldo sempre foi correto, achou que não precisava agir com paranoias. Dizia meu amigo Kakay que o pior cliente é o inocente. Porque, ao invés do inocente, o culpado se preocupa com tudo.

Falei com Evaldo que levasse aquela auditoria toda para meus advogados, para que eles guardassem no escritório e utilizassem na defesa, caso necessário. Alertei Evaldo de que ele poderia sofrer uma busca e apreensão também. “Eu? Mas não fizemos nada de errado?”, disse-me ele. Mas ainda assim pedi que deixasse aqueles conteúdos todos com os advogados.

Ele deixou pra lá, eu também. Em 1º de outubro, não apenas sofreu busca e apreensão em seu escritório de contabilidade e em sua casa como também condução coercitiva para depoimento. Fiquei muito triste com tudo aquilo. Pedi desculpas a Evaldo pelo transtorno. Ele ficou doido com aquela situação e acabrunhado por jamais ter imaginado que algo assim sucederia.

O lado bom é que todos os registros minuciosamente escavados por Evaldo e que atestavam a correção de minha vida fiscal estavam, agora, de alguma forma no âmbito oficial. E não por solicitação nossa. Foi inteiramente à revelia.

Essa questão de impor-se uma autodevassa — uma "auto-CPI" como chamava — sempre foi um mecanismo inicial que sugeri e realizei com os clientes. Quanto mais soubéssemos antecipadamente que tipo de contestação poderiam fazer contra meus consultados ou quanto mais pudéssemos firmar o discurso de absoluta inocência, tudo isso impactava antecipadamente o tom com que encararíamos os primeiros questionamentos e o modo como daríamos as primeiras respostas.

Estava acostumado, eu mesmo, a escarafunchar contabilidades, mensagens, fragmentos e contratos alheios. No meu caso, achei que deveria sofrer uma análise externa. Sem contar que, sinceramente, cutucar o próprio tumor dói infinitamente mais do que fazer uma punção no do alheio.

Assim, colocava em prática alguns princípios dos manuais, em meu próprio caso: um comitê de crises para me assessorar na eventual interface com a imprensa, uma auditoria externa de minhas transações financeiras. Ainda falta falar sobre o time jurídico. E sobre o político. Daqui a pouco.

No caso da imprensa, tirando aquela minha primeira entrevista no dia em que a polícia bateu em minha casa, nunca tomei mais nenhuma iniciativa nesse campo sem alinhar antes com meu consultor de crises, Rila, e meu "Mario Rosa" particular, Matheus Machado. Explico: o Matheus caiu na minha história como eu caí na de vários outros. Veio me ajudar espontânea e generosamente. Foi um repórter cascudo e depois virou o mais predador dos consultores jovens que conheci. Também me ajudou muito. Já sabia ali que — de graça — é o preço mais impagável que podemos cobrar de alguém.

No dia da polícia em minha casa, Matheus me ligou à noite para dizer que tomara a iniciativa de corrigir uma menção ao meu nome. O jornalista tinha postado no Twitter e me chamado de "lobista Mario Rosa". Disse-me Matheus: "Liguei para ele e pedi para corrigir: consultor Mario Rosa", me falou.

Eu trocei: "Do jeito que essa profissão de consultor está queimada, peça a ele para colocar 'lobista'. Fica melhor", brinquei. É que, com o escândalo da Lava-Jato, havia inúmeros personagens-chave que se intitulavam consultores. Um pouco de bom humor nessas horas ajuda.

Conversas ao telefone com repórteres? Primeiro o Rila. Conversas? Rila, depois eu. E assim evitei um pouco que o sentimento de falsa onipotência (por já ter vivido aquilo tantas vezes) me fragilizasse. Segurei minha onda. Ou melhor, quase.

Na hora em que aquela densa e atemorizante repórter da *Folha* me pediu a entrevista, vi que não tinha saída. Ela publicou a reportagem em forma de perguntas e respostas na *home page* do UOL naquele dia, com direito a reprodução de parte na versão impressa do dia seguinte. Eis o que falei. Ah, sim, você vai ler o que declarei ainda com o sangue quente, uma hora depois da ação policial que sofri. Foi sem preparo algum, espontaneamente.

**Consultor diz que trabalhou de graça para a campanha de Pimentel**

*Andreia Sadi — De Brasília*

O consultor Mario Rosa, dono da MR Consultoria, disse nesta quinta-feira (25) que contratou a Oli Comunicação, pertencente à primeira-dama de Minas Gerais, Carolina Oliveira, para que ela o auxiliasse numa das maiores "crises empresariais" dos últimos anos.

Ele pagou cerca de R$ 2 milhões para a empresa de Carolina — metade do faturamento da empresa dela de 2012 a 2014. Por uma questão contratual, Mario não revela os nomes dos clientes.

A Polícia Federal aponta os grupos Marfrig e Casino (controlador do Pão de Açúcar) como autores de repasses de R$ 595 mil e R$ 362,8 mil, respectivamente, para Carolina. Nesta quinta, a empresa de Mario foi alvo de busca e apreensão em Brasília.

Rosa nega privilégios com os clientes com contratos no BNDES — o banco estatal é subordinado ao Ministério do Desenvolvimento, à época comandado pelo governador Fernando Pimentel.

Rosa, que também é estrategista de comunicação, atuou como consultor informal na campanha de Pimentel. Ele diz ter trabalhado de graça.

"Tenho dois modelos de atendimento: os 'planos de saúde', que são as empresas privadas, das quais cobro mediante contrato, e os que chamo de 'SUS', que são todos os demais, os quais atendo de graça."

Leia abaixo os principais trechos da entrevista:

***Folha*** — Você é um gerenciador de crises dentro de uma crise.

**Mario Rosa** — Sou conselheiro de escândalos há 20 anos. Sou um carteiro que está no meio de uma zona conflagrada. Situação curiosa. Acabo sendo parte, mas penso assim, sem pretensão: se você é o Massa e está correndo na Fórmula 1 e ele cai, só cai porque está na Fórmula 1. Então, é um acidente de trabalho, faz parte do jogo. Todo o meu dinheiro é declarado, eu pago todos os impostos e emito todas as notas fiscais.

***Folha*** — Como foi a contratação de Carolina?
**MR** — Por uma questão de regra contratual, eu não posso mencionar os clientes privados que eu atendo, mas minha empresa contratou a empresa de Carolina quando ela não era agente público. Ela me ajudou muito numa das maiores crises empresariais e privadas da história do país nos últimos anos, prestou aconselhamento, ajudou a fazer avaliação de cenário, era muito bem relacionada na imprensa. E, nessa crise, no dia a dia, era importante monitorar ações de nosso contendor naquele momento, foi muito importante ter noção de imprensa naquele cenário. A solução desse conflito empresarial entre dois agentes privados foi solucionada em um ambiente privado. Não teve arbitragem de nenhuma instância pública.

***Folha*** — Mas Pimentel era ministro do Desenvolvimento na época.
**MR** — Carolina trabalhou na maior empresa de comunicação do país, me ajudou muito a conduzir um trabalho que exigia discrição, qualificação e muito profissionalismo. O trabalho foi feito mediante celebração de contrato entre a minha empresa e a empresa dela, com notas fiscais emitidas entre as empresas e todos os impostos recolhidos, dentro do que determina a legislação. Nunca recebi sequer um centavo de nenhum governo. Eu nunca tive contrato com a esfera pública.

***Folha*** — Você conversou com Pimentel sobre esses casos?
**MR** — Tratava com ela, eu a conheci numa crise de comunicação e lidei com ela como jornalista especializada em comunicação. Depois que ela saiu do governo e abriu uma empresa, aí fizemos contrato — que já terminou também. Foi apenas por um período específico também. Mas ela participou de reuniões com este cliente privado, eu a consultava várias vezes por dia, fazia telefonemas várias vezes por dia.

***Folha*** — Mas vocês não foram beneficiados pelo fato de Pimentel estar no Ministério do Desenvolvimento enquanto a mulher dele trabalhava com empresas que tiveram dinheiro do BNDES?
**MR** — Acho que o fato de ela ter tido trajetória profissional diferenciada permitiu que tivesse acesso aos principais formadores de opinião do país, e o que eu precisava naquele momento era alguém que me ajudasse a ver como os jornalistas estavam vendo essa guerra, ela me ajudava nisso. Era uma pessoa que era receptora de demandas jornalísticas e extremamente importante. Essa batalha empresarial que eu citei era entre agentes privados, o governo não teve participação nem favorável nem desfavorável. No caso específico, as relações pessoais dela não me ofereceram nem vantagem nem desvantagem.

***Folha*** — Carolina recebeu metade do faturamento dela por esses serviços.
**MR** — Ao longo dos dois anos e meio, minha empresa teve relação empresarial com ela. Posso garantir que meu faturamento nesse período foi muito maior que qualquer pagamento que eu tenha feito a algum outro parceiro meu no atendimento aos meus clientes.

***Folha*** — Você trabalhou na campanha de Pimentel?
**MR** — Eu sou chamado para dar aconselhamento para políticos de todos os partidos em situação de crises de comunicação. Campanha política é uma crise de comunicação, com dia e hora para acabar, que é o dia da eleição. Eu participei de decisões estratégicas e reuniões, mas eu jamais recebi um centavo da campanha de Pimentel, de nenhuma empresa ligada a nenhum dos investigados. Jamais recebi dinheiro de campanhas. Emprestei meu conhecimento, como participei de outras campanhas em 2014 também.

***Folha*** — Mas como? De graça?
**MR** — Tenho dois modelos de atendimento. Os "planos de saúde", que são as empresas privadas, das quais cobro mediante contrato, e o que chamo de "SUS", que são todos os demais, os quais atendo de graça. Eu treino minha mão: é como se fosse um perito forense. Nunca tive interesse comercial nessa área, mas curiosidade e aprendizado. As crises políticas são tão intensas e dinâmicas que isso me serve quando vou atender pessoas com problemas menos complexos. Sempre separei de maneira clara. Participava sem nenhum vínculo, doava o que era meu: meu tempo.

***Folha*** — Qual a relação do Bené com a campanha do Pimentel? E a sua com ele?
**MR** — Eu sabia que Bené existia, mas eu lidava com a equipe de comunicação. Temos relação de amizade, por ele morar em Brasília e eu também, mas não tem nada a ver com esse pessoal de Minas.

***Folha*** — Usou o avião de Bené?
**MR** — Devo ter voado, já peguei várias caronas.

***Folha*** — E com Danielle Fonteles, da Pepper?
**MR** — É minha amiga, sou amigo do marido dela. Mas jamais recebeu dinheiro meu e vice-versa.

Se há uma vantagem nisso? Vendo hoje, acho que apresentei ali minhas *key messages*, como o jargão chama as mensagens-chaves, os principais pontos de argumentação definidos numa crise. Quando você fala aquilo, precisa sustentar até o fim. Senão, vira contradição. Ali, meio premido pelas circunstâncias, apresentei meus argumentos. Não foram contestados ao longo do tempo por nenhuma revelação devastadora.

Falar, na eclosão de crises, tem alguns complicadores. O primeiro é que você eleva a vara do salto. Se o que disse não puder se sustentar, você reagiu bem no primeiro momento, mas criou um problema no decorrer do processo. O segundo é que falar sempre atrai para você uma atenção desproporcional, que não convém. Ficar quietinho tem suas vantagens. É, meu amigo, a vida é maior do que as teorias e o consultor aqui flertou com seu abismo conceitual naquelas horas.

Crises fazem seus neurônios terem sístoles e diástoles. Eles ficam pulsantes: seu lado avestruz quer colocar a cabeça dentro da terra. Seu lado chimpanzé quer pular de galho em galho. Difícil é conciliar esses impulsos contraditórios: é bom saber o que tem em volta. Mas há riscos demais de engolir substâncias tóxicas ao redor ou de envenenar-se a si mesmo. Fiquei com uma estranha sensação, alguns dias depois de meu problema, quando fui almoçar com um sujeito que surgiu do nada. Falei, falei, falei. Fiquei, depois, com a impressão de que havia sido gravado. Quase certeza. Verdade? Delírio? Crise.

No campo político, também tive de suar a camisa. É que havia uma tal CPI do BNDES, que apurava eventuais questionamentos sobre o banco estatal. Como o caso a que estava vinculado guardava alguma correlação com a instituição, um deputado resolveu me convocar para prestar esclarecimentos. Havia uma guerra entre o PT e o PSDB. O governador de Minas era do PT. Então, o pessoal do outro partido queria criar um calor. E eu no meio disso...

Lembra-se do EJ? Lembra-se de muitos amigos que ajudei na vida? Banco de Favores. Comecei ligando para um sujeito que adorava, Paulo Vieira de Souza, o "Paulo Preto". Fora acusado de tudo no passado, depois de sua passagem pelo Departamento de Estradas de Rodagem de São Paulo, no governo Serra-Aloysio Nunes. Era meu amigão e eu era fã dele. Expliquei a ele:

**— Eu nunca fui ao BNDES, não conheço ninguém lá, nunca recebi dinheiro do banco. O que eu vou fazer numa CPI dessas? Vocês estão agora convocando assessores de imprensa que nunca tiveram nada com os órgãos investigados?**

Paulo, na hora, se solidarizou. Eu ainda dei argumentos adicionais:

— Saiba que, se ele fizer a avaliação correta e não me colocar numa situação dessas, pelo resto da vida vou ser grato a ele. Mas, se fizer a avaliação contrária, eu vou entender. Mas, pelo resto da vida, vou falar para os meus filhos e meus netos que, uma vez, aquele senhor tentou destruir o seu pai e seu avô. Eu prefiro ser grato, sinceramente.

Liguei para Eduardo Jorge, liguei para diversos líderes da oposição que estavam fomentando a CPI. Eles me conheciam e me apoiaram. Sabiam que eu não tinha nada a ver com aquilo. A todos eles, minha eterna gratidão. Percebi um deles ressabiado, porque falava ao telefone. Eu falei:

— Meu amigo, eu não estou fazendo nada de errado. Não posso fazer nem o *autolobby*? Me defender de um absurdo?

Ele concordou e relaxou.

Houve lá um sabujo que, para fazer vassalagem, escreveu um documento não oficial citando meu nome. Tentava servir seu guia, que o abandonou no meio do caminho. Enquanto eu viver, jamais vou esquecer aquela molecagem.

Tive muita sorte com meus defensores. Nas primeiras horas, dias e semanas, meu Samu particular foram os advogados Ticiano Figueiredo e Pedro Ivo. Foram eles que consolidaram os primeiros diagnósticos e me deram a paz de que minha base factual era sólida. Me atenderam com enorme competência. E de graça — eu já tinha visto isso...

Conheci muitos magistrados ao longo da vida. Alguns deles, em caráter informal e apenas em tese, eu consultei sobre minha situação. Não estavam direta ou remotamente ligados ao caso. Achei que não havia problemas. Queria ter o olhar de um juiz. Todos, depois de verem meus documentos, me tranquilizaram. Um amigo, advogado e ex-presidente do Superior Tribunal de Justiça, generosamente cedeu horas e horas de sua atenção olhando meu caso. Deu-me um conselho que segui à risca:

> **“— Não faça nada que você nunca fez e não deixe de fazer nada que sempre fez.”**

Depois, recorri a um dos maiores sábios que conheci, o advogado Aristides Junqueira, que foi procurador-geral da República. Desabei na sala dele um dia com minha papelada e a fala sem fim dos réus clamando inocência. Ele me ouviu pacientemente, por horas. Pedi a ele que patrocinasse minha defesa. Ele, mineiro, pediu um tempo para pensar. Uns dez dias depois, me recebeu de novo. Aceitou me defender.

Achei que sua aceitação era mais do que tudo uma sentença: rigoroso e com uma biografia eloquente, ele não aceitaria defender alguém que considerasse verdadeiramente encrencado. O valor dos honorários, quase simbólicos, também atestava essa minha sensação. Ele e sua competente assistente, Luciana Alvarenga, passaram a ser meu porto seguro. O estilo deles era o que mais apreciava: nada de marolas, nada de adrenalina. Melhor assim. Deixei esse peso com eles e a vida seguiu.

# ALMA
# **FERIDA**

Estava numa pequena procissão de helicópteros. Voltávamos da cidade de Mariana, em Minas Gerais, após fazer um reconhecimento aéreo da região. Alguns dias antes, uma tragédia ambiental ocorrera ali e ceifara a vida de 18 pessoas, além de outra desaparecida. Foi apenas uma das consequências, a mais dramática, do rompimento da barragem de Fundão.

Eu estava a serviço da companhia Vale do Rio Doce, uma das maiores exportadoras de minério de ferro do mundo e uma das duas controladoras — junto com a australiana BHP — da Mineradora Samarco, responsável pela barragem que rompera. Enquanto sobrevoávamos, olhava aquele cenário silencioso, monumental e que nos deixava ainda mais conscientes da insignificância humana perante a vastidão de tudo.

Na volta para Belo Horizonte, naquele novembro de 2015, vinha pensando em outra tragédia que acompanhara de perto. Tragédias humanas, quando envolvem perda de vidas, são sempre únicas, independentemente da dimensão. Toda vida é única e, nesse sentido, sua perda, infinita. Era nisso que pensava antes de chegar para avaliarmos os próximos passos em relação àquele grande acidente. Iremos tratar disso mais adiante.

Por ora, eu estava observando as imponentes montanhas das alterosas, naquele fim de tarde, e me lembrava do sofrimento contido de Fernando Cavendish, três anos antes.

Falamos ao telefone poucos minutos após ele ter perdido a mulher, a cunhada e os amigos mais íntimos num desastre de helicóptero no sul da Bahia. Ele só não morreu porque ficou de ir na viagem seguinte para sua casa de praia. Na falta do que dizer, na surpresa daquele momento, cometi a tolice de tentar ver algo positivo na situação. Era meu cacoete de consultor de crise: sempre tem um lado bom. Queria confortá-lo de algum modo, mas soei estúpido. Ele me disse depois que, das conversas que teve naquela noite pavorosa, só se lembrava de meu aloprado telefonema.

Fernando Cavendish foi dono da Delta Construção, um cometa empresarial que alcançou seu auge no final da primeira década do século XXI. Trabalhei com ele nas terríveis crises que enfrentou. Crises em todos os campos, de todas as formas, de múltiplas dimensões. Nunca vi um sujeito tão forte. Viramos amigos pra sempre. Quando escrevia este livro, houve um mandado de prisão de Fernando, por conta das acusações de anos antes. Ele estava fora do Brasil e, de onde estava, ainda teve o carinho de mandar um recado:

> **— Meu amigo. Saudades suas!!!! Estou de volta para a terra natal em breve e gostaria de mandar um abraço. Até porque saudade é um sentimento que é regado pelo silêncio...**

Respondi:

> **— Saudades suas!!!!**

Confesso que senti a tristeza do ser humano que estava indo encontrar seu destino, mas fiquei feliz por ser destinatário de um dos poucos *e-mails* que deve ter enviado naquele dia difícil.

A Delta sempre foi esfaqueada aqui ou ali no noticiário devido a seu crescimento súbito. O então governador carioca, Sérgio Cabral, estava na crista da onda e a Delta também. Isso atraía a ira dos concorrentes e a empresa era um alvo político valioso para fustigar com notinhas, reportagens, perfis (que servem mais para queimar e expor do que para descrever, no caso de fornecedores do governo). Isso tudo era do jogo.

No desastre que deixou o empreiteiro viúvo, a Delta entrou definitivamente no radar da imprensa. Ao lado do drama pessoal, Cavendish teve que administrar a súbita visibilidade e o embaraço político que a circundava.

O então governador do Rio, Cabral, estava junto com o empresário no dia da tragédia. O governador havia seguido para lá de carona no jatinho de um ícone brasileiro da época, o megainvestidor Eike Batista. Então, somando tudo — desastre de helicóptero, vítimas fatais, revelação de um fim de semana de confraternização doméstica com um governador de estado (e cliente de Cavendish) — era um coquetel explosivo.

Mas o pior ainda estava por vir: um bicheiro de Goiás, Carlinhos Cachoeira, foi flagrado em inúmeras gravações feitas a partir de celulares "confiáveis". Um dos seus constantes interlocutores era um executivo da Delta no estado. A empresa caiu no olho do furacão. Houve CPI e, no meio disso tudo, cobertura diária das TVs, capas de revista e a fornalha de reputações de sempre.

A Delta era um dos alvos principais da CPI. Já é difícil administrar situações como essa, mas o golpe de misericórdia apareceu na memória de um celular da ex-esposa, então morta.

Alguém muito próximo a ela recolhera o aparelho e o entregara para um adversário da política carioca. Havia ali dentro um vídeo de Fernando comemorando o noivado, anos antes, com a futura falecida, numa mesa de um restaurante chique em Paris. Na mesa, os noivos e o governador carioca. Era uma associação a mais da relação entre o político e o empresário.

Como não fosse pouco, havia fotos de uma comemoração, também em Paris, em que secretários de estado e autoridades confraternizavam com o empresário. Todos com guardanapos na cabeça. Virou a "festa do guardanapo" e varreu o noticiário. Simbolizava a promiscuidade do poder público com uma empresa visada.

Essa agitação toda culminou na ida de Fernando à CPI. Ele obteve o direito de permanecer calado, mas houve negociações prévias para que não fosse submetido a constrangimentos ou exageros desnecessários. Foi, sentou e saiu em menos de dez minutos.

Naqueles meses sombrios, tudo podia acontecer. Certa vez, tomamos a iniciativa de procurar a CPI para entregar os contratos da empresa. Era uma forma de nos anteciparmos e demonstrarmos que queríamos colaborar para o esclarecimento dos fatos.

Para frisar esse aspecto, colocamos aquelas folhas numa caixa enorme com a logomarca da Delta. O presidente da companhia circulou com aquele cubo insólito pelo Congresso e ela se tornou no grande ícone da cobertura daquele dia: a caixa da Delta.

Às vezes, factoides ou produção de ações simbólicas podem hipnotizar a mídia. Foi o que aconteceu. A simples entrega dos documentos do protocolo talvez não criasse aquele ápice, aquele apelo dramático. Uma caixa de papelão de menos de dez reais ajudou um pouco aquela alma ferida naquele dia.

Alguns chamam isso de manipulação. Eu acho que é uma forma de linguagem. Quando se entende o idioma da mídia, pode-se conversar com ela através da produção de fatos simbólicos que só ela entende. Às vezes, isso fala mais do que tudo o mais.

Com o passar do tempo, Fernando foi forçado a vender sua ex-promissora empresa. Abriu mão de seu sonho, mas aguentou diversos sofrimentos, sem ressentimentos, sem aparentes traumas. Fernando era forte.

Não conheci Eike Batista quando ainda resplandecia, a pino, o sol da logomarca de seu grupo X. Em seu auge, Eike figurara na lista da revista americana "Forbes" como a sexta maior fortuna do mundo, "a caminho do primeiro lugar", conforme alardeava.

Seu conglomerado era formado por empresas de exploração de gás e petróleo, mineração, estaleiros, terminais portuários, hotelaria e uma longa lista de setores. Era o símbolo do milagre econômico lulista. Como na época em que fui jornalista da madrugada na televisão e só entrava no ar caso alguma tragédia dramática acontecesse antes do telejornal matinal, só tive o privilégio de conhecer Eike Batista quando o império daquele gigante já estava em sua hora crepuscular.

O Eike que conheci era um general cansado de tantos reveses e que queria reencontrar a sorte na batalha. No auge, Eike Batista triunfara com sua poderosa capacidade de convencer o mercado e o sistema de que suas múltiplas apostas empresariais estavam fadadas ao sucesso.

Fui levado a ele por um italiano simpaticíssimo de suas relações, profissional do ramo capilar. Esse amigo fez o meio de campo e, no dia certo, adentrei os domínios de sua icônica casa no Rio de Janeiro e quartel-general de um momento exuberante de nossa economia, no qual ele seria capaz de praticamente triunfar em tudo.

A casa era surpreendentemente sem qualquer traço demasiado de luxo ou afetação. Com meu já razoavelmente desenvolvido olho de empregado doméstico de bilionários, eu chamaria de austera até.

Deslumbrante mesmo era a vista espetacular do Cristo Redentor, sob o qual a mansão estava privilegiadamente alojada. No passado, a casa de Eike virara notícia por conta dos hábitos excêntricos do proprietário: jazia estacionado na sala um chamativo carro de alta velocidade. No mundo de Eike, a admiração pela poética engenharia das máquinas era patente. Eu vi com meus olhos uma enorme turbina de uma lancha de competição abaixo do caracol da escada. Coisas de Eike.

Não muito tempo depois, o grande Eike me convidou para ir com ele até a capital da Colômbia, a bordo de seu Gulfstream, um castelo dos ares, ainda em uso após seu império começar a fenecer. Um amigo meu, curioso, na época me perguntou como era a vida de Eike depois do baque. Tentei explicar como pude:

**— Olha, o Eike na miséria é muito parecido comigo cheio da nota. Muito parecido mesmo...**

O voo durou mais de cinco horas. Fomos conversando e voltamos no mesmo conchavo. Eike procurava entender onde toda a confusão política de sempre iria dar. E falava de seus novos empreendimentos na área de tecnologia e também de uma espécie de Viagra sublingual, na forma de uma fina lâmina de gel que se dissolvia.

Havia um calo na paciência de Eike naqueles dias. Ele não sabia ainda como lidar com uma biografia sobre ele. Seus ex-executivos, muitos deles respaldados pelas declarações sob anonimato, estavam escancarando lembranças e descascando o ex-chefe. Eike achava que a história dele não cabia em nenhum livro. Tentei mostrar o lado positivo:

— Toda biografia é a favor.

— Você acha mesmo?

— Claro, só é biografado quem se destacou muito no que fez. Hitler não era um genocida. Era o genocida. Pablo Escobar não era um traficante. Era o traficante. Então, se vão falar de você, bem ou mal, só vão falar porque você foi o cara.

Era o que eu achava mesmo. Uma coisinha aqui ou ali negativa podia escapar. Mas, na essência, o que leva uma pessoa a ser merecedora de uma biografia é a magnitude de sua aventura humana.

Naquela viagem, participei de uma negociação que me mostrou que Eike era uma fera ferida, mas uma fera, acima de tudo. Ele adquirira anos antes o controle de uma mina de carvão na Colômbia. Com a crise do grupo X, vira-se na contingência de assinar um contrato, vendendo o ativo por um preço bem abaixo do que imaginava valer.

Pois bem: o investidor indiano, que havia comprado aquele tesouro, estava convicto de que Eike precisava queimar patrimônio — e queria tirar algum tipo de vantagem adicional da situação. Eike, por sua vez, queria mesmo era recomprar o que havia vendido. Acompanhei as mais de cinco horas da árida negociação em inglês. Eike facultou-me a presença como uma deferência especial.

Os dois machos alfa postavam-se, ali, fazendo a dança do acasalamento. No final, Eike desfere um escracho elegante e contundente, assim como que sem querer: oferece na saída alguns de seus géis sublinguais tipo Viagra para o oponente, o formal e cerimonioso indiano:

— Você precisa provar. Tome...

E Eike derramou envelopinhos do seu Viagra na mão do, até aquela altura, viril negociador. Nunca vi alguém ser questionado em sua potência com tanta simpatia. Risos amarelos se seguiram do outro lado. Eike, definitivamente, tinha um abrasivo brilho solar.

Quantas vezes, ao longo de tantos anos, não vi a mesma fisionomia arregalada de um vencedor acuado? Perdi a conta. Lembro-me do dia exato em que conheci o dono da empreiteira GDK, lá pelos idos do escândalo do mensalão. Sua empresa entrara naquilo porque oferecera uma Land Rover de presente para um prócer do Partido dos Trabalhadores. Como tinha interesses diretos na Petrobras, a GDK estava na linha de tiro. Seu dono, que sempre fora bonachão e cheio de alegria de viver, estava atordoado, olhos arregalados. Passamos por aquilo juntos, uma longa e desgastante jornada.

Quando conheci o então presidente do HSBC no Brasil, eu acabara de ser contratado pelo banco para auxiliar na condução do chamado Swiss Leaks. Um ex-executivo do banco na Europa havia compartilhado com um consórcio internacional de jornalistas os arquivos da instituição na Suíça e os correntistas estavam expostos na mídia. Muitos deles não tinham declarado aqueles créditos em seus respectivos países. No Brasil, essa lista serviu de base para a CPI do HSBC. Há poucas coisas piores para qualquer marca do que batizar o nome de uma investigação parlamentar.

O presidente do HSBC no Brasil nada tinha a ver com nada: ele não tinha acesso a nenhuma base de dados do banco em outro país, como é obvio que não poderia ter. Logo aqueles nomes todos que surgiram eram tão surpreendentes para ele quanto para qualquer leitor. Você acha que o HSBC da Turquia tem acesso à lista de correntistas do banco na Suécia e assim por diante? Claro que não. E o HSBC Brasil nada tinha a ver com a operação do HSBC Suíça. Tinham de comum apenas o fato de compartilharem a mesma marca. Mas eram instituições totalmente diferentes.

O que isso queria dizer? Que a convocação do presidente do HSBC no Brasil para a CPI fazia todo o sentido político, mas não poderia gerar nenhuma consequência prática. Das operações de fora do país, ele não podia falar nada por desconhecimento. Das operações de dentro do país, ele também não podia falar nada, por conta do sigilo bancário.

Coube a mim esclarecer essa situação. Uma vez, falei com o relator da CPI sobre esse nó, destacando que não havia má vontade do presidente do banco. Era absoluta falta de condições de colaborar. O senador Ricardo Ferraço sabia perfeitamente bem disso e conduziu a inquirição do presidente do banco com profissionalismo e equilíbrio. Todos os integrantes da comissão adotaram uma postura que honra as melhores tradições do espírito público.

Nessas horas, o tamanho da dor não tem a ver necessariamente com o tamanho da ferida. Uma das preocupações do presidente do banco, um profissional de mercado, era "manchar" seu Google.

Pode parecer café pequeno quando comparado com os problemas enfrentados por outros nestas memórias, mas para ele era motivo mais do que suficiente de preocupação.

Aliás, numa das reuniões preparatórias para o depoimento na CPI, na sede da empresa CDN em São Paulo, o consultor de crises chutou o balde. É que os advogados, muito cautelosos, estavam antecipando cenários teóricos do que poderia acontecer na CPI: se alguém gritar, se xingá-lo disso ou daquilo, se chamá-lo de mentiroso, se ameaçar com alguma medida radical...

Como exercício teórico, era uma contribuição importante. Mas o presidente, que era muito cioso e não tão afeito ao ambiente da política, foi ficando tenso e estressado, imaginando tudo o que podia acontecer. Nessas horas, uma das funções de um consultor de crises é dar a noção mais exata possível do que é provável. Muitas vezes, isso significa furar o balão da paranoia:

> **— Olha, presidente, o senhor não está indo lá como investigado nem como um correntista que não tem como justificar sua conta. Então, no limite, se encherem o seu saco, o senhor pede demissão ali na hora, começa a falar mal do banco e pede licença a todos porque, desse momento em diante, o senhor não tem mais nada a ver com o objeto da CPI.**

Era importante dar um balizamento para aquele profissional. Essa referência extrema deu segurança a ele. O consultor de crises não é um agourento. Muitas vezes, é o que espanta maus agouros para tranquilizar quem precisa entrar no ringue.

Numa daquelas circunstâncias curiosas que cruzaram meu caminho, certa vez fui contratado para ser uma espécie de produto de conveniência bancária.

Ivo Lodo, dono do banco BVA, foi um dos caras mais agradáveis e corretos que conheci neste mundo. Quando me chamou, pensei que fosse para servir de "bombeiro" dele mesmo, já que o BVA estava sempre sendo alvo de sussurros na imprensa e no mercado de que seria a bola da vez. Acabou sendo, mas bem depois.

Lodo me chamou para que, além de ajudá-lo com algumas questões de imagem do banco, eu fosse uma espécie de "diferencial" da instituição para clientes especiais. Ou seja, ia ganhar para ser apresentado a alguns dos grandes correntistas. Da mesma maneira que algumas seguradoras oferecem serviço de guincho e de chaveiro, aquele banco oferecia a possibilidade de um atendimento pontual de um consultor de crises para clientes especiais. Achava o máximo.

Uma vez, Lodo me pediu que fosse atender um dos maiores aplicadores do BVA na época. Era um benefício do cartão especial do banco, que provisionava consultores de crises para alguns de sua carteira.

O correntista estava com um problema de imprensa: o jornal *Folha de S.Paulo* havia enviado questionários a diversas empresas perguntando se elas haviam ou não contratado os serviços do ex-ministro Antonio Palocci, antes de ele se tornar uma figura proeminente do governo. Andamos pelo fio da navalha naquele caso.

Uma empresa daquele grupo empresarial tinha contratado, sim, a consultoria do ex-ministro, disse-me o controlador e correntista ilustre, a quem só atendi naquela ocasião. Mas não era a empresa específica que o jornal indagava. "A empresa tal contratou o ex-ministro?" Respondemos: "Não", secamente.

Era absolutamente verdade, mas, se o jornal fosse mais direto em relação à empresa correta ou fosse abrangente na pergunta para questionar se "alguma empresa" havia contratado, iríamos responder que sim, é claro.

O que esse caso mostra é que, muitas vezes, os próprios alvos de desgaste na imprensa cavam sua sepultura. Muitas vezes, acontece de um jornalista "jogar um verde", perguntar ou afirmar algo de que não tem prova e obtê-la justamente com a admissão antecipada do questionado. Era sempre muito atento a essas minúcias.

Nas minhas palestras por aí, para times de comunicação muitas vezes acuados pelo desgaste da relação com jornalistas sempre críticos, costumava confortá-los com uma comparação positiva.

Da mesma forma que ninguém hoje em dia contesta a lei da gravidade, no Egito antigo ninguém contestava que o faraó era um deus vivo. A premissa fundamental daquela sociedade é que esse deus vivo, depois de morto, voltaria para se reconhecer em sua máscara mortuária, para assim continuar vivo pela eternidade. A imagem, assim, era um fio condutor para a eternidade do deus/faraó.

Nesse sentido, as pirâmides eram muito mais do que uma construção física: eram um veículo de comunicação para preservar uma imagem sagrada e transmiti-la através da eternidade, a imagem do faraó.

Assim, aqueles sacerdotes que aplicavam as gazes sobre a múmia não eram manipuladores nem criadores de mitos. *Spin doctors* nas catacumbas? Creio que não. Faziam um trabalho não profano, mas espiritual, ao ajudar a preservar a imagem daqueles a que serviam. De outras formas, com outros nomes e rituais, acho que fazemos o mesmo até hoje.

Noutra comparação, acho que os chefes das tribos sempre decidiram o destino de seus liderados e a mobilização para a guerra. Mas eles contavam também com os pajés, consultores que, de alguma forma, dialogando com o invisível auxiliavam os chefes sobre qual dia seria o mais abençoado para começar a batalha. Praticavam em suas tendas o que ainda se faz nas tribos corporativas de hoje: o ritual sempre misterioso das decisões.

Aquele dia em Mariana tinha sido intenso.

Tinha ido acompanhar a equipe jurídica e de comunicação da Vale num dia especialmente importante. O presidente da empresa,

Murilo Ferreira, e o presidente da BHP, Andrew Mackenzie, estavam indo pessoalmente ao lugar da tragédia. Queriam mostrar o comprometimento dos dois acionistas da mineradora Samarco, sinalizando que iriam assumir as responsabilidades cabíveis para superar o episódio. Acompanhei a preparação das falas de cada um. Também estava no local da coletiva e, depois, no sobrevoo em torno da barragem que havia cedido.

A grande questão é que a Samarco possuía uma autonomia gerencial quase que absoluta. Por regras rígidas de governança, nem a Vale nem a BHP podiam se envolver diretamente no dia a dia da companhia. A Samarco era reconhecida mundialmente pela excelência de seu quadro técnico e por suas práticas de gestão. Mas...

Quando o desastre aconteceu, a Samarco era uma marca frágil demais para proteger as gigantes que a controlavam, Vale e BHP. As duas eram muito mais fonte de curiosidade e, portanto, de notícia. Não havia sido um problema da Vale, mas, na mídia, muitas vezes, era como se fosse.

Nessas horas, é preciso ter uma capacidade intensa de lidar com adversidades que surgem de repente. Os dois presidentes, ali, queriam e poderiam facilmente ter anunciado um fundo de R$ 1 bilhão para socorro das vítimas. Seria um primeiro compromisso, sem prejuízo nenhum de futuros aportes. No dia seguinte, esse seria o fato mais forte.

O problema é que nem sempre a comunicação em crises se pauta pelo mais lógico, mas pelo mais adequado. Assistentes da área jurídica entenderam que o anúncio daquele fundo poderia envenenar a relação com as autoridades que estavam conduzindo as investigações. O que era melhor: ir para uma coletiva sem um fato forte para anunciar ou anunciá-lo e criar um problema a mais entre os tantos existentes?

Aquela entrevista de dois líderes empresariais de peso teve de se circunscrever a manifestações mais vagas, tendo em conta a necessidade de criar uma base de confiança e não contaminar já desde o início um mínimo de interlocução com os operadores do direito. Quem assistisse à entrevista do ponto de vista da imprensa veria uma sessão meio sem sal. Não houve nenhum anúncio de impacto, nenhuma decisão de grande repercussão.

Olhando, porém, a partir do jogo como um todo, a cautela retórica era a melhor coisa a fazer.

Crises de comunicação são ambíguas e, muitas vezes, não podem ser medidas por sua superfície: decisões teoricamente acertadas se mostram precipitadas e insustentáveis tempos depois. Certas prudências, sem muita eletricidade aparente, podem não produzir o frenesi nas audiências ou nas manchetes, mas podem fazer parte de um jogo de pôquer que só quem está dentro sabe o porquê. Era o caso, naquele dia. Acho que os dois líderes fizeram o melhor que podiam.

Poucos casos em que atuei evidenciaram tanto, como aquele, as contradições entre o que as recomendações teóricas diziam e o que as necessidades práticas impunham. A direção da Vale foi pressionada a tomar a "iniciativa" e teve que medir escrupulosamente suas ações, decidindo pelo mais difícil nessas horas: sofrer e apanhar calados, quando havia muita a coisa a fazer e a dizer.

No fim de 2015, a empresa estava sob forte pressão de investidores para que se defendesse, para que tomasse a iniciativa na comunicação. Mas o mar de lama que saíra da barragem de Fundão ainda vagava por 600 quilômetros do rio Doce e se dispersava no oceano. Já imaginou o que é uma mancha de quilômetros de lama se deslocando ao longo de inúmeras cidades em dois estados, atingindo a vida de centenas de milhares de pessoas ao longo do caminho e provocando crises de todo tipo, além de ser um espetáculo de imagens impactante?

A "lama" da Samarco era notícia o tempo todo. E muitos achavam que a Vale precisava fazer alguma coisa no meio daquilo.

Nessas horas, o time interno de comunicação sofre uma pressão extra. Eles lutaram bravamente. Aquele era um problema para o qual não havia mágicas. Qualquer factoide e a situação poderia ficar ainda pior. Meu papel, nos telefonemas diários e longos ou nas reuniões presenciais, era o de reforçar o diagnóstico de que o tempo iria, literalmente, dissipar aquilo tudo.

Lembro-me de que certa vez fui chamado a fazer uma apresentação para o comando da companhia. Havia quem imaginasse que a empresa deveria fazer um grande investimento de publicidade para se recolocar diante do incidente. Achei que não era a melhor opção. Como fazer propaganda se não havia ainda um plano claro para remediar os acontecimentos?

Então, abstratamente, vendo-se de fora, fazer "alguma coisa" era o apropriado. De dentro, poderia agravar um quadro já delicado. Assim, a companhia teve a firmeza de continuar sofrendo calada, sentindo a alma ferida e aguardando a hora de poder reagir.

(A propósito, o caso era impactante, mas ao mesmo tempo sem uma imagem humana comoventemente dramática. Explico: no drama dos refugiados sírios, a imagem de um menino morto na praia impactava o mundo sintetizando o sofrimento daqueles que tentavam a travessia para a Europa. Não houve uma imagem assim no caso Samarco. Havia a devastação impressionante do turbilhão de lama, o que conferia ao caso um traço mais ambiental do que especificamente humano. Um morto, menino, comovera mais o mundo do que o jorro de lama que ceifara 19 vidas. A matemática das crises não é exata. Lidar com isso é sempre um desafio para quem as enfrenta.)

Planos de crise não são ciência. Estão mais para a imprevisibilidade da vida. Noutro ponto da crise da Samarco, o governo federal estava prestes a assinar um acordo que comprometia as empresas, os acionistas, as instâncias oficiais e os governos de Minas Gerais e Espírito Santo em torno de um plano de recuperação do rio Doce. Era um marco importante para a solução da crise. Bilhões e bilhões de reais ficaram orçados para investimentos nos anos seguintes no esforço de salvação do rio e de melhoria das comunidades ao longo da calha.

Para as empresas, o custo era elevado, mas o importante era virar a página. Eis que, a certa altura, o governo federal entendeu que era preciso fazer alguma publicidade às vésperas do acordo, para abrir um espaço de boa vontade para a iniciativa. Vontades de governos, ainda mais naquelas circunstâncias, são ordens. A Samarco fez uma campanha institucional em rádios, jornais, revistas e TVs. Foi questionada pela iniciativa: propaganda? Agora?

De fora, essa decisão poderia render questionamentos teóricos. De dentro, era um passo importante para a superação do problema. Se houve momentos em que havia pressão para que as empresas falassem e elas calaram por avaliarem outros aspectos estratégicos, houve também momentos em que elas tiveram de se expor, mesmo entendendo que não era o mais conveniente, mas, mais uma vez, respeitando necessidades e contingências da situação.

Por tudo isso, as escolhas durante crises podem não parecer as mais sensatas para quem as analisa como observador externo. Só quem teve a alma ferida sabe como é.

# BALCÃO

Na tarde do Natal de 2010, um programa de entretenimento da TV aberta vocalizava, para a audiência de milhões de pessoas, um acorde cuidadosamente executado por uma empreiteira sob ataque. O programa *Caldeirão do Huck*, do apresentador Luciano Huck, da rede Globo, apresentava naquele dia uma ação social empreendida na comunidade de São Tomé, à beira do rio Negro, no Amazonas, a cerca de duas horas de Manaus.

A construtora Camargo Corrêa estava patrocinando aquele programa e também a reforma de escolas, casas e equipamentos do povoado. A vila teve instalação de luz elétrica puxada de 18 quilômetros, além de melhorias nas 13 casas, sem contar o centro comunitário, uma pousada e um barco de ecoturismo presenteados.

Funcionários da empresa apareciam participando da nobre iniciativa. Alguns milhões de reais foram investidos naquele programa. Bom para a comunidade, bom para a construtora (que havia atravessado o ano sob pesado ataque por conta do caso Castelo de Areia) e bom também para o programa, que granjeava audiência e ainda fazia um belo trabalho social.

Você tem acesso a muitos temas no noticiário e isso é importante para todos nós. Mas há alguns temas que é como se não existissem. Dinheiro, por exemplo, é importante no mundo todo. O capitalismo é movido por ele. As pessoas correm atrás. Por que será então que esse assunto, quando envolve imprensa e veículos de comunicação, parece um tabu? O dinheiro da imprensa é um não tema. É um assunto que não se discute, a tal ponto que parece que nunca existiu.

Dinheiro faz a diferença na relação com a mídia?

Claro que faz. Primeiro, porque, se sua empresa ou posição tem grande poder econômico, isso chama a atenção e, para o bem ou para o mal, produz notícias. Mas ter dinheiro na relação com os veículos protege também. É um recurso de poder como vários outros. E deve ser empregado, como qualquer um. Funciona? Bastante, claro, o que não quer dizer que a imprensa é corrupta. Isso não o blinda absolutamente, mas sempre pode ajudar, sim. Isso quer dizer apenas que a imprensa faz parte do mundo, como todos nós.

Quando se cria o tabu da influência do dinheiro no debate da mídia, desenha-se, a meu ver, a distorção fundamental na forma com que muitos veem a imprensa e também como ela própria se enxerga, muitas vezes. É como se houvesse um parâmetro para um setor específico, ela, e outro para todos os demais. Se você vai a um restaurante, o dinheiro é condição *sine qua non*. Se vai pegar um avião, ficar num hotel, se vai comprar um carro, seu porte financeiro é considerado. Por que não seria para a imprensa? Será a imprensa um setor econômico único no universo?

A participação da Camargo Corrêa num programa popular era parte de um planejamento de comunicação poderoso colocado em prática naquele ano. Calculo que, em 2010, o grupo tenha investido algo como US$ 10 milhões nesse esforço de mídia. Considerando que uma construtora não precisa anunciar a promoção de uma barragem ou uma ponte, como precisam fazer as empresas do varejo, era uma iniciativa considerável.

Houve vários anúncios de inauguração de obras, de ações institucionais. Criou-se um orçamento específico para reforçar o relacionamento com os veículos. Anunciantes, sobretudo os grandes, têm uma relação permanente com a mídia. E essa relação do dia a dia pode ajudar quando crises ocorrem. Empresas que não fazem publicidade, como empreiteiras, nesse sentido estão sempre fragilizadas, relativamente. Afinal, não há vínculos profundos entre elas e as empresas de comunicação. Ou, pelo menos, não tão profundos.

Participar da decisão de investimentos de mídia era parte do meu *modus operandi*. Nem sempre fui um entusiasta dessa opção, mas também não tinha nada contra ela. Era caso a caso. No episódio da Camargo, a empresa tinha sofrido demais e uma demonstração de força — a ser ouvida por bancos, políticos, concorrentes, clientes — até que vinha a calhar. Além de ser um gesto para os veículos.

O dinheiro não é um salvo-conduto permanente, mas pode ser um visto temporário no passaporte da relação com as redações. Não apenas empresarialmente falando.

O poder econômico faculta acesso a pessoas-chaves da mídia. Claro. Porque pessoas poderosas, inclusive economicamente, podem ter acesso a jornalistas poderosos. É natural que seja assim. E isso pode ser uma vantagem, sim.

Uma importante jornalista de meu tempo mantinha uma relação de muita amizade pessoal com um dono de empresa. Ele a chamava, para outros empresários, de "minha irmã". Ele fazia mesuras, as famílias se frequentavam e a questão era esta: nesse tipo de relação, pode haver distanciamento total? É claro que não. E eu não condenava isso. Achava que era assim mesmo. O que eu achava estranho, às vezes, era a retórica exagerada de desconexão completa do mundo e de suas condicionantes, como se isso pudesse acontecer em algum lugar do planeta, sempre. Nunca achei isso possível e, na verdade, não via nada de mais.

Esse mesmo empresário habilidoso tinha uma relação próxima também com um jornalista muito importante. Coincidência? Talvez ele gostasse do bate-papo jornalístico. Pode ser. Mas os dois também se frequentavam muito, o editor foi algumas vezes à sua casa de praia nos fins de semana. Isso era uma vantagem competitiva? Claro. Faz parte.

Fosse o empresário um morador de rua, os dois poderiam manter esse mesmo tipo de relação? Ele passaria o fim de semana na calçada por conta dessa afinidade? É claro que o dinheiro ajuda, sim. Não a corromper almas, mas a aproximar pessoas.

Porque, quando um jornalista, qualquer um, vai prestar qualquer serviço a qualquer empresa — lógico —, há ali um endosso. O argumento de que ele ou ela não farão matérias sobre aquela empresa específica é falacioso. Sua presença já fala. E mais: bem ou mal, aquela proximidade permite um acesso diferenciado dos executivos a esses profissionais. Um acesso permitido pela força do dinheiro.

E acesso não é pouca coisa.

Sempre comparei a relação de olhar nos olhos à do pelotão de fuzilamento: não é à toa que, nesse ritual, coloca-se a vítima ajoelhada de costas ou com a venda sobre a visão.

Qualquer contato humano pode produzir empatias, remorsos, culpas — e o sentimento precisa ser banido sempre da "imparcialidade", inclusive a imparcialidade dos fuzilamentos.

Não é à toa que esse ritual também possui a bala de festim, para que cada um dos atiradores sempre tenha a dúvida da execução sumária.

O objetivo número um da comunicação de crises não é colocar uma venda nos olhos da imprensa. É retirar a venda que cobre os olhos dos alvos, trazendo-os para a escala humana.

É mais fácil atirar num símbolo do que num semelhante. Tornar-se semelhante, nessas horas, não é pouca coisa. E o acesso ajuda.

Quando jornalistas se aproximam demais de uma empresa, a ponto de lhe prestarem serviço, criam um diferencial que trabalha naturalmente a favor delas, através desse recurso de poder chamado dinheiro, empregado ali naquela relação.

O dinheiro ajuda assim, pois abre portas, permite aproximações, seja das empresas entre si, seja nas relações humanas.

Nos anos 1990, a OAS patrocinou a edição de um dicionário encartado na *Folha de S.Paulo*. Ao que me consta, isso não prejudicou a empresa.

O empresário Carlos Suarez foi meu querido amigo a vida toda. Um dia, generosamente, me contratou para auxiliá-lo com um problema de uma de suas empresas. Ajudei alguma coisa, mas aquele era, antes de tudo, um gesto dele em direção a mim. Gestos criam relações especiais, dentro da imprensa ou fora dela. Não apenas gestos econômicos: gestos.

Outro exemplo, com outro cliente: o dinheiro também se fez ouvir quando estávamos apanhando demais numa crise. Ao mesmo tempo, estávamos para fazer uma publicidade num jornal que estava sendo mais implacável do que a média conosco. Sugeri internamente que não deveríamos apoiar institucionalmente quem estava nos atacando abaixo da linha da cintura. O critério não era o da retaliação, mas o da imparcialidade. Falei com o jornal, que estava uma arara:

— É melhor não fazermos propaganda durante alguns meses para não pensarem que estamos tentando, de alguma maneira, interferir na sua linha editorial.

— Vocês estão é misturando as coisas.

— Não, pelo contrário. Entendemos que vocês têm de fazer o trabalho de vocês. Mas, como discordamos profundamente da forma como estão fazendo, embora respeitemos, não podemos apoiar um veículo que, no dia seguinte, publica algo que consideramos exagerado. Para quem está de fora, colocar nossa logomarca aí significa um aval público do que vocês escreveram. E nós não devemos dar esse aval, porque não concordamos. Quando essa crise passar, iremos retomar a normalidade.

Recado passado. Não posso dizer que a relação piorou nem que a cobertura ficou mais distorcida. O poder econômico, às vezes, tem mais chance de se fazer entender. E é natural que seja assim.

O dinheiro na imprensa também serve como um ranger de dentes na floresta empresarial. No caso da Abratti, a entidade que representava as empresas de transporte intermunicipal, uma intensa guerra de bastidores acabou se transformando numa campanha publicitária no horário nobre. O setor estava sendo ameaçado por uma regulação hostil do governo federal que, na prática, implodia o modelo que foi sendo consolidado ao longo do tempo. No meio disso, empresas de outro setor — especializadas no transporte rodoviário de cargas, sobretudo automóveis — enxergaram na desastrada intervenção estatal uma oportunidade de abocanhar um negócio alheio.

No meio disso, ocorriam as manifestações de 2013, deflagradas pelo aumento da tarifa dos ônibus municipais no Rio de Janeiro. Estava fácil carimbar os "ônibus" como vilões. As linhas interestaduais não tinham nada a ver com aquele problema, mas sabe-se lá?

Houve um grande esforço de abrir novos canais com a sociedade. Toda a comunicação digital foi mudada. Abriram-se novos canais com os usuários. Essa forte iniciativa culminou no lançamento de uma nova marca para a associação — um simpático ônibus sorridente — feito pela agência do renomado publicitário Washington Olivetto. A campanha de televisão serviu para dar um aviso aos concorrentes também: havia café naquele bule. O setor de ônibus estava com a caneta cheia de tinta e pronto para a guerra.

O poder econômico sempre pode utilizar sua musculatura para influenciar a chamada pauta da mídia. Fui contratado certa vez pela

Odebrecht Ambiental para provocarmos uma polêmica no noticiário. No caso, a empresa queria impedir que o Fundo de Investimento da Caixa se tornasse sócio de uma empresa concorrente no setor, controlada pelo poderoso banco BTG. Ao longo dos seis meses seguintes, a guerra Odebrecht-BTG ganhou contornos épicos em algumas páginas do noticiário. Eram dois dos maiores titãs dos negócios batendo a cabeça.

Para a Odebrecht, quanto mais a polêmica existisse, melhor para constranger o governo a descarregar dinheiro público na operação. Tecnicamente, a Odebrecht alegava que havia uma exclusividade dela, que já era sócia do fundo estatal. A empresa afirmava que o fundo não poderia ser sócio tendo acesso, ao mesmo tempo, às entranhas comerciais e de custos de duas empresas concorrentes do mesmo setor.

O então todo-poderoso presidente da *holding*, Marcelo Odebrecht, chegou a conceder uma rara entrevista naquelas semanas, criticando a operação. Até que ponto essas polêmicas são artificiais e a mídia embarca ou até que ponto são normais e importantes? O fato é que, com o poder econômico, corporações podem contratar empresas de relações públicas e consultores para enfatizar, num determinado momento, por um determinado interesse, um determinado ponto.*

Bater o bumbo também foi nossa escolha quando travamos uma batalha de comunicação entre a Confederação Nacional do Comércio e a Federação do Comércio do Rio de Janeiro. Havia uma disputa

---

* Nota da Editora: Por incrível que pareça, essa ação envolveu principalmente o editor da Geração, Luiz Fernando Emediato, que era também membro do Comitê de Crédito do FI FGTS. Ele foi acusado, em reportagem de *O Estado de S. Paulo*, assinada por Murilo Rodrigues Alves, de ter recebido do Banco Panamericano (do qual o BTG é sócio) patrocínio para um filme seu, levantando suspeitas de que poderia estar beneficiando o BTG. Emediato demonstrou que o patrocínio, com base na legislação de apoio à cultura, fora concedido quando o Panamericano era de propriedade do empresário Silvio Santos, de quem Emediato fora diretor. Por causa da reportagem Emediato foi afastado do Comitê do FI, para o qual retornou após comprovada sua total inocência.

interna em torno da sucessão da entidade nacional e os dois lados terçaram as lanças. Através de notas em colunas, em matérias, denúncias. Os dois lados fizeram algumas alianças publicitárias com veículos conjunturalmente importantes. Passada a eleição, o assunto foi silenciosamente sumindo do noticiário.

Outras corporações acreditavam na estratégia de sumir do radar. Quando fui contratado pessoalmente pelo habilidoso empreiteiro Léo Pinheiro, a ideia era que atuasse como um auxiliar na crise da chamada CPI do Petrolão, uma comissão mista integrada por deputados e senadores. Era uma honra ser cogitado e, ainda mais, demandado por Léo. Ele era do tipo "bossa nova" na questão das crises: seu sambinha era de uma nota só e cantado bem baixinho.

Léo acreditava que, quanto menos movimento, melhor. Então, a empresa que comandava e conduzia com devoção, a OAS, simplesmente não respondia a nenhum dos questionamentos quase que diários feitos pela imprensa. "A OAS não foi encontrada para dar a resposta." Era assim, basicamente, que, ao final de reportagens imensas na TV ou nos jornais, a empresa aparecia.

Afinal, para que contratar um time de relações públicas e pagar bem se não haveria qualquer batalha de versões?

Era essa a estratégia de Léo, naquele momento: ele utilizava a equipe de comunicação muito mais como ouvidos do que como bocas. Era importante saber para onde estava indo o noticiário, qual era a fofoca da ocasião, para onde seguia o rumo geral das coisas. Dinheiro ajuda também para que se mantenha informado. Inclusive sobre a mídia.

Um dos clássicos que descrevem esse liame tênue das relações em torno da imprensa é o livro *O reino e o poder*, de Gay Talese. Ele narra a história de um dos mais importantes jornais do mundo, o *The New York Times*. No Brasil, há pouca coisa escrita sobre como funciona a imprensa, o que não é o ideal.

Cá entre nós: não é um pouquinho laudatório esse tom? *O reino e o poder*? O problema do debate de imprensa é que ele também sofre dessa síndrome de "dois ladismos": a imprensa não fala de si sempre com absoluta humildade. Do outro lado, aqueles que a detestam caricaturizam a imprensa demais, a recriminam demais. A imprensa se sente injustiçada, com razão, por essa crítica enviesada.

Não é o caso aqui: devo tudo que tive à existência da imprensa, seja como jornalista, seja como consultor. Não tenho a menor necessidade nem a vontade de fazer qualquer acerto de contas com ninguém. Mas convivi nesse meio durante tanto tempo que acho que posso sublinhar alguns temas que normalmente não enxergo no debate.

Falando sério: sempre achei que se levar a sério demais — sei lá — era um caso sério.

O que menos gostava na perspectiva de um título como *O reino e o poder* não era a pomposidade (a meu ver um tanto exagerada e mistificadora). Não gostaria também se fosse "O Cabaré e o Boteco". O que me incomodava era essa bipolaridade, a questão dos dois lados: o mundo só tem dois lados, é?

Você pode saber várias coisas sobre empresas, políticos e vários outros setores. Mas, se reparar bem, sabe muito pouco sobre as empresas que produzem o que você lê, assiste ou ouve.

Por que você não pode saber uma porção de coisas sobre a imprensa? E por que ela não toma a iniciativa de informar? Só porque a lei não obriga? Quanto as empresas de mídia ganham de cada grupo econômico? A que preço vendem cada item, para que você possa comparar? E do governo: quanto ganham? Não só de anúncios, mas de qualquer outro serviço ou produto de empresa vinculada: há? Que vantagens fiscais recebem? Quanto devem ao fisco, aos fiscos? Qual é a estrutura patrimonial de seus acionistas? Quais são os bancos que transacionam suas operações? A que taxas? Quanto cobram?

Por que, para todos os outros setores, essas são perguntas válidas? Por que, no caso da imprensa, não costumava ser?

No aquário da imprensa, há também muitas perguntas que você poderia fazer. Quanto um colunista importante cobra por uma palestra? Ou por um treinamento corporativo? Quais são seus clientes? Quanto cobram para aparecer num evento? Há alguém na família, esposo, filho, com algum rendimento de setor relevante para o interesse público? Qual?

É curioso, mas, na página 452 de meu livro de 2003 (*A era do escândalo*) — mais de uma década anterior a este —, eu já citava um comentário do professor Eugênio Bucci, do livro *Do B*: "... quase nada se noticia sobre o que se passa no mundo dos negócios dos donos de jornais". De lá pra cá, não creio que tenha havido grandes avanços nesse campo. Com a proliferação de blogues e a tolerância maior para a conciliação de jornalismo com pequenas prestações de serviços pontuais (palestras, treinamentos, apresentações de eventos etc.), creio que essa opacidade se tornou ainda mais dominante.

A imprensa cumpre um importante papel de questionar, mas não toma a iniciativa de responder ou de se antecipar a certos questionamentos. Por que as relações financeiras envolvendo esse setor têm de ser tão opacas? Sob o argumento de que é uma atividade privada? Mas não há aí interesse público e coerência de princípios para adotar determinadas práticas de transparência ainda mais severas? Acho sinceramente que havia um não assunto nesse assunto que distorcia, pela ausência, a realidade. *Spin doctor*?

Certamente, a imprensa não era o maior problema do país no meu tempo. Mas também não era o segmento mais disposto a expor suas entranhas. Como acontece historicamente com todos aqueles atores que possuem um poder muito grande, a imprensa de meu tempo não se permitia tomar a iniciativa de se submeter a escrutínios mais profundos, sobretudo em público, em relação a si mesma. Era a lei do mais forte, nesse caso.

VIDA
ALHEIA

Quanto ganha um consultor de crises?

Aguarde só um pouquinho.

Se você não gosta muito de papo cabeça, caia fora deste capítulo. Vou falar um pouco de como via a cabeça dos jornalistas, de como funcionava a minha própria e sobre alguns valores dos dois lados.

Como o tema é chato, usei aquele velho truque de começar com uma "isca" instigante para fisgar sua atenção. Fique só um pouquinho. Vou começar com alguma frivolidade. Sim, quanto ganha mesmo um consultor de crises? Babado forte!

Você adora saber da vida alheia, hein? Dinheiro! Quem não presta atenção?

Jornalismo e livro sobre jornalismo são também entretenimento.

Lá atrás, estabeleci uma métrica que pode lhe servir de base. Sabe como é: jornalistas sabemos (aquele velho truque inclusivo da primeira pessoa) como revelar escondendo. Posso não dizer quanto ganhava usando uma imagem. E você vai sair com a estranha sensação de que foi informado, embora superficialmente.

Você vê? Tô enrolando, você lendo. Tô mantendo a audiência...

Quando estava na imprensa, registrei meu salário anual. Daí, ao sair, tinha essa referência para o futuro. Quanto mais eu ganhasse, meu cálculo não seria só em termos de dinheiro, mas de tempo. Por exemplo: se nos meus primeiros 10 anos como consultor eu ganhasse o equivalente a 25 anos como repórter, então eu não teria ganhado "x" ou "y". Eu teria ganhado 15 anos de vida (25 anos de honorários - 10 anos de tempo = 15 anos de idade patrimonial a mais). No calendário da poupança, estaria 15 anos mais velho que minha cronologia real, entendeu?

Tendo aquele parâmetro inicial, sinto dizer, você está lendo o livro de uma múmia. Calculo que retive comigo o equivalente a 600 anos do que ganharia na profissão. Até que não estou nada mal para um consultor de seis séculos e meio de idade...

Talvez minha base fosse baixa demais. Mas foi a que estabeleci.

Claro, ganhar dinheiro não foi ruim, embora não imaginasse naquela minha métrica inicial que, quando ganhamos mais, também gastamos mais. Mas, sem dúvida, avancei nesse campo, comparado com jornalistas assalariados. Em relação aos meus clientes, nunca cheguei a ser proporcionalmente sequer do tamanho de uma pulga.

*(Se você se pegar tentando calcular o que isso dá em termos numéricos, você é curioso. Relevo. Eu também fui.)*

Não fui atrás exatamente de dinheiro, quando "saí" do jornalismo. Fui atrás de realização. E, se pudesse rodar a catraca, tanto melhor.

Mas essa questão do dinheiro é um bom gancho para você entender um pouquinho como muitos jornalistas pensam. A importância disso? É que esse mesmo modo de pensar pode bater à sua porta amanhã e definir o seu destino, numa reportagem.

Entender o *mindset* (no meu tempo, costumavam funcionar essas afetações do inglês para passar profundidade), repetindo, entender a cabeça do jornalista pode ser útil para você de alguma forma, seja para o caso de um dia precisar (toc, toc, toc), seja para entender como funciona o *software* que processa a notícia que você lê.

Antídoto prévio: não estou generalizando. Cada pessoa é uma pessoa. Cada jornalista também. Irei descrever como via as coisas, não como elas eram. Alguma coisa do que pensava podia fazer sentido. Outras podiam revelar apenas o meu próprio viés. Mas observei muitos jornalistas ao longo do tempo. Alguma coisa do que senti podia ser reveladora também.

Dinheiro era um assunto cabuloso nessas rodas.

Uma das primeiras coisas que involuntariamente me tornei — não fazia nem dois meses que tinha deixado as redações — foi "rico". Sim, mal tirei o pé do jornalismo e fui trabalhar como "assessor", pronto: "Fulano tá rico".

Era tão recorrente esse comentário, e tão fora de contexto, que comecei a tentar entender o que essa pecha repetitiva significava.

Muitos jornalistas bacanas, sem nenhuma maldade, tinham "certeza" de que, fora do mosteiro da notícia, o ex-colega estava se esbaldando no cabaré milionário, bilionário. "O Mario tá rico", era a cutucada que sempre ouvia.

O que isso queria dizer e o que revelava?

Tenho três palpites. Sem nenhuma pretensão de ter sido o dono da verdade.

O primeiro é o mais sinistro. Era pura queimação mesmo. Era uma crítica suave e casualmente colocada. É como se você, trabalhando com "corruptos", se tornasse um deles. Do "outro" lado, o dinheiro jorra. Então, todo o mundo fica rico fácil. Até assessor de imprensa. Esse comentário demarcava fronteiras.

Essa premissa também trazia, além da crítica moral (?) implícita, um componente subjetivo importante: quem sai da caserna e vira "civil" corrompeu seus valores e seus compromissos. Será mesmo? O sujeito fica mais mentiroso porque não é mais jornalista? Fica mais imoral? Ou será que isso era uma forma de preconceito?

Achava que sim. Que era preconceito, sim. Mas não um preconceito voltado só a mim. Achava que era aplicável a quase tudo e a quase todos os que estão "fora". E usei a palavra preconceito sem preconceitos. Via como uma visão de mundo involuntária. Daí por que não me ofendia. Tentava entender o que havia por trás.

Era algo muito mais amplo e é o primeiro item desse tripé interpretativo precário: jornalistas tendiam a ver quem é de "fora" como alguém com outras formas de funcionamento. Foi assim que entendi.

Esse é um dos cernes que norteiam essa visão: a de que a vida tem dois lados. Como se a vida é que copiasse a notícia e não o contrário. Notícia é que tem dois lados: o fato noticiado e a versão do mencionado. Mas a vida? Quem pode dizer quantos lados tem? Eu nunca soube.

Por esse ato falho da minha "riqueza", pude perceber que muitos enxergavam duas metades no círculo da vida: a imprensa seria a primeira e todo o resto — montanhas, planetas, rios, cometas, satélites, bancos, a China, o Vale do Silício, a política, o universo, os acusados — faria parte do outro lado. Consequência? O mundo dos jornalistas, por ocupar metade de tudo, é gigantesco para eles. E o resto do mundo vive apertado, comprimido, no "outro lado".

Essa forma um tanto caricata, simplificada, eu via quando apontavam a minha "riqueza". Era como se dissessem: trocou de lado, trocou de ética. Não era verdade.

O segundo ponto que enxergava nesse viés da questão do dinheiro era o valor que os jornalistas davam a si próprios e à sua profissão. O jornalismo era tão "valioso" que somente muuiiittooo dinheiro poderia compensar abrir mão de tanto privilégio. Então, eles não estavam me quantificando, mas se quantificando.

Era uma autodeclaração de amor. Estavam dizendo para mim que o valor da profissão era tão elevado que abrir mão dela deveria ter como contrapartida uma recompensa descomunal. Foi por isso que eu fiquei tão rico, tão rapidamente, tão frequentemente, tão repetidamente, quando saí da profissão: porque jornalistas dão um enorme valor ao que fazem.

Por isso, também, qualquer pequeno grão de areia na relação pode desencadear reações desproporcionais: jornalistas falam tanto da vida alheia, tanto tempo, que, quando falam deles, acham que isso é importante.

Esse falar pode servir para criar obstáculos incontornáveis, por força de uma intriga que façam contra você ou de uma opinião errada ou certa que externou, mas pode servir também como um azeitado método de sedução: fale bem, sobretudo pelas costas, e a imparcialidade sente.

Por fim, como terceira perna dessa relação dos jornalistas com o mito do dinheiro, acho que aqueles comentários sobre minha riqueza revelavam também alguma desconexão que existe entre o mundo dos jornalistas e o "outro lado", essa coisinha pequena chamada mundo real.

Num sistema capitalista, o dinheiro é a mola. Jornalistas, como viviam numa dimensão muito abstrata, imaginavam que a coisa mais fácil do mundo era enriquecer: bastaria sair da profissão, ir para o "outro lado" e pronto. No fundo, essa visão revelava que quem está fazendo a notícia está se "sacrificando" de alguma forma, abrindo mão daquilo que qualquer um do lado de "lá" (a começar pelos ricos assessores de imprensa) consegue facilmente.

Ou seja, havia ali um pingo de autovisão de "desprendimento" nessa forma de ver os outros. Você já viu um marceneiro imaginar que poderia ser bilionário se quisesse? Ou um geógrafo? Um agrimensor? Que bastaria deixar de fazer o que faziam para prosperar materialmente?

Foram esses os três aspectos que intuí desse ato falho tantas vezes ouvido sobre a "riqueza".

Jornalistas veem você como algo de fora, como se não fossem eles parte do mundo em que todos vivemos.

Curioso: de tanto olhar a vida alheia, corre-se o risco de ficar alheio à vida em alguma medida.

Agora, vamos falar do outro lado: o do consultor. São dois lados mesmo?

Numa palestra para assessores de imprensa no Paraná, um dos participantes me colocou diante de uma questão. Era um bom ponto:

**— Do ponto de vista ético, como você se sente trabalhando para pessoas acusadas de terem feito coisas erradas?**

Respondi que trabalhos como o nosso não são a negação da imprensa. São, antes, sintomas de seu vigor. Só existem assessorias de imprensa fortes em democracias fortes, em sociedades fortes, que possuem liberdade forte. Países atrasados não têm o livre debate de ideias e a livre manifestação de pensamento.

Quando há ditadores, as assessorias de imprensa são dispensáveis. O ditador dita tudo, inclusive as manchetes. Na ditadura econômica, o tubarão fala direto com os aquários das redações. Às vezes, nem fala. Possui ou negocia os enfoques no departamento comercial.

Quando há essa necessidade de convencer, corrigir, influenciar a pauta diária dos debates — mesmo com as frustrações inerentes, mesmo com as distorções excruciantes —, é porque impera esse modelo de mão dupla da notícia. A mão única só existe quando a liberdade de imprensa é uma quimera, e não esse agregado disforme, muitas vezes distorcido, mas tão essencial das democracias.

Você pode dizer: ladainha de consultor de crise. Pode ser. Mas era no que acreditava. Não era dono da verdade e não conheci quem fosse. Fui tentado a crer que não havia. Pelo menos, enquanto vivi.

Nas crises de que participei, nunca pedi aos meus clientes que me contassem a verdade. Pedi sempre que não me contassem mentiras, aquilo que, com o tempo, não iria resistir aos questionamentos. Se uma determinada posição fosse forte o suficiente para se estabelecer sem ser esquartejada, pra mim aquilo era a verdade. E, no final das contas, talvez fosse mesmo. Por que não?

Muita gente pensa que, numa crise, o objetivo é que a verdade nunca venha à tona. Não é bem assim.

Uma vez, tomamos a iniciativa de vazar antecipadamente um conteúdo negativo durante a guerra da telefonia. O conteúdo inevitavelmente viria a público. Então, vazamos nós mesmos uma matéria que era contra nós para sair num dia que não era o pior: foi uma sexta-feira, manchete da *Folha*. O assunto morreu rápido e, na segunda feira, já não existia. Uma revista que estava preparando um escarcéu para ser o furo e repercutir na outra semana, foi furada por nós. É do jogo.

O "auto" furo é um recurso extremo em que se toma a iniciativa de informar aquilo que não é bom, evitando algo pior. Equivale a cortar a perna para estancar a gangrena. Derrubar matérias de fatos importantes é quase impossível. Até porque, como uma moléstia, a acusação vai se transmutando até se manifestar de outra forma, em algum lugar. Talvez fragilizando ainda mais o organismo sob ataque. Uma matéria ruim, se não sai aqui, sai ali. É raro que não aconteça.

Nunca dei muita bola para matérias negativas. Nas grandes crises, porque elas são o padrão. Nas crises pontuais, porque elas feneciam rapidamente.

Uma vez, uma cliente meu me ligou desesperado porque ia ser capa de uma revista *Veja* local, aquelas que vêm encartadas à edição nacional, só que falando apenas de coisas estaduais. Me perguntou se não dava para "tirar" a matéria. Disse que, àquela altura, se a matéria pudesse ser retirada, ela não teria existido. Ou seja, tínhamos que entubar. Ainda disse a ele: é melhor sair lá do que noutro lugar. Vira assunto velho. Ninguém mais vai falar nisso.

Acreditei sempre num conceito de imunidade biológica: se o organismo é forte, de tempos em tempos será ameaçado por bactérias oportunistas que tentarão debilitá-lo. O grau do estrago depende da força da ameaça, é claro. Mas organismos vivos — e carreiras e organizações são isso — têm que estar preparados para aceitar um resfriado aqui, uma mazela ali. Faz parte. A saúde acumulada — os recursos humanos e financeiros, os interlocutores sociais — é que poderão atuar como os glóbulos brancos e combater o inimigo externo e indevido.

Embora assessores de imprensa acreditem que são os melhores interlocutores para zelar pelas imagens a que servem, há muitas outras alternativas que podem estar no cardápio de soluções. Uma jornalista, sabia-se, mantinha uma amizade pessoal com um baita empresário. Algumas vezes, sem fazer nenhum telefonema para ela, pedi a assessorados meus que utilizassem o canal do empresário para encaminhar temas negativos. O cara era o melhor assessor de imprensa para aquela interlocução específica. E funcionou várias vezes. Não estou aqui, nem de longe, especulando sobre atitudes impróprias, benefícios indevidos. Friso apenas que as melhores interlocuções em crises não precisam ser adotadas apenas por *spin doctors*. Apenas isso.

Noutro caso, um banqueiro de investimento com cara de príncipe era idolatrado por uma publicação. Recomendei-o em alguns casos para que fosse um consultor de crises sem esse rótulo para a corporação a que servia. Houve resultados.

O dono de um restaurante tinha como seu cliente cativo um figurão da imprensa. Quantas vezes ele não atuou como um insuspeito consultor de crises para alguns figurões que queria prestigiar? É assim que funciona muitas vezes. Não o jornalismo: a vida. E o jornalismo faz parte dela. E não o contrário.

O papel do consultor de crises não é possuir o monopólio de todos os remédios, mas procurar saber em que prateleira eles se encontram e recomendar ao paciente como ministrá-lo.

Era esse jogo contínuo, cheio de variáveis, cheio de percalços, que fazia essa atividade tão desafiadora. Às vezes, era achar a pessoa certa, no lugar certo, que poderia contribuir muito para um esforço de comunicação. Podiam ser até jornalistas. Mas esse sistema neural de processamento e avaliação decisória, essa era a grande obra que uma crise podia estruturar. E o consultor era o responsável por avaliar e, quando possível, identificar essas soluções.

A imprensa não era mal-intencionada. Muita gente com que cruzei era genuinamente idealista. Acreditavam estar cumprindo uma função de utilidade pública.

É melhor ter imprensa ou não ter? Me parece que, sim, infinitamente melhor com ela.

A imprensa procura, pelo menos a séria, ser precisa. Consegue? É nos desvãos que essa resposta me parece simplista. Bife é bife, boi é boi. Um boi inteiro — a realidade — não cabe num prato. Vai haver sempre um açougueiro que disseca a rês e o cozinheiro que prepara a iguaria. O jornalismo entra só depois que a cozinha libera a comanda. Cumpre a função do garçom, na maioria acachapante das vezes.

Mais uma vez, Oswald de Andrade: a gente escreve o que ouve, não o que houve.

Jornalistas produzem a realidade e são produzidos por ela. São manipulados não só por quem tenta se defender. Mas por quem ataca também. E são manipulados por si mesmos, pelas ambições e medos, pelas frustrações e virtudes, pela pressa e pela vaidade, pelo sentimento de dever e pelo erro de avaliação. Não há nada de um lado que não haja no outro: boas intenções, sentimento de missão, profissionalismo, seriedade, ambição etc. Tudo o que existe no mundo.

O maior embuste da impessoalidade e da objetividade é que somos todos humanos. Falhos e imperfeitos. A defesa da moralidade não está apenas do lado de quem noticia e quer bem informar. Há moralidade também em defender suspeitos, que podem ser inocentes ou podem não ter a culpa que as paixões momentâneas parecem convalidar.

Não houve um único valor moral que tivesse me guiado como repórter de que tive de abrir mão como consultor. A ética pessoal, a probidade, isso não muda de lado só porque você muda de profissão. Ela pode estar em você quando você está dentro da imprensa ou pode não estar nunca em ninguém, lá ou cá.

Notícias são fragmentos da realidade e, por serem pedaços, espelham e não espelham o todo. Sempre foi assim.

O ponto fundamental é que a realidade não cabe nas notícias. É mais sutil, contraditória, inexplicável, incompreensível, casual do que pretende ser, quando lida ou publicada.

Eu mesmo, aqui, pratiquei uma reverente autocensura. Movido provavelmente por meus próprios condicionamentos, poupei o nome de alguns profissionais cujas histórias contei. Medo? Condescendência? Autoproteção? Corporativismo? Tudo isso junto? Isso e outras coisas? Só existe isso fora das redações?

Se num texto livre, como um livro, já não somos capazes de reproduzir a realidade num único aspecto específico, o que dirão autores de reportagens com a pretensão de descrever como é o boi apenas tendo como elemento de análise o bife no prato?

Reportagens precisam caber numa dimensão física. Só podem ser transmitidas através de alguma unidade, seja de tempo ou de espaço. Mas não é assim que a vida acontece. A vida acontece nos silêncios, na distância, nas pausas, na troca de olhares, nos erros de avaliação, nos enganos, nos autoenganos, no esquecimento, na autocrítica somente remota no tempos, na simpatia ou na antipatia, no acaso.

Matérias jornalísticas podem tentar nos convencer de que o mundo é lógico e racional. Como se coubesse no tempo e no espaço. Mas sabemos que não é assim.

Por um reflexo condicionado do ofício (porque no final notícia é um produto), o jornalismo enfia a realidade toda de modo a caber numa manchete: M-A-N-C-H-E-T-E. Oito toques! Mas, meu caro, minha cara, a realidade cabe mesmo aí dentro? Você cabe?

Então, as discussões sobre caras como eu serem contratados para distorcer os fatos ou a realidade é algo que precisa ser visto numa perspectiva mais ampla. É como se de um lado houvesse a verdade — na imprensa — e do outro a não verdade, a dos noticiados.

Sempre achei que os dois lados são distorcidos. Embora a imprensa tenha utilidade pública, defender os mais fracos (sejam eles poderosos-fracos) também tem justificativa moral.

Não é só um jogo de esconde-esconde, assim como a imprensa não é só um meio de revela-revela.

Seria irresponsável e absolutamente injusto dizer que todas as informações publicadas sempre sobre meus clientes enroscados eram erradas e mentirosas. Mas seria igualmente absurdo dizer que todas elas foram precisas e verdadeiras. A rigor, li muita, muita coisa que não era verdade. Sabia exatamente o que acontecera, tinha acesso a documentos, mas o publicado estava longe de ser criterioso.

O que isso significa? Que a imprensa também erra, como todos nós. Mas, como todos nós também, não admite sempre todos os erros que comete. Como nós também, muitas vezes nem sabe que errou. O problema é que leitores intuem que nem tudo o que consomem é absolutamente veraz, mas não sabem onde está o certo ou não. É nesse labirinto cheio de frestas que os erros de cobertura acontecem, com impactos imediatos sobre os imputados. Nunca disse que meus clientes eram perfeitos. Mas nunca vi perfeição em lugar nenhum.

Como consultor, nunca menosprezei o poder de estrago e a importância da imprensa como instituição. Nunca a olhei de cima para baixo. Mas acho que um debate sério não pode ser feito somente de baixo para cima também.

# MENTORES

Entre todas as feras com que cruzei na vida, meu maior mentor individual foi também o mais improvável. Paulo Coelho me falava muito de seu mestre e do quanto ele fora fundamental em sua vida. Mestres, como amigos, a gente não conhece. A gente reconhece.

José Amílcar Tavares Soares eu chamava de crioulo. Ele me chamava de meu filho. Não éramos politicamente corretos um com o outro. Tinha o apelido na juventude de "Rei Momo de Biafra", de tão esguio. Eu o conheci mais velho. Apenas para você ter uma ideia da periculosidade letal de meu mentor: ele era editor de política do *Jornal Nacional* quando recebeu a entrevista de dois políticos importantes que estavam concorrendo numa eleição.

Um deles era amigo da casa. O crioulo foi até o diretor de jornalismo na época e perguntou o que fazer. Tinha as longas entrevistas em mãos. Era ainda o tempo em que as imagens eram acondicionadas em "fitas". O diretor mandou ele descer correndo, fazer uma edição e colocar no ar.

Amílcar ficou com o pé atrás. Era sabido. Sentiu o cheiro do enxofre. O que fez?

Embora o *JN* estivesse para entrar no ar dali a pouco, desceu da sala do diretor (ali pelo décimo andar) lentamente pela escada. Quando chegou à redação, no térreo, o telejornal já tinha começado. Deixou as fitas lá. No telejornal da mesma noite, mais tarde, outro editor fez o que Amílcar não fez. O político amigo da casa ligou e reclamou do tratamento parcial da edição, que, segundo ele, beneficiara o adversário. O editor acabou demitido. Amílcar contava isso dizendo que escapou de bolas divididas a vida toda. Ooooh, se escapou.

A grande influência de Amílcar em minha vida foi abrir as portas para atendimentos diretos a clientes e problemas de primeira linha. Ao deixar a chefia de reportagem da rede Globo em Brasília, tornando-se consultor, usava-me como um faz-tudo. Ao fazê-lo, permitiu que me familiarizasse com seu ofício. Foi como o médico mais velho que autoriza o recém-formado a ser assistente nas cirurgias.

Fomos parceiros em diversos casos. Ele me deu esse empurrão, mas eu sempre busquei também encaixá-lo em atendimentos meus futuros, até como forma de manifestar minha gratidão. Sempre trabalhei com profissionais de comunicação múltiplos em meus casos. Muitas vezes, eram jornalistas e os indicava ou os contratava, dependendo de cada situação.

Carreiras podem ser vistas sob diversos ângulos. Muitos acham que é como escalar o Himalaia. Eu não via bem assim. Achava que carreiras descem montanhas, morros ou calombos, dependendo daquilo que Paulo Coelho chamava de "lenda pessoal". Se carreiras são morro abaixo, então saímos devagarzinho e vamos adquirindo velocidade à medida que o tempo passa. Daí, topamos com uma outra coisa durante a descida: essas coisas são o destino e os nossos mentores. Eles é que nos forjam, nos arredondam, nos dão o formato que iremos adquirir no final.

Nessa descida da montanha, esbarrei com profissionais que produziram enorme impacto em mim.

Fui almoçar algumas vezes com o publicitário Nizan Guanaes. Era uma inteligência tão descomunal que saía cansado de ouvi-lo encadear pensamentos brilhantes em sucessão. Numa dessas vezes, mencionei a ele que estávamos pensando em fazer um livro para contar a versão de Renan Calheiros sobre a filha que tivera com uma amante fora do casamento. Havia inúmeros elementos que a mídia não considerava. Em menos de um segundo, juro, ele deu o nome do livro que estávamos batendo a cabeça para encontrar:

— A outra!
— A outra?
— Sim, A outra, com o subtítulo: a história de Renan que você não soube

Saiu assim, num raio. Como é que é: a outra história?

Liguei para Renan na hora. Nizan sustentou o título.

O livro acabou não saindo por dificuldades políticas, mas a solução de Nizan era arrebatadora.

Sentia um enorme privilégio de poder conviver com usinas criativas indomáveis como Nizan. Com eles, percebi como é fácil fazer o difícil.

A fórmula é muito simples: fazer o difícil sem nenhuma dificuldade é a comunhão cósmica, absoluta e transcendental entre tudo o que você aprendeu e sentiu.

Se um dia você já fez o seu impossível e nunca entendeu direito como conseguiu fazer, é desse frio na barriga que estou falando. Tudo vale a pena antes e depois dele.

Outro mestre que me influenciou, em meus primórdios, foi João Santana. A maior máquina que eu já vi trabalhar. Incansável e obsessivo. Dormia apenas três horas por dia e podia emendar jornadas de 48, 72 horas sem esmorecer. Nunca consegui acompanhá-lo. Quando estava esgotado, sem conseguir nem pensar, era aí que João estava chegando ao auge, jorrando as peças mais qualificadas.

Quando decidiu trilhar um caminho solo no *marketing* político, afastando-se de Duda Mendonça, procurou-me para que fossemos sócios, meio a meio.

Entendi que ele, que me apresentara a Duda, queria saber de que lado eu estava. Disse que iria com ele. Ele tinha uma campanha de governador para fazer em Sergipe e outra no Rio Grande do Norte. Sugeri-o para o candidato ao Senado por Mato Grosso do Sul, um neopetista chamado Delcídio do Amaral. Ele topou, fez uma campanha competente e Delcídio foi eleito.

Minha história com João Santana se deu muito antes de ele se tornar o furacão que virou: o marqueteiro que reelegeu Lula e elegeu Dilma Rousseff duas vezes, além de prefeitos de capitais, senadores e uma longa lista de lideranças, entre as quais presidentes de vários países.

Foi antes também, inimaginavelmente antes, de ele enfrentar os dissabores que o tragaram na Operação Lava-Jato e que hoje são parte da história do país. João faz parte dela e, quanto mais o tempo passar, as virtudes de seu trabalho é que vão ser esmiuçadas pelas próximas gerações. Quem se lembra quanto Getúlio Vargas pagou para Samuel Wainer? O que ficou foi a grandeza dele e da *Última Hora*, o jornal inovador que criou.

João e eu só não seguimos juntos na vida, e eu só escapei de seus infortúnios, porque não era pra ser. Logo nas primeiras semanas de nossa "sociedade", que nunca chegou a se consumar, ele me ligou furioso porque eu havia encaminhado alguma solução com um cliente. Ele gritou de lá, eu gritei de volta. O assunto era secundário. O que estava em jogo ali era a dinâmica da relação. Bati o telefone na cara dele.

Depois ele me ligou, mas o cristal já estava arranhado. Dias depois, para uma certa surpresa dele, eu avisei:

**— Olha, João, ninguém deixa de ser sócio minoritário de Duda Mendonça para ser sócio igualitário de um**

**cara como eu. Você quer mandar, mas eu não tenho patrão. O melhor é a gente acabar com essa sociedade. Ficamos sócios porque somos amigos. Daqui a pouco, não vamos ser nem sócios nem amigos mais.**

Foi fácil. Não tínhamos nenhum papel. Era tudo de boca e a agência dele tava só começando, então foi ali que acabou. Depois, eu o vi triunfar crescentemente e a distância. Não fiquei com dor de cotovelo por um único motivo: eu sabia que aquela era a estrada dele, que ele era muito melhor do que eu.

Meninos, nós sabemos desde o início mensurar a força do outro. Ou o talento nato. Seja nas brigas de escola, em que um bate e outro apanha, seja no jogo de futebol, em que os dois melhores escolhem naturalmente o resto do time, por ordem de qualidade. Lembro do Vinicius de minha infância: craque de bola, grande jogador de bolinhas de gude, um monstro na confecção e na arte de empinar pipas. Eu, nessas coisas, oscilava ali entre ser beque, goleiro ou ficar de fora do jogo. Estava nas três últimas posições. Nunca achei que aquilo não fosse como deveria ser. Não era *bullying*. Era uma auditoria de nossa capacidade. Nada mais meritocrático que os critérios de seleção de uma pelada de futebol (embora, ali, já houvesse também o dono da bola. Mas isso é outra história).

No *marketing*, João era um jogador muitíssimo melhor do que eu. Seus troféus eram merecidos.

Uma vez, na campanha de 2006, ele me fez um gesto. Me chamou para que entregasse pessoalmente meu terceiro livro, que acabara de lançar, ao presidente Lula. Nos encontramos nos estúdios da produtora de televisão, em Brasília. Dei um exemplar autografado. Era eleitor de Lula naquela eleição.

Tempos depois, vejam como é o destino, João me chama para um jantar. Papo vem, papo vai, ele faz um comentário que considerei cruel, de maneira tão casual e tão nas entrelinhas, que me abespinhei. Engoli em seco. Nunca mais tive nenhuma conversa com ele. Se aquele incidente não tivesse acontecido, será que estaria do lado do marqueteiro do rei e poderia ter levado a minha vida para os ápices e os vales que ele depois experimentou? Talvez sim e você estaria diante de outro livro, não deste. Como a vida às vezes pode se definir num rápido silêncio, numa troca de olhares, numa palavrinha ali colocada?

Achava importante ter sido considerado profissionalmente por João. Isso me deu um pouquinho de confiança de seguir em frente, solitariamente. Mentores passam por nós e não se apresentam. Nós é que temos de identificá-los. Se não o fazemos, eles terão passado por nós. Nós é que não teremos passado por eles. Foi assim que eu vi depois.

Mestres são tão intensos e poderosos que não precisam de uma eternidade para nos lascar. Às vezes, basta uma frasezinha solta e nunca mais seremos os mesmos. O calendário deles não é composto de dias ou anos. Uma pequena picada letal pode ser para sempre.

Em 1998, na Paraíba, reconheci um deles numa palestra de autoajuda. Era Roberto Shinyashiki, palestraste profissional e autor de *best-sellers* como *O amor pode dar certo* e *A carícia essencial.*

Shinyashiki fora mandado para lá por Duda Mendonça, que o contratara para fazer sessões motivacionais para as equipes que trabalhavam em campanhas políticas. Confesso que fui pra palestra apenas para cumprir tabela. Era chique ter preconceitos contra autoajuda. Não lembro nada daquela apresentação. Só de uma frase que nunca mais saiu de mim e que, quem sabe, seja a única que você vai reter deste livro:

— Prestadores de serviço não podem ser *commodities*.

Aquilo teve a força de uma pedrinha lançada num lago sereno e desencadeou marolas mentais titânicas em mim e que desaguaram no tsunami profissional que minha carreira iria percorrer dali em diante.

*Commodities* são produtos (minério, petróleo, alimentos) regulados pelo preço. Se há escassez, sobem. Se há muita oferta, o valor desce.

Pois aquele japonesinho casual e simpático percorrera milhares de quilômetros para me deixar uma marca definitiva. A partir do que me disse, compreendi que, se quisesse ser prestador de serviços, tinha de oferecer algo intangível, tanto para fidelizar meus clientes como para potencializar meus ganhos.

Os mestres com que cruzamos na vida não se apresentam assim para nós: prazer, eu sou seu mestre. Nosso dever é reconhecê-los quando nos atiçam e deixam pérolas com poder de mudar nosso destino. Foi assim com Shinyashiki naquele evento: nunca mais fui o mesmo.

Depois, ajudaria Shinyashiki a escapar de uma conspiração cruel. Em 2000, havia sido escolhido para ser o guru da equipe olímpica. Os atletas não conseguiram resultados expressivos. Houve um momento em que alguns artigos queriam demonizar Roberto pela campanha frustrante. E se o Brasil tivesse triunfado espetacularmente? Os méritos seriam dos atletas ou do preparador psicológico? Alguém já imaginou uma manchete do tipo "Chega hoje o japonês do ouro"? Claro que não. Da mesma forma que era exagerado colocar o fiasco atlético nas costas dele. A polêmica durou pouco e a reputação de Shinyashiki continuou intacta e admirável, como sempre.

As conexões que ele deflagrara em mim me levaram para outros campos de reflexão. E foi assim que fui revelando, para mim mesmo, a natureza do que iria fazer e de como.

Pode tangenciar até o limite do pornográfico ou do politicamente incorreto. Peço desculpas. Mas, em nome da veracidade, vou descrever como essas coisas eram processadas dentro de mim. Isso pode revelar um traço distorcido meu. Nunca fui perfeito. Mas a ideia aqui é ser o máximo verdadeiro possível. Perdoem a forma alucinada com que pensava então.

A imagem que me veio um dia e que virou meu referencial: a prestação de serviços é a profissão mais antiga do mundo. Sempre considerei o setor terciário sob essa perspectiva e buscava fazer conexões perenes, a partir dessa premissa.

Prestador de serviço não é a profissão mais antiga do mundo, a rigor. É a que há mais tempo se reinventa. E isso deve servir de lição para todos os prestadores de serviço: reinventar-se continuamente para atender às demandas de um mercado em permanente mudança. Um prestador de serviço da calçada e o que atende num edifício de luxo, por exemplo, são totalmente diferentes. O da rua é *commodity*. Já o que atende o cliente mais abonado consegue agregar valor e faturar melhor.

A nossa milenar profissão tinha também um traço de objetividade que nem todos os prestadores de serviço conseguem perceber: foco. Quanto mais o cliente tiver claro o que podemos oferecer, melhor. Alguns herdeiros dessa profissão em outros campos — consultores e prestadores de serviço — padecem e, às vezes, fracassam quando não são capazes de definir um foco claro para suas especialidades. Como alguém vai lhe desejar profissionalmente se nem mesmo você é capaz de dizer exatamente o que faz?

Há prestadores de serviço que cobram barato e outros que são capazes de receber milhares de dólares por um encontro. Isso sempre me fascinou. O que podia significar? Que o mais caro, por atender clientes poderosos, consegue elevar seus ganhos porque não vende apenas a sua *commodity*. Consegue, de alguma forma, cobrar e agregar valor sobre a fantasia e o desejo que o cliente tem. A mercadoria, muitas vezes, não está no tangível, mas no intangível, coisas aparentemente irrelevantes, como saber se comportar, saber dominar alguns códigos do mundo do cliente, de modo que ele possa até às vezes apresentar o prestador de serviço a algum amigo e ainda se orgulhar: tá vendo, tá comigo.

Ou seja, achava que prestadores de serviço só conseguimos catapultar nossos honorários se oferecermos não o essencial, mas o "supérfluo". Ou seja, não apenas aquilo que tecnicamente se espera de nós, mas uma sensação, uma fantasia, uma vaidade de que o cliente está possuindo algo especial. E talvez esteja mesmo, quem sabe?

Agregamos valor em tudo que não é o básico. O básico são as técnicas. O grande michê está em satisfazer a percepção do cliente de que ele é tão especial que não contrata uma mão de obra qualquer. Mas a mão de obra.

Sempre me espelhei nessa percepção meio maluca para tentar tornar minha prestação de serviços como consultor de crises num objeto de desejo, e não apenas num programinha eventual.

Poderosos querem dispor do que há de "melhor" em todos os campos: de helicópteros a jatinhos, de médicos a consultores. Quando um profissional de qualquer campo consegue de alguma forma entrar nesse etéreo e subjetivo índex, sua carreira e seus honorários disparam.

Sua base de precificação deixa de ser ele e passa a ser a massa de recursos desses clientes que querem "o melhor". Consegue ganhar mais porque não está vendendo mais a sua *commodity*, mas outros atributos que não são os básicos, mas são os que os poderosos desejam ter, até mesmo para se diferenciar. Pois suas necessidades não são também triviais.

Acho que, a partir de um determinado momento, entrei para esse *book* rosa. Porque, como clientes especiais, que querem coisas especiais, acabam indo atrás de uma categoria que só existe no universo deles, se alguns convencionarem colocá-lo lá, economicamente você se tornará "o melhor". Para alguns, adquiri temporariamente esse título.

Saí da calçada das portas de CPI e, mais velho, é como se tivesse sido aceito pelo dono da fazenda. Quanto mais poderosos eles fossem, fui vendo meu passado polêmico ir sendo assimilado pelos capatazes e pela criadagem e me tornei aceito em certos círculos.

Tive inúmeros outros mestres não mencionados aqui. Alguns eram inimigos. Como eles são úteis. Um bom inimigo é o superego terceirizado. Não precisamos nem nos preocupar. Ele está sempre ali, atento para nos alertar.

Também tive inúmeros amigos que foram meus mentores, de inúmeras formas. E tive também alguns chefes e patrões que, se soubessem, teriam cobrado para que trabalhasse para eles. E, confesso, teria pago sem pestanejar.

Um chefe sensacional que tive foi Tales Alvarenga, que se tornaria depois diretor de redação da *Veja*. Ele tinha uma alma agridoce. Era suave conosco, os moleques, um oásis no meio daquele deserto da redação.

Tales foi meu mentor no episódio mais importante de meu início de carreira: o meu primeiro grande, incontestável e retumbante fracasso.

Havia sido, aos 24 anos, promovido a editor de política da *Veja*. Ocupava um cargo crucial na quinta maior revista do mundo, mas ainda não tinha viajado ao exterior, tomado um chifre ou sido abduzido por uma paixão. Ou seja, a minha pessoa jurídica estava muito à frente de minha pessoa física. E sentia que não ia dar conta, como não dei.

Comecei a cair em depressão, pois não estava preparado para aquilo mesmo. De outro lado, sair significaria uma mancha irreversível em minha iniciante carreira. Um dia fui a Tales pedir conselho:

— Estou com medo de fracassar...

— Fique tranquilo: isso não vai acontecer. Você nunca vai se sentir um fracassado.

— Você acha?

— Tenho certeza: se você fracassar, você vai botar a culpa em alguém, em mim, no sistema. Você nunca vai achar que foi culpa sua...

Pois eu fui indo e perpetrei meu primeiro fracasso. Pedi demissão num dia de "fechamento", o único em que era pecado não estar na redação. Fracassei, entrei em depressão, fui a mais de 100 quilos semanas depois, acabei até tomando lítio para estabilizar meu humor.

O primeiro fracasso nos liberta do medo de fracassar. E, se damos sorte, jogamos sem o peso da camisa depois. Meus dois maiores prêmios jornalísticos vieram após meu fracasso. Foi bom ter a consciência plena do meu fracasso. Pois, como me alertou meu mentor Tales, quando o negamos ou não o reconhecemos, é porque efetivamente ele aconteceu.

Fracasse, querido, querida. Fracassar faz bem.

Ah, sim: não poderia deixar de evocar a realização mais gratificante para mim, além de ter sido um dia jurado de miss Brasil. Tive dois irmãos militares e a disciplina castrense foi parte de meu tempo. Então, quando participei de atividades como consultor junto ao Exército brasileiro, aquilo parecia a realização de um sonho.

Fiz palestras no Centro de Comunicação Social do Exército, em Brasília, com a presença de coronéis e até generais. No Centro Duque de Caxias, no Rio, por vários anos participei como palestrante convidado de cursos de formação de oficiais de todo o país. Foi com muito orgulho que fui autor do prefácio do primeiro livro sobre comunicação de crises do Exército, coordenado pelo meu amigo, conselheiro e sutil colega coronel Marcos André Bonela Azevedo.

Profissionalmente, nossa primeira conquista é dominar a receita de nosso próprio bolo: saber misturar os ingredientes básicos, a quantia exata de fermento, não errar no ponto de cozimento, saber retirar da forma, fazer uma cobertura bonita e colocar corretamente na travessa. Nossos mentores são pitadas de gente que alteram o nosso sabor e nos fazem, ao longo do tempo, adquirir nosso próprio paladar.

*(Assim como a vida não cabe nos manuais nem nas reportagens, os mentores não estão confinados apenas aos currículos profissionais.*

*Tive mentores decisivos que determinaram minha vida, e tudo o que aconteceu profissionalmente depois.)*

Saí de casa aos 17 anos. Não fosse a "tia" Juçara, o "tio" Mario e seus filhos, Serginho, Sílvia e Simone, teria ficado ali mesmo, no meio do caminho. Eles me deram amor, pagaram o último semestre (com sacrifício) de minha escola privada no fim do segundo grau. Me deram um lar quando mais precisava de um. Me deram incentivo, me deram cafunés, me deram sobretudo uma base para nunca deixar de acreditar no amor.

Na faculdade, fui estudar como aluno carente. Morava no alojamento estudantil. Seis alunos por unidade. Com o tempo, passei a dar aulas particulares para filhos da classe média e fiquei "rico" pela primeira vez: tinha dinheiro suficiente para mudar para uma pensão. Morava numa vaga, num quarto com outros dois hóspedes. Ia orgulhoso comer um pão com manteiga numa padaria ali perto, com café. Podia até repetir, se quisesse. Para mim, era a prosperidade, comparada com minha situação anterior.

Nessa etapa da vida, passei a dar aulas para o Marquinho, filho da família Rossi. Eu já os conhecia e, nas aulas, sentia o calor de uma família estruturada. Marquinho era muito inteligente. Seu problema era outro: estava com câncer. Morreria alguns meses depois.

A família Rossi me acolheu depois da partida dele: Maryva, Meiroca, Marcelo e Alessandra viraram meus irmãos. A mãe, Maryva, me encheu de carinhos e amoleceu um coração empedernido. Alencar, o pai, era um alto servidor público, um grande negociador de conflitos. Despertou em mim o exemplo de um sucesso a alcançar. Me acolheram e me deixaram marcas que me empurraram para a frente.

Marco Antônio Diniz Brandão, diplomata, eu conheci como meu chefe. Era o titular da comunicação do Ministério da Fazenda, na gestão Dilson Funaro. Eu era o seu número dois. Tinha 20 anos e fui burilado por Marco Antônio — depois embaixador — de uma forma poderosa e perene. Foi ele que me fez ver a beleza de quadros, de móveis, da estética, da história. Foi ele que me fez ver as dimensões da beleza e da sofisticação que um menino de classe média baixa não conseguia alcançar. Ele treinou meus olhos e meus ouvidos e me ensinou a me comportar naturalmente diante do acervo do intangível. Foi padrinho de minha filha. Foi a maior influência que recebi.

Doutor Helder Eugenio me ensinou a rir dos psicopatas. Etevaldo, o primeiro jornalista meu chefe, é o grande culpado. Guzzo, gênio. Claudio Humberto, família. Terezoca, alma gêmea. Mônica Bergamo, idem. Raul Bastos me torturou com ternura. Luciano Suassuna, generosamente crítico. Sempre. Oinegue, uma bússola. João Camargo, meu grilo falante na vida. Betinho? O ideal!

(Certamente há outros que não me ocorrem agora, mas nada que não possa corrigir em próximas edições. Muito obrigado, meus mentores! Não fossem eles, eu não estaria aqui, nem este livro, nem você que está lendo porque eles me deram o conteúdo de afetos e *insights* para ver a vida como eu vi.)

# BISTURI

Ninguém me se ensinou a ser o que fui.

Aprendi no tranco.

Chegava sempre a organizações em meio ao pandemônio. E achava que para ser útil, primeiro, precisava me impor. Afinal, quando uma crise acontece, todo um modelo decisório interno entra em colapso. A cultura rígida, alicerçada na disciplina e na hierarquia, na regra de engolir sapos ou mesmo brejos para manter o sustento, tudo isso tinha levado também à falência que estava em curso. O que não era dito, pela conveniência do curto prazo, talvez também tivesse sido o alerta de que não havia sido feito.

Então, pensava que não estava ali para ser mais uma vaca de presépio. Também não me via como vaca sagrada, incontestável. Apenas uma vaca de torneio, de passagem por aquele curral. Era contratado temporariamente, inclusive, para não ter prurido de meter o dedo na ferida. Achava que era uma espécie de pneu: era feito pra gastar. No meio do rali, colocassem outro. A corrida não pode parar.

Não queria estar ali só pra enunciar platitudes. Essa era a tática de quem ficaria ali para sempre. Esses tinham de ser cautelosos. Porque a crise passa e o chefe fica. Não era o meu caso. Era temporário.

Assim, com essa justificativa mental muito alicerçada, soltava o verbo. No IML das crises, feri muitas vezes com minha língua de bisturi, enquanto estava tentando dissecar as situações. Há episódios, inúmeros, de que me arrependo. Outros não.

Na crise da Castelo de Areia, certa vez perpetrei um pequeno atentado contra um membro da realeza da "segunda geração", como eram chamados os controladores da Camargo Corrêa. Não foi, evidentemente, o meu ídolo Caco Pires. Meu interlocutor tinha um jeito de provocar pânico à sua volta. Administrava pelo temor, o que é um método também eficiente. Nos primeiros contatos comigo, convidou-me para essa valsa. Achei que devia pontuar:

> **— Meu caro, deixe-me dizer uma coisa: minha mãe era bipolar e me batia muito com cabo de vassoura. Quando ia brincar na rua, ela gritava da janela e eu me mijava todo. Quando cresci, entendi que, se eu sentisse medo dela, ia me desintegrar. Então, fui deixando ela perceber que, se me agredisse, tudo podia acontecer.**

Estávamos na sala do conselho de administração, só ele e eu, numa mesa enorme, com muitos assentos. Eu concluí:

> **— Eu tinha de respeitar minha mãe e sempre a respeitei, mas eu não podia sentir medo dela.**

Ele escutou e foi, sempre, uma seda comigo. Com o tempo, foi declinando do privilégio de me receber. Servi-o com lealdade e afinco o tempo todo pelo quinquênio seguinte.

Nesse caso, não tenho remorso. Acho que minha missão era incompatível com o sentimento de medo, de falar coisas beges. Por isso, meu modelo de contrato sempre previu que, se meu contratante quisesse me demitir, a qualquer instante, era direito dele. Mas eu recebia todo o valor devido e pendente. Normalmente, meu vínculo era de um ano. Não abria mão dessa cláusula de quitação. Se me mandassem embora no primeiro mês, receberia os 11 meses restantes. Isso nunca aconteceu.

Via essa arquitetura contratual como uma espécie de "mandato". Prestadores de serviço, em situações normais, têm como objetivo número um executar o contrato. Para isso, sapos fazem parte do cardápio. Mas, nas crises, achava que não poderia ficar refém dessa lógica. Já havia problemas demais e eu tinha que me blindar contra qualquer conflito de interesses. Se o cara me contratou — e a negociação dessa cláusula de "independência" muitas vezes era sofrida, mas eu não abria mão dela —, dali pra frente meu modo de colaborar era ser sincero, sem poder sofrer retaliações caso falasse o que precisava ser ouvido.

As regras veladas dos protocolos corporativos não poderiam ser aplicadas em relação a mim, ao menos durante a crise. Isso ajudava muito a minha naturalidade. Falava o que pensava. Podia até estar errado e, muitas vezes, eu errei. Mas não tinha medo de chutar para o gol, mesmo que fosse pra fora. Essa era a linha do consultor.

Como sempre convivia também com inúmeras empresas de comunicação que prestavam serviço a essas grandes corporações, também tinha como regra de ouro que essas empresas jamais me contratariam. Não queria ter o rabo preso com nenhuma delas. Se achasse num caso qualquer que o trabalho delas merecesse algum reparo, iria fazer isso. Na quase absoluta maioria das vezes, elas sempre trabalharam muito bem.

O fundamental, para você refletir, é que eu era chamado para viver em estruturas de poder, tradicionalmente incontestáveis, que estavam de ponta-cabeça. E, quando achava que tinha de me posicionar, eu o fazia sem conflitos.

Com o tempo, porém, qualquer excesso de poder deforma. E, confesso, passei dos limites. Se de um lado nos dão liberdade, de outro temos de utilizá-la responsavelmente. Hoje, cabelos brancos, reconheço que fui diversas vezes apenas grosseiro, imaginando estar sendo arrojado. Tive rompantes de arrogância e ofendi desnecessariamente aqueles que confiavam em meu juízo — e o fiz não para atacá-los, mas para ajudá-los em momentos horríveis.

Nunca é fácil ser um soldado com a metralhadora na mão e não barbarizar inocentes. Eu tenho minha carga de fuzilamentos que só me envergonham. Tentei melhorar ao longo do tempo, mas nem mesmo o álibi da juventude e da inexperiência pode ser meu atenuante. Mesmo velho, usei dessa independência que me deram apenas para botar pra fora desequilíbrios meus que não tinham nada a ver com a ocasião, não eram necessários. À medida que fui percebendo essa agressividade inútil, fui tentando me controlar.

Claro que, olhando quase duas décadas de atividade, a grande maioria das interações provavelmente se justificaram. Tive relações perenes com os grupos a que atendi. Se tivesse sido só o idiota de algumas situações pontuais, teria sido varrido do mercado. Um dos meus maiores patrimônios é ter passado por inúmeros ambientes empresariais e lá deixado amigos e amizades profundas.

Mas, a esta altura da vida, acho que o mais relevante não é narrar as boas lutas internas que travei. Deixo aqui alguns episódios para que os que vierem depois de mim aprendam o que não tive quem me ensinasse.

Uma das maiores grosserias imperdoáveis que cometi foi contra o líder que apenas me prestigiou e, num certo momento, inclusive me protegeu. Sinto um misto de vergonha e gratidão.

No dia em que fui chamado para a crise da CBF de 2015, quando a Fifa estava desmoronando e as placas tectônicas do futebol estavam sendo sacudidas por um terremoto, mantive minha primeira reunião de trabalho com o presidente Marco Polo Del Nero. Ele estava acompanhado de outros dois diretores. Meu comentário inicial foi desastroso e desrespeitoso.

Um tempo antes, Marco Polo fora registrado num ensaio fotográfico bem pensado. Ele aparece de terno e gravata dentro de um campo de futebol, com luvas de goleiro e chuteiras. A ideia era boa, leve, sobretudo para contrastar com a rabugice atávica de Ricardo Teixeira, que só aparecia de cara fechada, dentro de escritórios. O posicionamento de imagem era muito adequado: o novo cartola era simpático, alegre e despojado.

Só que eu, ao invés de dizer isso assim, formulei uma frase asquerosa. Só não vou reproduzi-la aqui para não cometer o mesmo erro duas vezes.

Ele me olhou com um olhar semicerrado que poderia ser apenas equilíbrio natural, mas era o que seria o meu se eu tomasse algum tranquilizante.

Sereno, fez de conta que não ouviu aquela tolice absolutamente dispensável. E seguimos para o restante da pauta. Foi o equilíbrio de meu contratante que fez a diferença ali, diante de um consultor que teoricamente deveria ajudar a organização a encontrar uma atmosfera de harmonia.

Consultores, conselheiros, não somos perfeitos. Temos dificuldades de reconhecer nossas próprias imperfeições. Quando somos treinados a não ter papas na língua como meio de sobrevivência, podemos extrapolar limites. Os nossos próprios limites. Eu fiz isso algumas vezes e não me orgulho.

(A propósito, meses depois, quando a Polícia Federal bateu na porta da CBF por minha causa, o presidente Marco Polo foi absolutamente, totalmente, contundentemente leal. Chamou-me e disse que aquele constrangimento que eu causara não afetaria em nada nosso vínculo profissional. Expliquei a ele os detalhes do caso. Ele, criminalista, entendeu. Disse a ele que o gesto tinha um significado fundamental e inesquecível para mim: o endosso institucional dele e da organização. Jamais vou esquecer o gesto generoso que teve comigo.)

E, quando falo em destempero, falo também daqueles que desferimos fora do expediente: profissionais bem-sucedidos sempre têm o álibi de que, por estarem sobrecarregados, têm um direito autoconcedido de descarregar nos mais frágeis, sobretudo em casa.

Percebi que não era um "traço" de personalidade, mas apenas violência verbal incontrolável, mesmo, quando estava indo para a Disney, em 2010, com minha família — o avô, a avó, o sobrinho, filha e mulher, todos com medo do vulcão adormecido aqui. Um silêncio. Qualquer movimento... e podia ser lava descendo a encosta. Na hora, percebi um sentimento que já conhecia e vivera eu mesmo: a imprevisibilidade de um bipolar.

Foi um relance. Nenhuma palavra trocada. Nada. Apenas a compreensão profunda.

Voltei ao Brasil e procurei um psiquiatra. Ele me recomendou um remédio para "aumentar" meu pavio. Para que lidasse melhor com as adversidades acumuladas. Paulo Coelho só me chamava depois disso de "dr. Pondera". Fiquei mais ponderado, sim.

Nossas famílias e, no caso do consultor de crises, não é diferente, nos ajudam a carregar o fardo que pesa sobre nossos ombros. Quando o consultor, deprimido, arrasado, impotente, chegava em casa depois de, o dia inteiro, ter sido o pilar emocional de alguém, sua alma estava trincada. E isso muitas vezes se manifestava em erupções desproporcionais por coisas pequenas. É claro que a rotina coloca aquelas pequenas armadilhas e manipulações domésticas que aprendemos, de parte a parte, para espezinhar o marido ou a esposa.

Mas, além disso, havia a fragilidade do consultor. Era quando chegava em casa que podia restaurar as forças para a batalha do dia seguinte. E, nesses momentos, acumulados pelos anos de fadiga, reconheço que não dispensei o melhor de mim para os que me amavam mais. O melhor Mario, na maioria das vezes, era o que saía para a rua. O que voltava muitas vezes era o pior, irritado. Peço desculpas a todos os meus mais próximos, por reações que deveria ter controlado. Agradeço a bondade deles de suportarem a alma vazia e esgotada que tantas vezes voltava ao lar. O amor e a base de uma família sólida não estão em nenhum manual ou currículo, mas sem isso nenhuma carreira ou trajetória é realmente possível plenamente. Momento brega: aqui o meu amor para minha filha Isabela, o segredo de minha vida.

Aliás, sempre morei em casas bonitas e bem decoradas, no meu apogeu. Achava importante olhar esses espaços e ver a ordem e a harmonia. Se isso estava fora de mim, é porque era parte de algo que havia dentro de mim e que nem sempre conseguia enxergar. Me via de fora para dentro na organização do lar.

O remédio foi me fazendo bem e os rompantes ficando mais raros. Mas, por favor, nem imagine que tenho remorsos de 90% das coisas que disse ou falei, das feridas que toquei. Esse era o meu papel e acho que, fazendo assim, dei minha contribuição. O que me incomoda são esses 10% que constituem excessos que, idealmente, devemos evitar. Para perseguir a excelência. Com o tempo, passei a tomar remédios para dormir também. Tenho um sono bom, mas tinha dificuldade para cair nele. Alguma química pode ser útil. Um certo equilíbrio e energia são ferramentas para cumprirmos o nosso dever.

# PAPO CABEÇA

Se você está a fim de continuar curtindo essas futricas com esses personagens curiosos, pule este capítulo. Aqui, vou tratar de alguns aspectos, digamos assim, conceituais. Como dizem os cariocas, este capítulo não come ninguém.

Se você não pulou, vamos lá.

Começo por uma autocrítica: ao longo dos anos, como profissionais (e não apenas os de comunicação, em todos os campos), vamos adquirindo certezas e vamos as impondo aos nossos consultados como se houvesse apenas uma escolha possível. Na vida, porém, vivi na pele, não é assim. Há tantas outras variáveis que não cabem nos manuais...

O medo, a ansiedade, o coração que dispara, a lágrima que rola, a amargura do filho, a angústia da família, a insegurança do dia seguinte. Ah, se todos os profissionais pudessem passar alguns dias sofrendo o que os seus assessorados, clientes ou pacientes sofrem... Acho que sairiam mais humanos e com menos convicções absolutas. Pois a vida acontece quase o tempo todo nas frestas, não nos extremos. E os protocolos simplificam, em nome da cura e do profissionalismo, questões que são maiores do que um *case*.

É preciso abrir espaço em nossa mente, mas sobretudo em nosso coração, para sermos mais flexíveis quando temos o destino do outro em nossas mãos. Porque seja o médico, "que salva vidas", seja o engenheiro, "que desafia a natureza", seja o advogado, "que liberta", seja o motorista, "que conduz", seja o artista, "que encanta", seja quem for, a verdade é que o sucesso continuado numa atividade qualquer pode nos retirar a humanidade necessária para perdoar o outro, sobretudo quando este outro é o nosso cliente e precisa de nós. Porque, de alguma forma, inverte-se na fragilidade a relação de poder: se prestamos serviços a alguém, é esse alguém que precisa de nós. E, com o tempo, podemos sem perceber adotar uma atitude de semideuses.

Sim. Porque, quando crescemos profissionalmente naquilo a que nos dedicamos, somos necessários, inclusive, porque deixamos nossas emoções de lado para oferecer a nossa "racionalidade" como ferramenta para o outro. Com o tempo, podemos nos tornar máquinas frias demais, distantes demais, pragmáticas demais. E isso não é necessariamente ruim, pois, ao fazermos isso, poderemos estar cumprindo a nossa missão e realmente ajudando, com nosso conhecimento, outros a superar suas crises.

Mas esse distanciamento todo, essa objetividade toda, isso pode ser também tóxico e talvez não seja o máximo que podemos dar. O que nos afasta do desequilíbrio alheio é a colaboração mais útil que podemos prestar a alguém. Somos supostamente um porto de racionalidade em meio à tempestade daqueles a quem servimos. Mas o afastamento total, o encapsulamento nos dogmas, pode nos fazer desumanos demais, incapazes de prestarmos toda a ajuda que somente a racionalidade não é capaz de oferecer.

Porque, quando entendemos a nossa fraqueza, a nossa limitação, só assim podemos entender a do outro, sobretudo quando este outro precisa de nós, de nosso aconselhamento ou serviço profissional, em qualquer esfera de atividade. Portanto o que aprendi não se restringe apenas ao campo da comunicação ou "gestão de crises". Acho que pode ser útil para a sua reflexão, seja lá qual for a sua especialidade. Uso essa questão dos escândalos e da crise apenas como fio da meada para abordar questões mais amplas, que resumiria assim: como dosar o que sabemos levando em conta não apenas os compêndios, mas o outro, esse ser frágil, contraditório, imperfeito, que está diante de nós?

Será que é apenas nos socorrendo na ortodoxia das técnicas que podemos cumprir o nosso dever? Porque sermos flexíveis, aceitarmos a incoerência, os rompantes, o desespero, e não apenas nos contrapormos a isso, mas incorporarmos e nos sensibilizarmos no nosso próprio modo de servir, provavelmente isso é muito mais útil, mas dá muito mais trabalho.

Na comunicação, por exemplo (e acho que isso deve acontecer em outras áreas), houve um surto de racionalidade nos últimos anos. Acho que isso começou quando os gestores foram complicando tudo e criando essa parafernália toda que envolve os rituais corporativos. Planilhas, tabelas, setas, números, equações, organogramas, medições de todo o tipo. E até mesmo um novo idioma, que só eles conseguem entender. As áreas de administração, finanças, foram puxando essa fila.

O pessoal de relações públicas, nas empresas, foi ficando pra trás, espremido ao longo do tempo por esses novos dialetos. E, como na comunicação se trata fundamentalmente de coisas subjetivas, abstratas, teóricas e sobretudo incertas — tudo o que envolve comunicação de alguma forma é assim —, daí o pessoal dessa área foi ficando mais e mais escanteado.

Até que começou a haver uma clonagem desses métodos da "alta gestão". E as discussões, também sobre comunicação, começaram a descambar para a "objetividade" dos gráficos, dos números, dos estudos de *cases*. E, de repente, aquilo que não era assim tão tangível virou uma interminável corrente de certezas.

Criou-se até uma nova língua na comunicação: *focus grou*p (grupos de discussão), *key messages* (mensagens-chaves), comunicação integrada (ou seja, todas as ações nessa área precisam se submeter a um diapasão comum). E tome medições, métricas, *timetables* (um cronograma com as mais milimétricas ações, organizadas numa linha de tempo).

E, então, a comunicação foi alçada a uma nova condição nas corporações: quase uma ciência exata. E seus profetas, com seu linguajar próprio e sua liturgia de tabelas e fórmulas se tornaram pregadores de dogmas redundantes (ainda mais agora em meio à epidemia de medições do mundo digital). Com isso, pode-se faturar mais, ser mais reconhecido interna e externamente. Eu mesmo fiz um livro inteiro com dez *cases* de grandes escândalos, *A era do escândalo*, no qual enuncio dezenas de "lições" com a pretensão de serem replicáveis e aplicáveis em outras situações. Ah, mas quando aconteceu comigo...

Não que as técnicas precisem ser totalmente descartadas. Mas a vida não é técnica. A vida realiza, mas também dói. E a frieza das técnicas não alcança todo o espectro. É uma parte do caminho, mas não todo.

Como os craques de futebol, temos de nos exercitar ao máximo, buscar a alta performance técnica. Isso só se alcança com a repetição, o treinamento, o exercício, a disciplina. Tudo isso é precondição. Mas, na hora do pênalti, não há ciência para escolher o canto ou a força do chute. O atleta tem que estar na plenitude, mas ali, naquela hora, diante do goleiro e do gol, vai ser uma sinapse que irá determinar a altura e o curso da bola. Vai ser a intuição, o intangível.

Não há ciência para bater pênaltis nem para aconselhar alguém. Por mais que existam as técnicas, haverá sempre o perigo de todos os batedores: simplesmente podemos chutar para fora. Errar faz parte e se escorar nas certezas repetitivas não aumenta nossa margem de acerto. Pode até piorar. O problema das "técnicas" é quando elas se transformam no fim em si mesmo, quando se impõem como verdades, não como parte da verdade, às vezes inclusive incorretas.

Foi um pouco disso que aprendi com minha própria crise. Comecei cometendo o erro número um dos manuais — falei e chamei a atenção para mim. Mas não é que não me arrependa nem um pouco disso e, quanto mais o tempo passa, mais acho que foi um erro que gostaria de repetir.

Por quê? Porque me fez bem. E temos de entender que o bem de nossos pacientes também é importante. Ser o bedel da vida alheia, usando a covardia dos argumentos pretensamente técnicos, isso é fácil. Difícil é termos flexibilidade para aceitar que podemos acertar errando e que isso é melhor do que errar acertando, sobretudo quando isso violenta aqueles a quem servimos.

Não podemos usar o conhecimento técnico como uma masmorra na qual abandonamos o nosso paciente, o nosso cliente. Porque senão viramos meros carcereiros remunerados pelo prisioneiro de nossas convicções.

Hoje, eu lamento ter sido tão direto e cruel tantas vezes com meus assessorados. Eu lamento ter sido inflexível quando deveria ter buscado margens, graus, de compreensão.

Eu acho que, no meu setor, mas não apenas nele, estamos com certezas demais. Pois eu naveguei pelas dúvidas, percorri os erros da técnica e, no final das contas, posso não ter encontrado todas as respostas, mas me libertei para me questionar e me fazer perguntas.

# GRAN **FINALE**

Minha mãe nos acordava às três da manhã. Todos íamos limpar a casa. Ficávamos ali até o sol nascer. Foram tantas incontáveis vezes que isso aconteceu em minha infância que achava realmente normal. Achava estranho que meus amiguinhos nunca falassem sobre as faxinas da madrugada na casa deles. Depois, comecei a desconfiar que, talvez, suas famílias não fossem tão assépticas como a nossa. Foi com o tempo, alguns anos, que descobri que aquela obsessão por limpeza de minha mãe, nas profundezas da noite, era a manifestação de um demônio que a consumia — que nem ela sabia e muito menos eu. Foi nesse ambiente de bipolaridade, manias e depressões, que o menino que eu fui começou a ver o mundo.

Minha mãe era a décima quinta filha. Ficou órfã aos nove, quando começou a fumar. Morreria aos 60, de câncer. Sempre achei que, diante do primeiro dos desmoronamentos de sua vida, decidira se matar. Em prestações. Ela dizia que começou a fumar para enganar a fome.

Minha mãe ficou grávida aos 19 anos de um homem casado, que se suicidou na frente dela, nas semanas finais da gravidez. Estava conflitado com a situação. Almoçaram juntos. Ele foi ao quintal e tomou veneno. Morreu no colo dela. Dentro de minha mãe, estava meu irmão mais velho e meu primeiro herói, Marcos, a quem visitei inúmeras vezes em sanatórios em minha adolescência. Como minha mãe, sofreu de um mal silencioso que não era tão fácil de diagnosticar nos seus dias. Tinha muito orgulho dele. Meu irmão era inteligente. Formou-se oficial de Marinha, mas surtou na viagem de formatura. Eu o perdi antes dos 60. Aprendi com ele que distúrbios mentais estão entre as poucas doenças que fazem você se sentir pior quando melhora. A consciência dilacera, a onipotência da euforia se dissipa e você fica ali, curado do surto, o que significa prostrado diante de si e diante da recobrada consciência de seus atos. Isso dói.

Minha mãe conheceu meu pai e eu nasci. Ela me contava que fui sequestrado e devolvido dois meses depois do parto por ele. Ele me batizou com um nome: Mário Brito Pitanga Filho. Ela, com outro: Mario César Lopes da Rosa. Já nasci dentro de uma batalha de versões.

Minha mãe fugiu comigo, fugindo dele, para Brasília. Daí meu nome prevaleceu com Rosa no fim. Muito prazer. Tornei-me uma versão oficial. Em Brasília, levado pelo destino, fui lançado no mundo dos monumentos e protocolos. Conheci meu pai quando tinha 26 anos. O que achei? Fiquei olhando suas unhas, a entrada de seus cabelos, a largura de seus ombros e decifrei uma parte de mim: entendi por que tinha algumas formas que não via em minha mãe. Só o vi essa vez. Tinha fama de violento. Uma vez, ainda jornalista, quando fiz uma matéria cabeluda contra um poderoso, me ligou na redação e comentou: “Sei que esses telefones aí de Brasília são todos grampeados. Quero dizer a você, meu filho, que pode contar comigo para tudo. Tudo”. Vi ali, naquela ameaça difusa a um imaginário grampeador abelhudo, que o pai com que só estive uma vez queria me proteger. Depois da morte dele, descobri que ele foi jornalista. Chegou a ter um jornal na cidade dele, Itaboraí, no interior fluminense. Só fui descobrir isso muito tarde, na meia-idade. Que coincidência, não?

Minha mãe teve "um filho com cada homem", como ouvi a vida inteira. Meu outro irmão, Newton, era filho do pai homônimo. Foi Newton, pai, quem me criou. Eu o vi morrer na minha frente, de um ataque fulminante de coração. Ouço sua cabeça batendo no chão da sala e o vejo agonizando sem termos o que fazer. Newtinho, como minha mãe queria para todos, tornou-se oficial de Marinha. Capitão de mar e guerra. Meu orgulho.

Minha mãe não tinha controle sobre o destino, sobre o mundo e, crescentemente, foi perdendo o controle sobre si mesma. Foi essa mulher que me criou. Ela acreditava no futuro. Nos impunha disciplina militar. Fui para colégios internos quando criança. Lembro que meus colegas dessa época ficaram em minha memória como números: o "11", o "19" e o "21" eram os de que mais gostava. Por que número? Porque as roupas precisavam ser identificadas assim na lavanderia. Não tínhamos nomes, então. Nos chamávamos pelos dígitos que davam nossa identidade. Não é incrível? Somente escrevendo aqui, agora, me dei conta de que sempre memorizei os números de celular. Ou seja, nunca houve "pessoas" em meu celular. Apenas números. Achava que isso era um exercício de memória. Só agora enxergo que até minha filha, meus amigos, haviam sido reduzidos a números, na intimidade minha comigo mesmo. Será um condicionamento herdado daqueles tempos distantes a despersonificação do outro, sobretudo os mais próximos? Terá sido esse treino involuntário que pratiquei depois como consultor de crises? Houve um tempo em que havia os externos, os semi-internos e nós, do internato. Grupos fechados exercitam o coleguismo e a tolerância entre os pares. Será que levei isso para a vida?

Minha mãe nos incutiu a ideia de que íamos chegar muito longe. Onde? Muito, muito longe. Sacrificou-se por nós. Sempre estudei em colégios privados, mesmo sendo ela uma datilógrafa e meu pai Newton contador. Uma vez, falei com minha filha, que não sabia que vidas assim existiram, nem entendia quando contávamos a ela, pois eu disse que não havia feito nada na vida. Tinha sido só uma flecha. Mas que o arco que me impulsionou havia sido a vó dela. Quis que entendesse a força de uma pessoa no destino das outras: fora minha mãe, duas vidas atrás, que construíra o destino de minha filha, sua neta. Eu fui apenas o meio.

Minha mãe, humilde e sofredora, foi a mãe do consultor de crises. Um consultor que, antes de profissional, foi um ser, impactado por muitas outras influências que não costumam ser consideradas nas avaliações sobre carreiras e profissionais. Fui uma pessoa. O lado profissional aconteceu nas interações públicas e sociais, pela força das circunstâncias. Até que ponto buscamos nosso caminho no mundo reagindo ao pequeno mundo de nossas primeiras experiências de vida? Lidei com a bipolaridade em minha infância e adolescência, quando ela podia descambar para surras, gritos. A imprevisibilidade me rondava o tempo todo. E não senti ódio. Amei minha mãe com todo o amor que pude.

Minha mãe foi eclética, embora talvez não soubesse o que isso era. Frequentou no início de Brasília a comunidade espiritual de Mestre Yucanã. Ia sempre à comunhão espírita de Brasília. Passei vários, vários, vários domingos jogado no Vale do Amanhecer, enquanto minha mãe no templo incorporava espíritos e dava passes. Eu a vi de cabeça raspada, no candomblé, tomando cachaça, trancada num quarto enquanto alimentava um erê. Será que ela foi a mãe de santo de Pai Rosa?

Minha mãe tentava decifrar os mistérios do mundo. Lia tudo de Allan Kardec, todos os livros de Helena Blavatsky, a ocultista, mãe da teosofia. Eu tentei fazer o mesmo, por meio de biografias. Minha mãe tentava entender os espíritos. Eu, os espíritos encarnados. Sangue é vida. Quem se alimenta da vida alheia, em certa medida, é uma forma de vampiro. Dou meu sangue aqui como alimento. Beba-me. (Taí: teria sido um bom título.)

Minha mãe reinava dentro de casa. Lembro que ali pelos 16 anos, já fisicamente mais forte do que ela, pois ela decidiu que eu não iria pôr o pé na rua durante as minhas férias inteiras. Não havia motivo. Mas acatei. Passava as tardes do mês todo na janela do apartamento brasiliense olhando meus amigos jogarem futebol lá embaixo. Ficava em pé, inclinado sobre o peitoril, vendo os outros jogarem. A minha era observar de fora. Não vivia dentro de campo. Via de longe.

Minha mãe gritava com tudo e todos, estava sempre enfrentando um inimigo invencível todos os dias. Adorava dirigir. Uma vez, quando eu tocava numa banda marcial, ela foi a única mãe a seguir os dois ônibus da excursão de adolescentes. Mico, mas eu não falei nada. Quando meu irmão mais novo "recebeu a espada" da Marinha, ela estava cheia de laquê e esfuziante. Completara sua missão. Eu, nesse dia, dancei com ela. Não foi mais do que três minutos abraçados. Percebi, ali, o inevitável. "Você vai me deixar." Ela me disse: "Eu te amo". Choramos juntos, baixinho. Nunca tinha conversado com ela antes. Nunca conversei depois. Foram aqueles três minutos, para sempre.

Minha mãe forjou as bases do consultor de crises? Não conseguia sentir ódio também de meus consultados, o mesmo ódio que enxergava no olhar dos outros. E da grande maioria deles nada cobrei. Atravessei com eles as viagens trepidantes do olimpo ao precipício, sem escalas. Passei a minha infância em total estado de alerta: mamãe chama? Mamãe acordou? O que vai fazer mamãe? Não foi assim também que acabei vivendo minha vida profissional? O medo que senti tão intensamente, o pavor, não era o mesmo que eu agora podia confortar como adulto e consultor? Estaria eu socorrendo aqueles ex-meninos pilhados em alguma peraltice? Pode haver alguma ligação insondável entre fatos sem relação aparente? Podem ser estas garrafas da memória que atingem o continente de minha maturidade uma mensagem que deixei para mim mesmo e só agora posso traduzir? Será que foi isso, afinal, que genuinamente o fez cruzar com este livro?

Este *finale*, na verdade, é para nos lembrarmos ao longo da caminhada: é sempre útil voltar ao início.

Uma vez, li um comentário do ex-ministro da Fazenda Pedro Malan. Ele falava sobre a imprevisibilidade como uma marca do Brasil: "No Brasil, até o passado é incerto", dizia ele.

Escândalos colocam nosso passado sob risco. Nossa vida pode ser lida às vezes pelo que não foi.

Jovem, tinha medo do futuro. Velho, comecei a temer o que passou.

*(Sabe quando há uma canja e o cantor volta para uma musiquinha final? O* show *acabou. Assim como este livro. Este é o pós-livro. Último acorde: fui filho de um jornalista, que não conheci. Vivi o ambiente bipolar em meu começo de vida, o que dava pavor diante do desconhecido incontrolável. Nasci de duas versões contrárias para compor meu próprio nome. Maduro, fui atuar com situações bipolares, com o pânico dos outros, com as batalhas de versões contraditórias. O número que eu era visto e chamava os outros, essa frieza emocional, pratiquei tantas vezes. E depois pude usá-la, para servir. Olhei muito as estranhas coisas de fora. Naquela linha do tempo que mencionei logo no início do livro, em que vamos encaixando fatos aleatórios que adquirem a forma do que descobriremos ser nós mesmos, tudo isso criou uma série de condicionamentos úteis para meu exercício profissional. Esses fragmentos fazem sentido agora vistos sob a perspectiva de uma vida? Não há melhor forma de terminar tudo isso: será?)*

# INTROITO DA EDIÇÃO **ANALÓGICA**

Este introito aparece no fim porque este livro não nasceu como livro. A rigor, não nasceu como nada. Foi um jorro, como você já viu aí atrás.

Mas a apresentação pública dele não foi feita da maneira analógica e *vintage* como esta com que você está tomando contato agora, neste exemplar.

Ele foi publicado, antes, de graça, como uma espécie de folhetim, em cinco edições do maior portal de informações do Brasil na época, o UOL.

Por que escolhi esse formato de publicação digital? Sobretudo porque não queria percorrer uma procissão já tão minha conhecida e um tanto enfadonha: a do autor que humildemente percorre uma estoica e autopunitiva procissão em redações, quase de joelhos, e clama pela reverência de iluminados que podem condenar o conteúdo para a lata do lixo ou... para as páginas das resenhas.

O grande barato é que a configuração da vida digital subverteu essa coisa toda. Antigamente (dez, vinte anos atrás, quando lancei meus primeiros livros), ou você percorria essa peregrinação em busca da benção religiosa das publicações ou você era um pagão condenado ao limbo. Os mediadores tinham o monopólio da distribuição da informação. As pessoas só poderiam saber o que você escreveu se alguém falasse disso em algum lugar. Daí, as rotativas das editoras de livros só se moveriam se os livreiros tivessem certeza de que o livro iria "acontecer". E para acontecer, aparecer um pouquinho era um empurrão e tanto. Pedidos de livrarias eram feitos com base na "visibilidade" que o livro já havia alcançado na imprensa ou no potencial que tinha de alcançar.

*(É claro que sempre havia um monstro, um fenômeno que furava essa zorra toda e subvertia essa lógica. Mas aí estamos falando de monstros e fenômenos. Na maioria dos casos, era mais ou menos desse jeito mesmo...).*

Até que... *pow*!

Isso acabou.

Decidi publicar meu livro, de graça, como conteúdo aberto no maior portal do país. Em algumas poucas horas de exposição na *home page* do UOL, conseguiria acessar mais gente do que aquela engrenagem antiga e enferrujada que até bem pouco tempo existia. Pra você ter uma ideia, num dos meus primeiros livros — *A era do escândalo*, publicado por esta mesma editora — a primeira tiragem foi de apenas 5 mil exemplares. Como teve muita mídia, muita gente comprou nas livrarias e — tchan, tchan, tchan — fui parar na lista dos Mais Vendidos. O livro teve desde então várias edições. Pois bem: no momento de maior acesso no UOL, fui acessado por 100 vezes mais leitores. Em apenas uma semana! Como dizia meu avô, é do balacobaco...

Essa publicação direta, sem passar pelos mediadores e chegando direto aos leitores, tinha outra grande vantagem: não precisaria ser "julgado" por ninguém antes de ser julgado pelo leitor. Sim, porque resenhas são sentenças feitas por especialistas sobre trabalhos alheios. Nada contra. É do jogo. Mas, no passado, elas costumavam vir antes de o leitor tomar contato com o conteúdo. Ou seja, elas podiam influenciar positiva ou negativamente o resultado da partida. Agora, o jogo é jogado dentro de campo. E a torcida aplaude e vaia na arquibancada. Mas não bate o pênalti. Acho melhor assim. Cada um na sua.

Portanto, você está lendo um livro — talvez o primeiro livro lançado na *home page* de um grande portal de notícias em nosso país. Parece novo. E certamente foi uma novidade. Mas aí é que está a beleza dessas coisas: nada mais inovador do que a sintonia com a tradição. Folhetins, livros publicados em pedaços, ao longo de edições de jornais impressos, são peças da mais genuína tradição do jornalismo/literatura. O que você está comprando é apenas a coletânea desses capítulos, assim como um dia já aconteceu com outros autores cujos livros não vou nem citar aqui porque seria de uma pretensão asquerosa de minha parte, além de não haver paralelos entre este livro e aqueles.

O que você "ganha" com a publicação deste livro nesta plataforma analógica também chamada de papel? Ganha, primeiro, a visão do todo. Ganha a visão da coletânea, digamos assim, que o leitor "pescador" da internet jamais consegue ter. Claro, ganha também uma espécie de objeto, algo para carregar, para anotar, para se afeiçoar, para presentear, para reler no futuro, para indicar para um parente, para decorar sua prateleira, para aplacar o tédio no avião. Ou seja, publicar na plataforma digital é difundir um produto. Fazer o mesmo na dimensão analógica é difundir outro produto: tem a gramatura do papel, a tipologia a ser usada, a espessura física do livro, o sentimento de propriedade. Foi um barato brincar com essas coisas.

Você ganha também alguns conteúdos especiais que não existiram na versão digital. São quatro capítulos exclusivos desta edição analógica.

A saber: primeiro, esta própria introdução. Ou melhor, "introdução", com aspas, já que vem no fim.

Segundo, o capítulo "O mais belo dia", que só aconteceu depois dos originais da versão digital estarem prontos. Além disso, faço uma discussão no capítulo "Por que a voz", sobre o tom narrativo adotado neste livro. Mais do que falar sobre uma escolha retórica, acho que deixo um registro sobre o ambiente do debate social que estávamos vivendo no Brasil desses idos do segundo semestre de 2016. Quem sabe não fique aí como um fragmento da cacofonia do nosso tempo para aqueles que no futuro voltarem para nos escutar e entender os nossos ruídos?

Por fim, graças a essa maravilha chamada internet, posso fazer uma completa auditoria de tudo que aconteceu durante a pré-publicação do livro no UOL: o que foi mais acessado, onde "apanhei" mais, como ficou meu Google antes e depois. Aí pelo meio do livro, você cruzou com uma expressão americana — *spin doctor*. São caras que a imprensa acha que distorcem o noticiário, como se o noticiário sem *spin doctors* não fosse distorcido. *Spin* quer dizer girar. O *spin doctor*, assim, giraria a realidade para apresentar apenas o lado que interessa aos seus clientes, em prejuízo dos leitores. Se eu fosse um, teria escrito este livro apenas para fazer este capítulo das métricas. Mas, juro, foi absolutamente sem querer. Palavra de *spin doctor*!

# O MAIS **BELO DIA**

## Ai...

O mais belo dia começou chovendo e cheio de nuvens negras pairando sobre os céus de Brasília.

Era a data de meu depoimento na Operação Acrônimo. Fazia um ano e quatro meses que aquele vendaval vergara minha vida. E nunca estive tão conectado, como naquelas horas, a essa energia misteriosa a que podemos chamar de destino.

O mais belo dia, na verdade, coincide com o dia do depoimento. Mas ele não se restringiu apenas a vinte e quatro horas. Foi bem maior que isso, pois envolveu emoções, dores e alegrias que antecederam ao dia em si.

Meu depoimento estava marcado para as 14 horas. Uma querida amiga minha viera de São Paulo apenas para estar comigo nas horas que precederam a audiência. Outro amigo-irmão fizera a mesma coisa. Marquei com ela às 11h e 30 no café de um *shopping*. Duas horas e meia, portanto, antes do encontro oficial.

E não é que cheguei ao café falando ao telefone celular com minha então sogra? Até aquele momento minha sogra. Só eu não sabia que não seria mais a partir daquele telefonema. Fiquei falando com ela coisas do coração. E minha amiga ouvindo, pacientemente. Foram quarenta minutos de conversa sofrida. Até que veio o tiro no peito:

**— Fiquei com minha filha essas duas últimas semanas. Ela não lhe quer mais. Não quer mais ficar casada...**

Desliguei com o sentimento de que meu dia, existencialmente, tinha virado um funil. E os meus olhos, emocionalmente, um chafariz. E minha amiga ali na frente. Paciente e generosamente vendo meu pequeno colapso. E ainda faltava a audiência do dia.

Ela me convidou para um café. Ali pelas 12h e 30 — uma hora e meia antes do depoimento — um sujeito fragilizado, mas amparado por uma amiga fiel, saiu do *shopping* depois de ter falado coisas do coração.

No caminho para o hotel, onde íamos pegar o transporte até o advogado, tarde nublada, já sem chuva, ela me fala a última frase que esperava ouvir naquela hora:

**— Me dê um beijo...**

Foi como se minha mente estivesse em milhares de rotações por minuto e sofresse uma freada súbita. Olhei aquele ser na minha frente e entendi perfeitamente a beleza de seu gesto. Senti a frequência do amor, o amor humano, o amor mais sublime.

Ela me deu um beijo fraterno. Na boca. Rápido, como o de uma enfermeira num paciente terminal.

Eu desabei em seu ombro, chorando.

**— Sinto profundamente o significado de seu gesto. Sinto que você não quis me dizer nada, mas falou tudo sem nenhuma palavra. Sinto que confortou minha**

**alma, me transmitiu algo que só sentindo é possível captar. Obrigado, obrigado...**

E continuei chorando.

**— Há dois anos eu não beijava nem recebia um beijo de ninguém...**

A máquina de racionalidade que se instalara em meu pensar tinha me trazido inúmeras conquistas, inúmeros prazeres, incontáveis alegrias de me sentir útil, eficiente, capaz de solucionar impasses curiosos. Mas tinha também me cobrado um preço: tinha, pouco a pouco, me afastado de muitos sentimentos, a começar dos meus. E fui ficando isolado em mim mesmo. Só com meus pensamentos. E o mundo em volta, cada vez mais distante. E eu distante de tudo e de todos. Tudo tem um preço e a fatura acumulada estava chegando para mim naquele dia, justamente naquele dia, o dia em que seria confrontado em meu depoimento à polícia.

Pois foi aquele macho frágil que seguiu para o encontro na delegacia, após quase um ano e meio de enorme desconsolo. Só iria descobrir, mais tarde, o quanto a implosão do macho alfa foi importante para conduzir meu destino naquelas horas nebulosas.

Se houvesse o sindicato dos racionais e o dos espirituais, acho que seria filiado ao primeiro. Portanto, não é nenhum ser muito sensível e transcendental que dialoga com você aqui.

Mas, aqui vai uma contradição, sempre acreditei em sinais. Coisas que acontecem. Palavras ditas. Ou não. Coincidências que não parecem coincidências. Algo que me aconteceu diversas vezes na vida e que me deu a sensação de que não era por acaso.

Pois naquele dia — que não era só um dia, um dia de 24 horas — percebi diversos sinais vindos de diversos lugares. Para que servem os sinais? É essa interpretação que quero compartilhar com você. Se achar piegas, tudo bem. Se for útil para alguém, já fico satisfeito.

Na semana anterior ao depoimento, me deu na telha de ir para a Europa. Avisei ao carinhoso Paulo Coelho que estaria por lá e ele me disse que fosse ficar com ele, na casa dele. Fui para Genebra. Lá, passeamos e decidi comprar uma linda caixa de gravuras feitas pela mulher de Paulo, Christina Oiticica. Era uma série de 200 peças únicas. Perguntei qual numeração deveria escolher. Ele disse qualquer uma. Perguntei quando ele tinha nascido. Ele me disse: 1947. Eu falei: 147, então!

No jantar, na casa do Paulo, horas mais tarde, estava olhando pela primeira vez o Instagram de minha ex-mulher. Estava tão distante dela que nem sabia que ela tinha isso. Lá pelas tantas, eu pergunto ao Paulo:

— Sabe quantos seguidores ela tem?
— Não...
— 147...

Coincidência? Sinal? Certamente, curioso. Na volta ao Brasil, já fora de casa, fui para um hotel. Não tinha vaga. Segui para outro, onde tinha. O nome da recepcionista de vinte e poucos anos? Marília. O nome de minha mãe, cada vez mais raro nas novas gerações. Fiquei com aquilo na cabeça.

No mesmo dia, fui avisar minha filha que estava saindo de casa. Ficamos no carro, na rua. De repente, chega uma senhora que nunca tinha ido lá: tia Juçara. Fora ela que me acolhera 35 anos antes, quando saí de uma outra casa, a casa de minha mãe. Foi muito impressionante ver tia Juçara chegando ali. Vindo me buscar de novo numa nova saída de casa?

Como interpretei tudo isso? Sinais não nos revelam caminhos corretos a seguir. Eles nos revelam apenas que estamos seguindo o caminho correto. Eles não decifram o que devemos ou não devemos fazer. Sempre acreditei que esses sinais nos mostram que aquilo que estivermos vivendo fazem parte de nosso caminho mesmo e que, portanto, não devemos nos revoltar ou resistir. Sinais servem para nos tranquilizar de que o que quer que esteja acontecendo é parte do caminho e não um desvio. E isso me tranquilizou, naquele dia.

Cheguei para depor na delegacia. Voltara a chover. Estava na Superintendência da Polícia Federal em Brasília. Estava ali de novo vivendo aquela sensação que tantas vezes sentira nos meses anteriores: era vida em tempo real, vida acontecendo, com todas as possibilidades abertas. Não eram mais apenas algumas horas de relógio. Era pra valer. Vida na veia.

Fui percorrendo os labirínticos corredores da repartição policial até chegar em ponto ao gabinete da delegada-chefe da operação, Denisse Ribeiro. Ao seu lado, a delegada Rafaela.

Lembro de, no trajeto, sentir um misto de medo, perplexidade e — confesso — uma pontinha microscópica e quase incompreensível de privilégio. Finalmente podia saber o que os meus clientes já tinham sentido, podia visualizar como numa câmera subjetiva o caminho que investigados percorriam naquelas situações, podia captar o ambiente psicológico daquele lugar e de seus personagens, podia mensurar mesmo que precariamente a adrenalina de viver uma situação como aquela. E pensei que, no futuro, isso me faria melhor, de alguma forma.

A sala da delegada era austera e de dimensões espartanas. Fui com meus advogados Aristides Junqueira e Luciana Alvarenga. Fiquei sentado entre os dois e de frente para as duas delegadas. Foram quatro horas de uma experiência muito intimista e intensa.

Iniciei fazendo um pedido. Disse que preferia fazer um depoimento "amador". Ou seja, mais informal, menos técnico, mais espontâneo. Reconheci que estava diante de autoridades policiais, representantes do estado. Por isso, pedia licença para que essa atitude pudesse ser compreendida não como desrespeito, mas como a naturalidade de alguém que não estava acostumado com aquela situação.

A delegada aquiesceu. Disse que, naquela parte inicial, eu poderia falar mais livremente. E que o depoimento propriamente dito seria tomado em outro momento.

Eu iniciei dizendo que minha aproximação com a política não tinha sido um caso fortuito. Disse que estudei jornalismo na Universidade de Brasília, que formei-me em jornalismo e ainda cobri a Constituinte de 1988. Disse que fui editor de política da revista *Veja* aos 24 anos. Que fora repórter do *Jornal Nacional*. Que ganhara dois prêmios Esso, o mais importante da minha categoria. E que então, em 1998, fora convidado para fazer uma campanha política na Paraíba contratado pela agência do publicitário Duda Mendonça. Disse que, ao final, decidira passar uma temporada de final de ano em Nova York com a minha... com a minha... a minha...

Não consegui pronunciar a frase "minha mulher".

Desabei de chorar. O macho alfa ali derreteu. Acabou. Não tinha forças nem para continuar falando.

Pedi desculpas pela choradeira, mas disse que meu casamento acabara exatamente naquele dia, o casamento que praticamente havia começado naquela viagem dezoito anos antes.

Era copo d'água praqui, lenço de papel pra lá, e uma confluência incrível do destino que dois eventos cruciais de minha vida pudessem estar transcorrendo simultaneamente.

Quanto aos aspectos técnicos e factuais, ficaram devidamente registrados no termo lavrado na ocasião.

As duas delegadas que comandaram a audiência cumpriram seu dever funcional com profissionalismo e rigor, mas foram humanas diante de um ser emocionalmente em frangalhos. Não deixaram de executar sua obrigação de inquirir com objetividade, de perquerir as minúcias investigativas, não deixaram de lado a objetividade nem o compromisso com a instrução processual. Mas demonstraram sutileza diante daquela situação inusitada para todos os presentes, inclusive para mim.

Ao final, ao fazer minhas últimas considerações, mencionei o fato de ter tido minha vida governada por duas personalidades femininas no ano e meio que antecedeu a audiência. Quando não era a delegada que decidia quanto e como emocionante seria o meu dia ou minha semana, no *front* doméstico minha então esposa incendiava a pauta das minhas emoções.

Terminei dizendo que, mais do que nunca, senti naquele tempo todo a força do destino. E o que era isso? Destino foi ter escrito *e-mails* quatro, cinco anos antes das investigações e que serviram como importantes evidências a meu favor. Eu poderia ter apenas transmitido as mesmas mensagens, por telefone, na época. E não ficariam registros. Por que mandei *e-mails*? E mais ainda: por que os guardei e não os deletei? Essa sensação de destino estava até mesmo em meu infortúnio conjugal. Isso acabou contribuindo para que o consultor, tão acostumado ao ambiente frio das teses e das racionalidades, pudesse se defender com a alma partida, com os sentimentos à flor da pele.

*(Tempos depois, participei de um evento emocionante, em Campinas, do mestre Tadashi Kadomoto, que explora diversas técnicas de auto-conhecimento, entre elas a regressão. Fui teletransportado para um medo seminal que não sentia havia 46 anos. Na casa de minha mãe, minha mãezinha querida, mas bipolar, coitada, às vezes meu único refúgio era ficar trancado no armário do meu quarto, chorando a cântaros. Acessei essa lembrança que havia ficado soterrada através do ritmo peculiar da respiração daquele menino de seis anos naquele armário escuro. Uma respiração sincopada me conectou com ele e o seu medo. O que não*

*me lembrava havia quase meio século é que aquele menino criou um ritual para vivenciar a sua dor. De repente, ele parava a choradeira sofrida e se impunha começar a sorrir. E voltava a chorar. E depois a sorrir. Estava criando ali uma de minhas primeiras máscaras. De um lado, ficavam os sentimentos, sempre assustadores. Por sobre eles, a naturalidade racional exigida pelo convívio social. Com o tempo, o menino do sorriso se impôs e o menino das emoções foi ficando longe delas. Na regressão, fui até ele e carinhosamente entrei naquele armário e disse assim: "Ei, menino, você agora pode sentir. Pode até sofrer. Eu estou do seu lado. O medo faz parte. E juntos a gente pode vencê-lo").*

É claro que o ano que eu vivera até ali me ajudara a resgatar essa garrafinha da memória que aquele náufrago menino havia mandado pelas correntezas do pensamento para o adulto que eu me tornara.

Você pode agora até se perguntar, com razão: o que essa bobageira toda de menino chorando dentro de armário está fazendo dentro de um livro supostamente de comunicação?

Acho que fui uma pessoa relativamente afortunada em termos de vivências no chamado campo profissional. Mas durante toda minha carreira foram poucas as referências que tive que me falaram de suas fraquezas, de seus tropeços, de seus fracassos, de seus medos. Eles me ensinaram muitas coisas técnicas, mas não aprendi a conectar esses ensinamentos valiosos com aspectos cruciais que fazem parte da vida também — ou melhor, são a seiva da vida. E o resultado é que temos conteúdos técnicos desconectados, enquanto em nossas vidas tudo se conecta: o grande *case* em que atuamos e o amor que perdemos ou conquistamos; o patrimônio que conseguimos juntar e o modo como nos relacionamos com nossa família; a projeção social que alcançamos e o vazio que nos invade quando perdemos o nosso rumo emocional.

Quis aqui apenas frisar que essas dimensões todas fazem parte de uma coisa só: cada um de nós. O consultor 007 que aparece no início do livro a bordo de helicópteros e jatinhos e ao lado de poderosos é o mesmo chorão que se desintegrou no dia do fim de seu casamento. Livros "técnicos" são peças de ficção. Porque quando chegamos em casa e afrouxamos a gravata não somos apenas o profissional que brilhou durante o expediente. Somos também o menino que um dia chorou de medo num armário fechado. E somos um porque também somos o outro. Deixo aqui meu testemunho, válido porque triunfei de alguma forma na floresta dos adultos.

Compartilhar apenas teses e *cases* faria deste meu relato um conteúdo técnico, mas incompleto. Quero que aqueles que sintam angústias, sobretudo os que se sentirem vencedores, não se sintam perdedores ou contraditórios porque carregam fraquezas e limitações que não combinam com seus triunfos sociais. Se muitos preferem apartar sua dimensão profissional de sua dimensão humana, isso confunde mais do que esclarece. Carreiras são parte da vida. E não o contrário. Podem chamar isso de psicologia barata. Eu chamo de vida.

Tinha vivido o meu mais belo dia. Aprendi naquela torrente de emoções que nossos medos não são vencidos com a máscara da razão. Sentir mais. Pensar menos. Foi a grande lição que ganhei: condicionei-me desde cedo para ser frio e lidar com distanciamento das emoções. Isso me ajudou muito, profissionalmente. Mas agora eu podia sentir. Muitos saem do armário a certa altura da vida. Pois eu, eu, finalmente entrei.

(Se alguém fizer alguma resenha deste livro, peço apenas uma colher de chá. Diga assim: Mario Rosa, autor de livros técnicos.)

# POR QUE
# **A VOZ?**

Por que um livro é contado de um jeito e o que isso pode dizer de seu tempo?

Pois essa foi uma pergunta que só me vi fazendo já bem depois dos originais prontos e devo um rastro da resposta a uma colaboradora essencial, a quem presto minhas mais sinceras e humildes homenagens.

A produção de um livro nunca é um esforço individual. É algo que sofre inúmeras influências. Sem dúvida nenhuma, a personalidade mais influente num aspecto crucial desta narrativa foi a consultora de Língua Portuguesa Thaís Nicoleti de Camargo, formada pela USP.

Nós nem nos conhecemos pessoalmente. Acho que só nos falamos, rapidamente, uma vez, durante este trabalho. Mas foi Thaís quem me fez ver algo que jamais enxergaria sem sua aguda percepção: por que, afinal, o texto deste livro tem o tom informal e oral que possui? E que diferença isso faz? Qual teria sido a razão de escolher essa forma ao invés de outras?

Thaís me ajudou a ir decifrando esse enigma numa longa troca de *e-mails*. Naturalmente, a "oralidade" significa uma série de agressões às formalidades gramaticais — o que provoca urticárias nos defensores da norma mais culta. O diálogo precioso com Thaís me ajudou a ir entendendo uma série de escolhas inconscientes que fiz.

Inicialmente, havia uma dúvida entre nós se devíamos ser mais rigorosos na revisão, permitindo uma escrita mais tradicional, ou se deveríamos deixar as coisas correrem mais livres, mais "erradas", digamos assim.

Eis aqui uma das primeiras mensagens de Thaís para mim. Ela tinha sido mais rigorosa na revisão. Eu pedi a ela que fosse um pouco mais flexível. Ela prontamente concordou, mas pontuou:

"Apenas me permita dizer que tomei uma e outra liberdade por duas razões:

> 1 — o texto é bastante oral e, sendo assim, pressupõe a leitura com a entonação desejada pelo autor, coisa que não há como sinalizar na escrita. Por esse motivo, foram feitas algumas inversões de ordem, que facilitam a captação da ideia para quem está lendo. Ouvindo não há esse tipo de problema, mas lendo, sim;
>
> 2 — você mesmo disse (e escreveu) que o livro saiu de um só fôlego, que você foi escrevendo conforme as ideias vinham; esse processo, embora bastante produtivo, pois permite a fluência do pensamento, deixa pelo caminho uma série de repetições ou "cacoetes" (como você diz) que, na minha avaliação poderiam incomodá-lo posteriormente; em outras palavras, entendi que meu papel fosse mais que o de corretora ortográfica (quero dizer que pequei por excesso, mas, caso não apusesse considerações dessa natureza, eu me sentiria em débito)."

Thaís não cometeu excesso nenhum. Era o papel dela mesmo.

Daí, foi minha vez de — graças à influência de Thaís — finalmente entender para mim mesmo o porque de ter feito a escolha narrativa que fiz e que permeou este livro. Devo isso a ela e registrei isso numa longa mensagem de resposta:

"Querida,

Em primeiro lugar, quero agradecer a você e louvar sua atitude. Nunca fui muito de abanar a cabeça. Sempre corri riscos e me orgulho muito de erros que cometi pelo simples fato de não ter me postado na faixa bege do conforto.

Por isso também, acho sua atitude admirável, sob todos os aspectos. Acho que você veio para interferir sim, e já interferiu apenas com sua atitude de questionamento.

Há muita coragem em tomar posição. E você suscitou um questionamento que jamais me faria: a voz narrativa inicial deveria ser ou não chancelada?

Talvez sua interferência me fizesse acatar totalmente ou parcialmente as sugestões. Você, que é do ramo, tocou bravamente num ponto que sabe espinhoso e não se acovardou na zona de conforto da mera correção ortográfica. Ao colocar sua posição, na prática me fez refletir sobre manter ou não manter a minha.

Minha reação — e sobretudo a forma como você a recebeu, generosamente — faz parte deste bailado que já estamos bailando.

Nesse sentido, sua interação não se restringe a uma mera correção. O minimalismo que vamos empregar neste caso não foi casual: foi fruto de um debate proposto por você e refletido por mim.

Você está sendo muito bacana e eu não poderia desejar uma parceira que admirasse mais — em termos de atitude. Vai mexer em vespeiro assim, hein?

Depois da sua mensagem, parei pra pensar um pouco no processo de escrita. Você tem razão quando digo que o jorro foi intempestivo. Foi sim e acho que só assim romperia as barreiras da autocrítica e da autocensura.

Mas, passados quase três meses desse jorro, o texto na sua tela foi submetido a incontáveis plebiscitos mentais. Nesse ponto, a forma foi feita às pressas, mas a avaliação sobre ela foi muito premeditada: se sobreviveu como modelo a ser preservado pelo meu corredor polonês mental é porque reflete a forma como eu racionalmente acho que esse impulso deva ser publicado. E você, com sua checagem aguda (não ortográfica, mas espiritual) confirmou em mim algo que sequer tinha imaginado que podia ser de outra forma. Por isso, acho sua audácia admirável e só tenho como dar meu testemunho: suavemente, você é um canhão de altíssimo calibre.

Não pense que é galanteio. Acho que nosso diálogo é muito mais profundo, por sua causa e por sua atitude. Pensando no que você suscitou, fiquei refletindo: quem é a voz narrativa? E por quê?

Você acerta na mosca quando identifica a oralidade do texto. Bingo! Mas afinal isso não é um depoimento? Não estamos nos dias das delações premiadas, dos vídeos do juiz Moro, dos áudios dos grampos?

O contrário disso são as petições astuciosas dos vilões, as frases calculadas dos criminalistas, as notas oficiais redundantes.

O relato, se pretende "verdadeiro" precisa mesmo ter esse tom de desabafo, de certa espontaneidade, de confusão em certos pontos, de falta de cálculo, de improviso. Essa não é uma peça acessória, mas é a essência. E graças a você, graças à reação que me causou seu questionamento, adquiri uma convicção que nem imaginava ter. Mas que agora sei que tenho, por sua causa. Isso não é uma das belezas mais sublimes de seu ofício? Ser um diapasão?

Além do que, caso fosse outra a vertente, você poderia ter apresentado um caminho a ser seguido. Você o fez, não pela mera e ditatorial vontade soberana do autor. Você me revelou algo. A sutileza de sua revisão (rever, de ver de novo) não estará na quantidade de intervenções, mas no próprio minimalismo de interferir sem interferir, na neutralidade que não seria acomodada ou casual, mas deliberada e refletida por nós, como fazemos agora.

Note que, logo no início, menciono a questão da "voz" narrativa. O DNA da oralidade identificada por você estava ali. E estamos tomando a decisão, conjuntamente, não de manter a forma original, mas de seguir e confirmar um caminho.

O fato de o texto ter surgido de um impulso não tem nada a ver com manter esse pulso original. Estamos decidindo isso.

Acho que essa forma é adequada porque contrasta com a formalidade escorreita dos discursos engendrados. Esse "clima" da narrativa não é um capricho, a partir de seu questionamento. É uma revisão de não rever.

O "consultor" passou a vida medindo palavras. Nada poderia emprestar mais autenticidade do que fazer (deliberadamente, a partir dessa constatação proporcionada por você) o tom oral.

Não é assim que se comportam os que choram e confessam diante dos microfones do juiz Moro? Não é assim que se comportam os que são gravados clandestinamente? Não é essa "naturalidade"que o público identifica nos flagrantes reveladores? Não seria essa, então, a retórica de alguém que pretende fazer um relato "fiel" nesses dias que vivemos?

Pois nada disso passou conscientemente por minha cabeça quando jorrei o livro. Mas enxergo, agora e graças a você, que esse tom de não engendramento é um dos pilares de um testemunho que se pretenda verdadeiro, feito nesses dias conturbados.

Nesse sentido, o "espírito do tempo" está impregnado, sim, na forma desse relato. Um tempo em que investidas policiais como a que vivi determinam e impactam vidas (como a minha) e moldam até mesmo o jeito de descrever esses impactos. Fosse outra a época, talvez essa forma não fosse adequada, mas este texto reverbera as ondas do território social e psíquico que o autor habitava quando o escreveu.

A forma escorreita é a retórica das petições, dos discursos perante os tribunais, de certa forma é a forma do embuste, sob o olhar desconfiado do público de hoje.

O artifício do "desabafo", portanto, confronta as formas da racionalidade e da linearidade das justificativas "formais", "racionais" e por isso mesmo de certa forma "suspeitas", nas circunstâncias esgarçadas desses tempos.

A "verdade" nestes dias está na oralidade das confissões e não nas artimanhas dos textos manipulados pelo rigor e racionalidade. Esses são o discurso dos que negam e talvez mintam.

A forma, portanto, sobretudo a forma "espontânea" traduz hoje a "verdade". A "verdade" solta a franga, é às vezes confusa, é oral, não é premeditada. Premeditada é a negação, o ardil, a estratégia fria dos autos de defesa.

Portanto, para me "defender", não apenas o conteúdo, mas a forma também fala.

Se eu fosse um manipulador escrupuloso e ardiloso, tudo isso teria sido feito seguindo uma fórmula que estaria milimetricamente balanceada na escolha das palavras e na forma de agrupá-las. A oralidade seria, assim, um recurso de manipulação previamente engendrado.

Sabemos que não foi assim. Só descobri todas essas dimensões graças a você. A decisão de seguir essa forma não é meramente burocrática ou obsequiosa à "soberania" do autor. Passa a ser, a partir de sua intervenção, uma decisão racional.

Você cumpre na plenitude o seu papel de "rever". E ao rever você revela. Poderia ter me revelado um outro caminho. Mas me revelou o caminho que segui e o porquê. Pode haver realização maior de sua parte?

Talvez minha intuição, ao escrever, tenha captado essa perspectiva que somente agora, e graças a você, eu consigo entender. O impulso estava talvez impregnado dessa intenção, inconsciente.

Quando detectada, graças a você, passa a ser uma escolha. E não apenas uma obediência autoral, entende?

Mantenha a naturalidade do impulso, com as inversões, com as "falhas" da estrutura. Elas não são apenas erros. Vejo agora que são argumentos, elementos para formar convicção, são um instrumento de um ser humano que na meia-idade abriu uma picada de frases e parágrafos movido por uma intenção não detectada, mas agora expostas em vísceras por seu questionamento.

Nos meus outros livros, o consultor aparecia obedecendo o monastério das formas redondas e das frases articuladas. Aqui, o consultor se investe da condição de "delator" e toma emprestada a retórica do espontâneo para conferir credibilidade a si mesmo e ao que diz. Ele veste o manto da oralidade, uma oralidade que em outros tempos, no distante futuro, talvez não faça sentido. Mas o autor é alguém que reverbera a retórica desses dias e a usa para tentar capturar a fé do leitor.

A forma como fala o texto não é uma forma, portanto. É um elemento essencial: é um argumento. A descrição dos fatos não estará apenas nos "fatos", mas na escolha de como apresentá-los, muitas vezes de forma invertida ou não tão adequadas aos cânones do rigor.

Jamais teria chegado a essas conclusões não fosse você.

Nosso bailado não poderia ser melhor.

Obrigado!!!

Uma coisa é fazer uma sutil intervenção plástica nos olhos de uma *top model*. O minimalismo ali é perícia, e não enfado ou auto-contenção. Já num rosto dilacerado por um incêndio a cirurgia plástica terá de ser ampla e reparadora. As cirurgias plásticas reparadoras são as notas das empreiteiras, os tratados dos criminalistas.

A intervenção sutil é a oralidade, explosiva e espontânea, às vezes confusa e sem um roteiro prévio a ser recitado.

O "consultor de crises" — que poderia ter optado pelo escorreito — procura imantar sua narrativa com os elementos até certo ponto "amadores" e impulsivos que somente os inocentes de nosso tempo podem descerrar.

Quanta beleza tem o seu trabalho.

Muito obrigado por me permitir essa confirmação.

O impulso foi feito às pressas, mas sua assimilação e conformidade são fruto de uma escolha sobre fluir as combinações do texto.

A beleza de seu trabalho estará em preservar a oralidade inicial, com todos os cacoetes.

Claro, estarei aberto para sopesar os pontos que mereçam reavaliação. Serão, se forem, bem pontuais.

Tudo de bom e no aguardo. O trabalho é interferir ao mínimo no conteúdo. Porque tanto os relatos, quanto as provas que apresento são fios de uma narrativa orgânica, sobre meu engajamento de não aderir aos pressupostos da linguagem academicamente adequada.

Obrigado e receba minha gratidão!

Mario

Daí, foi a vez dela de fazer um contraponto:

"Mario,

Muito obrigada por ser um cavalheiro, digamos assim (rs). Gostaria apenas de reforçar um ponto, que ainda parece ter ficado em uma zona nebulosa. Você opõe o estilo oral e espontâneo do desabafo a um suposto estilo burocrático do texto refletido (o texto das peças de tribunais, por exemplo). Digo "suposto" porque, do modo como apresenta a questão, parece que há apenas esses dois opostos extremos.

O que pensei, no meu atrevimento de quem gosta de escrever (não só de revisar o que os outros escrevem), é que o "eu" do livro, conquanto seja você, não é você de verdade, é uma voz narrativa, portanto pode ser literariamente estilizada. Não existe texto sem algum tipo de retórica, pois a escrita, para ir ao coração do leitor, deve trilhar caminhos que lhe são próprios, com recursos que lhe são próprios.

Você ilustra a sua escolha tomando como analogia os desabafos e depoimentos orais da Lava-Jato. Perfeito, mas temos de considerar o que chega via vídeo e o que chega via linguagem escrita. Acho que não fui muito perspicaz na minha tentativa de explicar que a linguagem oral não consegue ser reproduzida inteiramente por escrito, a menos que sofra um processo de estilização (tome como exemplo, se quiser, a literatura de outro Rosa, o Guimarães).

Dessa forma, vejo que, no seu livro, o recurso do travessão com as falas reproduzidas é muito bom. Ele se insere em momentos estratégicos, ou seja, em momentos em que a fluência da narrativa é interrompida ou, melhor dizendo, avivada por uma frase vinda do passado com toda a sua oralidade.

De minha parte, diferentemente de outros revisores, não condeno a repetição de palavras por si só, como se em si fosse um defeito. Muito pelo contrário, mas, no meu modo de ver, há momentos em que ela é a melhor solução e outros em que parece apenas que estamos falando sem compromisso. Meu receio era que, posteriormente, você criticasse um revisor que não tivesse observado esse tipo de coisa.

As inversões preservam o sentido, evitando a ambiguidade. Mas tudo bem. Tudo isso já foi dito e respeito muito o seu desejo de manter tudo como está. Entendo que seu livro é uma fala, um depoimento, mas em nenhum momento eu quis torná-lo uma peça burocrática. Só penso, cá com meus botões, que, às vezes, é preciso burilar o texto para que ele soe espontâneo e, ao mesmo tempo, cativante. Lembre-se do verso de Fernando Pessoa, aquele do poeta que é um fingidor, pois finge que é dor a dor que deveras sente!!

Abraços,

Thaís"

Finalmente, minha última troca de opiniões com ela:

"Querida,

Já discuti mais a relação com você nessas esparsas e profundas interações do que com minha ex-esposa ao longo das últimas décadas! Sinal de que fui um marido precário (como todos).

Na sua mensagem de ontem, você coloca um ponto com o qual concordo. Não vejo as coisas como mutuamente excludentes, na vida. De fato, o frescor do espontâneo não é a única maneira de expressar a verdade. E o rigor e premeditação do pensamento, na escrita, não são apenas um biombo para esconder a mentira.

Muitos, antes de nós, já usaram a aridez/precisão/rigidez do vernáculo para, assim, revelar verdades até então desconhecidas. Assim como muitos desconsideraram as fórmulas e formas apenas por falta de perícia, tendo o álibi da simplicidade para esconder suas limitações.

Assim, não enxergo (da mesma forma como você) que haja apenas dois extremos sem gradações intermediárias. Aceito, sim, sua ponderação. Acho que no esguicho de um texto frenético pode haver imperfeições pontuais que precisem ser cirurgicamente corrigidas.

No geral, estou convencido de que a "alma" do texto deve fluir da forma como concebido. Esse é o tom do narrador. E, por isso, as intervenções demasiadas podem sim desfigurar esse espírito narrativo. Ou seja, na essência eu sei que o texto está aí, na sua integralidade.

O que você coloca, e concordo, é que teremos de ter um olhar de lince para identificar os pontos isolados em que essa intenção maior — a naturalidade narrativa, a oralidade — tenha sido atravancada apenas pela nódoa da pressa.

Entendo que isso deve estar no texto, em determinadas situações. E a beleza de seu ofício estará em, aceitando a pororoca mental da narrativa, identificar onde estão os resíduos do mau vernáculo.

A meu ver, isso torna sua colaboração algo extremamente difícil e requer uma agudeza no olhar estressante.

Você não pediu a Deus para ser revisora? E mais do que isso: uma excepcional revisora?

Pois é esse o nosso desafio. Deve haver repetições de verbos que saíram apenas porque era a palavra mais fácil de apor numa determinada linha, mesmo não sendo a que podemos substituir apenas para lapidar o diamante.

Onde estarão esses excessos, essas falhas, esses aperfeiçoamentos tão necessários? Será o seu olhar que irá me guiar.

"Sei" que essencialmente, em 90, 95% dos casos o formato é adequado, mas haverá essa margem dispersa ao longo dos parágrafos que estarão clamando por uma reparação. Como intuo que serão casos pontualíssimos, será essa a sua missão, missão inglória e torturante.

O modo como iremos perceber essas peças a serem descartadas é antes de tudo arte e não ciência. Nosso leitor sairá com a eletricidade do relato, mas o nosso esforço será de identificar aqueles fragmentos redundantes ou inúteis no conjunto.

Então, seu olhar deverá se concentrar nessas frases ou palavras que poderiam ser adequadas.

Taí a pedreira que terá de burilar: manter 95% e focar nesses que serão apenas escolhas que poderemos melhorar.

Trabalhozinho encruado esse seu.

Boa sorte!

Mario"

Palavras finais de minha parceira Thaís:

"Pode deixar, rsrsrs. Fique tranquilo! Quanto à DR, acho que o casamento vai melhor sem ela!"

(*Na confecção deste livro na forma impressa, voltei a ter o mesmo embate de ideias com a revisora Marcia Benjamim. Ela, escrupulosamente, apontou as barbaridades que eu estava cometendo em relação à norma. Ponderei os meus argumentos. Ela generosamente flexibilizou*).

# SPIN
# DOCTOR

Que grande barato foi a peraltice de publicar este livro primeiro na internet e, ainda mais, fatiado, em capítulos diários!

Primeiro, porque já havia publicado três livros da maneira "convencional" e acho que seria tedioso demais repetir o que já tinha feito. Segundo, porque queria sentir a diferença entre uma coisa e outra. Acho essa solenidade dos livros impressos um tanto pretensiosa, enquanto a efemeridade de um texto que pisca durante algumas horas na tela de um portal e depois desaparece me fascinava profundamente. Sobretudo quando essa efemeridade era a minha vida narrada por mim.

Por fim, queria que o texto chegasse aos consumidores finais — você — sem que tivesse de atravessar a praça de pedágio dos mediadores, como acontece com os livros tradicionais. Ou seja, não queria resenhas, críticas, aplausos, análises, opróbrios ou panegíricos. Queria apenas mandar o meu recado e ponto final. Desse ponto de vista, acho que consegui.

Aqui, nesta edição impressa, você poderá dissecar todos os números e os impactos que minha pequena molecagem produziu. É o objetivo deste capítulo final.

Uma das primeiras providências que tomei, meses antes da publicação deste livro pelo portal UOL, foi contratar uma empresa especializada em monitoramento e definição de estratégias no campo digital para me sugerir o que fazer e como fazer e também para servir como interface entre mim e a equipe de tecnologia do portal.

Agradeço publicamente à Digitrack e a seu proprietário, Julio César de la Guardia Betancourt, um cubano simpático que conduziu tudo com eficiência, serenidade e otimismo o tempo todo.

Queria saber tudo: como estava meu Google antes da publicação do livro, ainda com as máculas da Operação Acrônimo associadas levemente ao meu nome, e como ficou depois. Que assunto entrava antes de mim (digo, do livro) no portal? E o que vinha depois?

Não é estranho sua vida ser antecedida aleatoriamente por um fato qualquer e sucedida por uma curiosidade um tanto sem sentido? Pois é assim que funciona o circo do noticiário, ainda mais no mundo digital. Claro, queria deixar registrado quantos foram os acessos, quais os capítulos mais lidos, tudo, tudinho, apenas para você saber. Num livro tradicional, isso seria impossível. Somente a insuperável capacidade de mensuração do mundo digital possibilita criar esse tipo de auditoria tão minuciosa.

Então, vamos lá: aos números!

O primeiro retorno de que a brincadeira tinha sido animadora nos foi transmitido por Irineu Machado, um dos executivos responsáveis por administrar todo o descomunal fluxo de notícias daquele que era o maior portal de informações do Brasil na época em que publiquei o livro. Ele nos mandou o *e-mail* a seguir, fazendo um balanço dos primeiros cinco dias da publicação:

"Caros Mario e Julio César,
Tudo bem?

Aqui vai um breve balanço dos números de acessos ao livro *on-line* (números da audiência acumulada até hoje).

São números muito bons:

- 562 mil visitas (das quais 194 mil via dispositivos móveis — celular, *tablets* etc)
- 392 mil visitantes únicos (140 mil via dispositivos móveis — celular, *tablets* etc)
- total de 43,8 mil horas de navegação (12,3 mil via dispositivos móveis)

O número tende a continuar crescendo diariamente, pois não era de se esperar que os internautas lessem tudo no mesmo dia em que entraram em cada *link* (é natural que eles tenham guardado os *links* para acessar em momentos de mais tempo para a leitura). Só ontem e hoje, por exemplo, tivemos cerca de 6 mil visitas nos *links* do livro, sem que eles estivessem na *home page* do UOL."

Enquanto a unidade que mede a quantidade de livros como este se chama "tiragem", no caso da internet a palavra é outra: audiência. É como comparar um copo d'água com um oceano. Lembra-se que com pouco menos de 5 mil exemplares vendidos ao longo de várias semanas meu segundo livro foi parar na lista dos mais vendidos? Pois meu "quarto" livro, na internet, em apenas cinco dias alcançou um público 100 vezes maior — e crescente.

Embora os quadros e tabelas que você vai ver daqui a pouco revelem alguma coisa dessa força da natureza que existe por trás das telas de computador e celular, a rigor é impossível medir a extensão em termos absolutos de uma iniciativa como esta. Por quê? Um exemplo: vários amigos e leitores tomaram a iniciativa de compartilhar a versão em arquivo PDF (que parece um livro, só que em formato digital) através de Whatsapp. Quantos "exemplares" foram lidos e repassados desse jeito? Ninguém nunca vai saber. Várias outras pessoas postaram capítulos em suas páginas no Facebook. E por aí vai. Sem contar que, com o ineditismo da publicação gratuita do conteúdo deste livro, qualquer um, a qualquer hora, pode ir à rede e ler o que quiser, o quanto quiser.

Além disso, dentro da estratégia de divulgação do UOL, todos os dias, havia uma chamada jornalística do livro, além da publicação do "fascículo" propriamente dito. Essa chamada fazia um resumo, longo e detalhado, dos principais temas abordados nos capítulos que estavam indo ao ar naquela ocasião. Essas resenhas tiveram milhares e milhares de acessos, não contabilizados aqui.

Este balanço, apenas da primeira semana, refere-se, portanto, exclusivamente, aos leitores do livro em si, embora a visibilidade proporcionada pelas resenhas feitas pelo *site* tenha sido colossal.

Isso, de forma alguma, desmerece seu generoso gesto, leitor, leitora, de ter adquirido este exemplar neste formato e ter, inclusive, se disposto a pagar por ele. Muito obrigado!

É que, a meu ver, são coisas totalmente diferentes, pois publicadas em plataformas diferentes. Quem lê um livro em papel almeja ou cultua uma experiência de consumo diverso daquele que clica num *link* de computador. Uma coisa é ouvir uma música de um cantor que você aprecie pela TV ou pelo rádio; outra é baixar a música no seu celular; e outra é ir ver o *show* ao vivo. Uma coisa não impede a outra e por mais que a música e o cantor sejam os mesmos, são experiências muito diferentes.

Foi muito esquisita mesmo a sensação de ter sua vida apresentada como uma mera chamada do noticiário, uma entre tantas outras quaisquer. Na verdade, senti um enorme privilégio de pertencer a essa massa amorfa chamada "notícia", que une e dá unicidade a coisas que não têm absolutamente nada a ver, embora a gente não perceba isso quando lê e talvez só se dê conta quando lance um livro num portal, como foi o meu caso.

Por exemplo: no dia em que lancei a primeira parte de meu livro, fui antecedido no mesmo espaço por uma chamada com o seguinte título: "Investigação pela PM é vetada pela Constituição". Fui sucedido por algo ainda mais fora do tema central de meu conteúdo: "Temer quer esvaziar órgão que cuida de patrimônio".

Nada mais curioso poderia ser do que na quinta parte do livro, que envolve os capítulos finais. Sabe pelo que fui sucedido como tema? Veja: “Lembra delas? Veja o antes e o depois de 65 musas da TV dos anos 1980/1990”.

Sinceramente, meu amigo, minha amiga, se você estivesse no meu lugar, não acharia o máximo essa aleatoriedade? Não veria nisso que a seriedade que às vezes conferimos a determinados temas são muitas vezes tolices que inventamos para nós mesmos e que não fazem o menor sentido no mundo real?

Na publicação da quarta parte das memórias, já tinha ficado com essa sensação quando fui sucedido pela chamada muito mais importante sob qualquer ponto de vista, a começar pelo número de acessos: “Final da Copa do Brasil: Pedro Rocha faz dois gols, quase vira vilão do Grêmio e chora”.

Memórias da vida de um jornalista não tem a importância sequer de uma boa partida de futebol. Essa é a verdade.

Sob a perspectiva estritamente aritmética, nada melhor do que o estudo realizado pela Digitrack para transmitir a você a dimensão do estrago causado pela publicação digital deste livro. Vejamos:

**DOWNLOAD DO PDF**

| *Parte* | *Downloads* |
|---|---|
| *Parte 1* | 2.828 |
| *Parte 2* | 6.901 |
| *Parte 3* | 4.935 |
| *Parte 4* | 4.973 |
| *Parte 5* | 2.691 |
| ***Total*** | **22.328** |

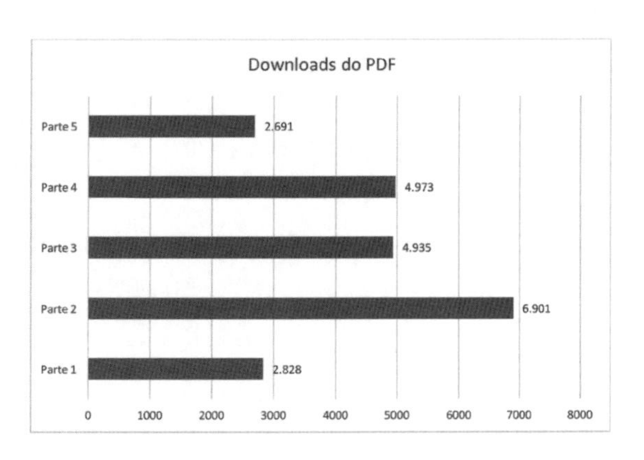


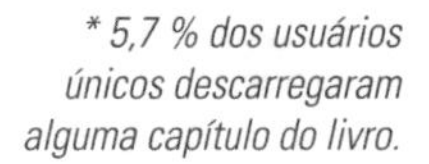
** 5,7 % dos usuários únicos descarregaram alguma capítulo do livro.*

## VISITAS

| *Canal* | *Visitas* |
|---|---|
| *Desktop* | 368.000 |
| *Mobile* | 194.000 |
| ***Total*** | **562.000** |

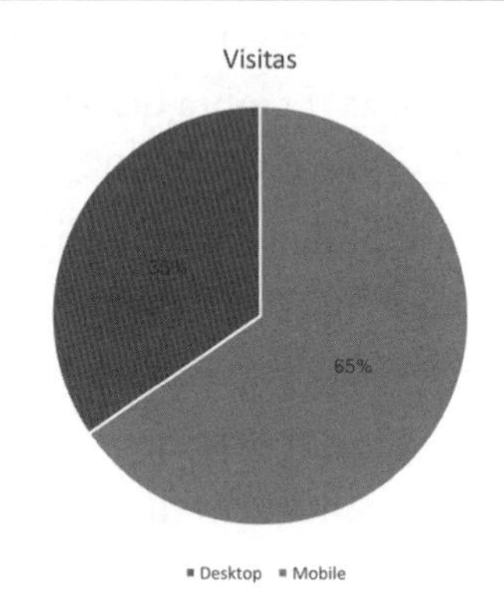


## VISITANTES ÚNICOS

| *Canal* | *Visitantes Únicos* |
|---|---|
| *Desktop* | 251.000 |
| *Mobile* | 140.000 |
| ***Total*** | **391.000** |

## HORAS DE NAVEGAÇÃO

| | *Navegação* |
|---|---|
| *Desktop* | 31.500 |
| *Mobile* | 12.300 |
| ***Total*** | **43.800** |

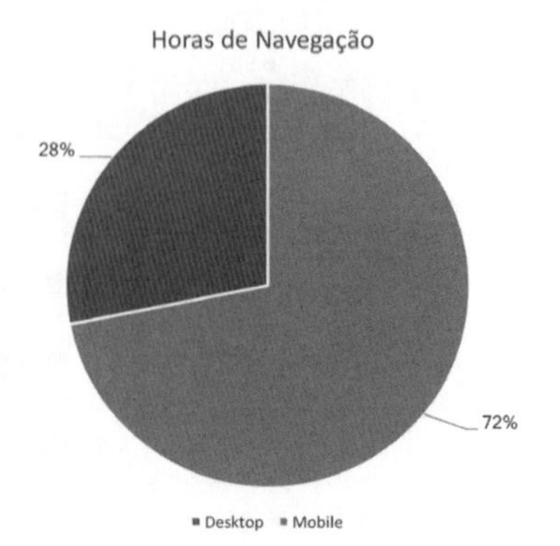

**_TOP_ 10 X TEMPO DA VISITA**

| *Ranking* | *Capítulo* | *Tempo* |
|---|---|---|
| *1* | parte-3 cachorro-grande | 00:04:13 |
| *2* | parte-2 cartola | 00:03:49 |
| *3* | parte-1 a-cerveja-e-nossa | 00:03:49 |
| *4* | parte-5 mentores | 00:03:34 |
| *5* | parte-1 cabare | 00:03:32 |
| *6* | parte-4 relacoes-perigosas | 00:03:25 |
| *7* | parte-1 o-mago | 00:03:23 |
| *8* | parte-2 icebergs | 00:03:21 |
| *9* | parte-1 na-rinha | 00:03:11 |
| *10* | parte-3 enfermaria | 00:03:02 |

**_TOP_ 10 X TEMPO NÚMERO DE VISITAS**

| *Ranking* | *Capítulo* | *Qtde. Visitas* |
|---|---|---|
| *1* | parte-3 bola-pra-frente | 106.439 |
| *2* | parte-4 consultor-de-crises | 102.302 |
| *3* | parte-2 nossos-vizinhos | 99.949 |
| *4* | parte-5 alma-ferida | 86.120 |
| *5* | parte-4 perrengue | 68.286 |
| *6* | parte-2 pai-rosa | 50.870 |
| *7* | parte-3 escandalo-meu | 40.105 |
| *8* | parte-3 cachorro-grande | 36.395 |
| *9* | parte-2 icebergs | 35.927 |
| *10* | parte-1 um-camareiro-em-versalhes | 35.179 |

**COMPARTILHAMENTOS**

| *Parte* | *Facebook* | *Pinterest* |
|---|---|---|
| *Parte 1* | 356 | 3 |
| *Parte 2* | 369 | 6 |
| *Parte 3* | 192 | 1 |
| *Parte 4* | 139 | 2 |
| *Parte 5* | 150 | 1 |
| ***Total*** | **1206** | **13** |

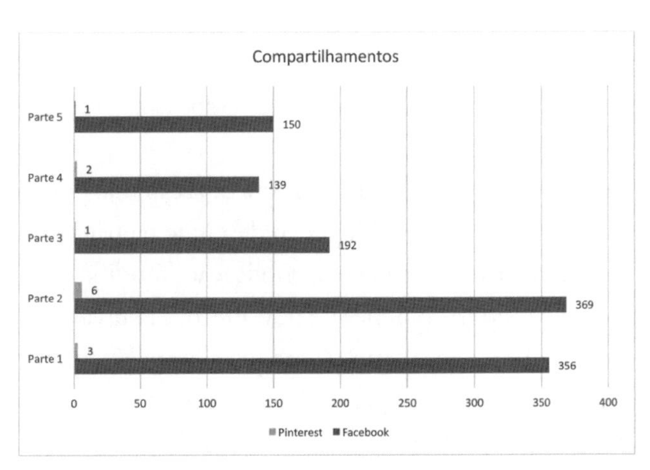


*Fonte: Report Suite: UOL Notícias — Data: Novembro de 2016*

Se eu fosse realmente um *Spin Doctor*, como aquele futuro colega que encontrei na *Folha de S.Paulo* me chamou, teria feito este livro apenas para limpar minha barra. Na verdade, fiz o livro porque achei que podia, porque achei que queria, porque achei que era engraçado fazer e não levei muito em conta os outros fatores. Os pragmatismos dos especialistas ficaram um tanto de lado. Mas se eu tivesse tido apenas isso como foco, sabe que não teria sido um completo desastre? Pelo menos é o que afirma um laudo que encomendei ao consultor externo que contratei para avaliar o *case*, meu *hermano* Julio César de la Guardia. Eis aqui o laudo que ele me mandou, depois da publicação pelo UOL do livro:

"A forma inédita como o quarto livro de Mario Rosa foi lançado pelo portal de notícias UOL, e as expectativas sobre o "conteúdo bombástico" exposto em suas páginas, foram fundamentais para a mudança de resultados nas pesquisas de internet sobre seu nome. O inusitado lançamento editorial, *on-line*, coincidiu com notícias de peso como o envolvimento do então ministro Geddel Vieira Lima, da Secretaria de Governo, com o então ministro da Cultura, Marcelo Calero. Na mesma semana, a concorrer com a chegada do livro de Rosa, a cobertura da prisão do ex-governador Sergio Cabral (PMDB-RJ) e as discussões, no Congresso Nacional, sobre o pacote anticorrupção e sobre a possibilidade de anistia ao chamado "caixa dois".

Aliado às resenhas diárias realizadas para cada capítulo pelo jornalista Fernando Rodrigues, no seu blogue, o destaque na página principal do UOL durante os cincos dias de publicação, modificou o cenário registrado pelo Google. No mês de novembro, as buscas na internet trouxeram um outro resultado. A maior relevância, anteriormente vinculando o consultor à Operação Acrônimo, passaram a destacar sua atuação na gestão de crises associadas as revelações do conteúdo, com detalhes sobre a trajetória de consultor.

Em agosto de 2016, ao pesquisar "Mario Rosa" no Google, dos três primeiros registros, dois faziam referência ao envolvimento do consultor com a Operação Acrônimo. Nos meses a seguir, se iniciou a divulgação para jornalistas de seu novo projeto: o livro *Entre a glória e a vergonha* — Memórias de um consultor de crises. O propósito do livro, além de contar suas memórias de consultor, seria a de revelar sua versão sobre os fatos apontados na Operação Acrônimo.

No mês de outubro se podia verificar que os registros antes nas posições terceira e quarta agora apareceriam na quinta e sexta da primeira página do Google. O destaque nas quatro primeiras posições já seria para o "Mario Rosa autor", com referências a "Editora Gente", "Estante Virtual" e a entrevista publicada pelo jornal *O Estado de S. Paulo* em 27 de agosto, sob o título "Eu habitei o território do escândalo".

Pesquisa realizada na internet, após essa entrevista, ampliou as expressões da busca, incluindo também "Mario Rosa Operação Acrônimo", "Mario Rosa Memórias de um Consultor de Crises" e "Mario Rosa Entre a Glória e a Vergonha". Os resultados trazidos pelo Google já demostraram a relevância do livro de memórias. A evolução da Operação Acrônimo, e outros fatores alheios à atuação de Mario Rosa, passaram a desvincular seu nome das investigações e do noticiário.

Adicionalmente a criação e publicação do verbete "Mario Rosa" para a Wikipedia, auxiliou na mudança de posicionamento na internet. O texto é repleto de *hiperlinks* (referências que viram por si só pesquisas e verbetes).

Após uma semana da publicação das memórias, uma pesquisa feita no Google, no mês de novembro, mostrava destaque total do livro *on-line* publicado pela UOL Notícias. Ainda na primeira página, nesse momento, aparece o artigo do consultor Mario Rosa no Wikipedia e nenhuma referência à Operação Acrônimo".

Nada mal. Ainda mais quando não era esse o foco principal.

Na prática, o que meu consultor estava me falando é que minha fotografia no Google tinha mudado. Inclusive porque, nas negociações com o portal, a equipe que me assessorou no campo digital fez algumas solicitações que parecem irrelevantes, mas produziram impacto imediato e positivo. Por exemplo: os *links*, aquele conjunto de palavrinhas sublinhadas que lemos quando clicamos em algo de nosso interesse e que os especialistas chamam de URL, pois bem, eles podiam ou não conter as palavras Mario Rosa. Se contivessem, isso afetaria imensamente meu Google, sem prejuízo nenhum para o leitor nem para o portal. Foi uma das solicitações técnicas feitas pelo pessoal da Digitrack, acatadas pelo portal. Um detalhezinho como esse ajudou muito a dar uma arrumada no meu Google.

Três meses antes da publicação do livro, a primeira página dele era assim: você vê que a questão da Operação Acrônimo, mesmo de leve, tinha ganhado um peso relativamente importante no resumo de minha trajetória profissional. Pode parecer pouco para as barbaridades e os escândalos que já vimos por aí, mas para alguém que vinha trabalhando duramente há duas décadas, aquela primeira página representava uma distorção da realidade. Era uma cicatriz. Pequena e talvez imperceptível para quem visse de fora. Mas nunca é para quem a carrega, finalmente aprendi. Ou melhor, senti aquilo que já sabia, mas sabia apenas teoricamente. Eis como estava:

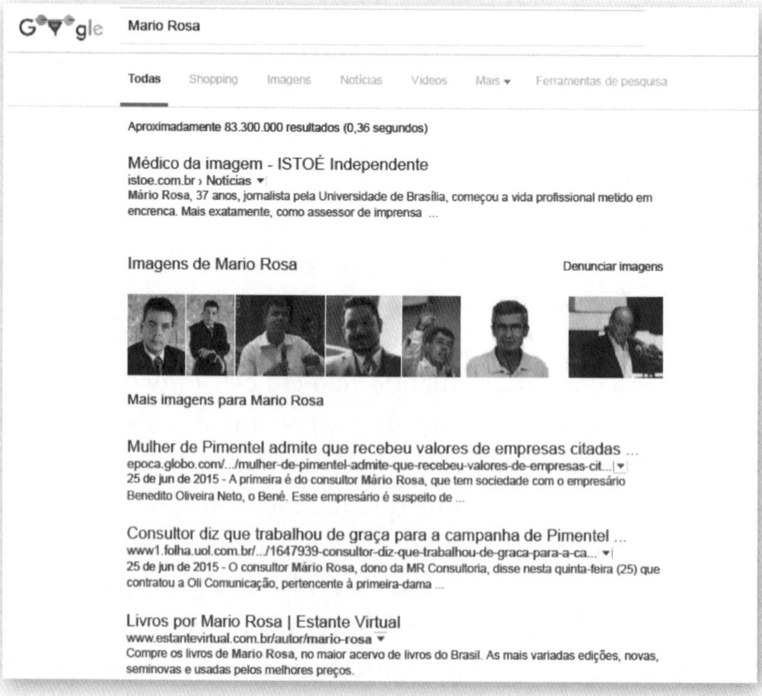


>> CONTINUA

>> CONTINUAÇÃO

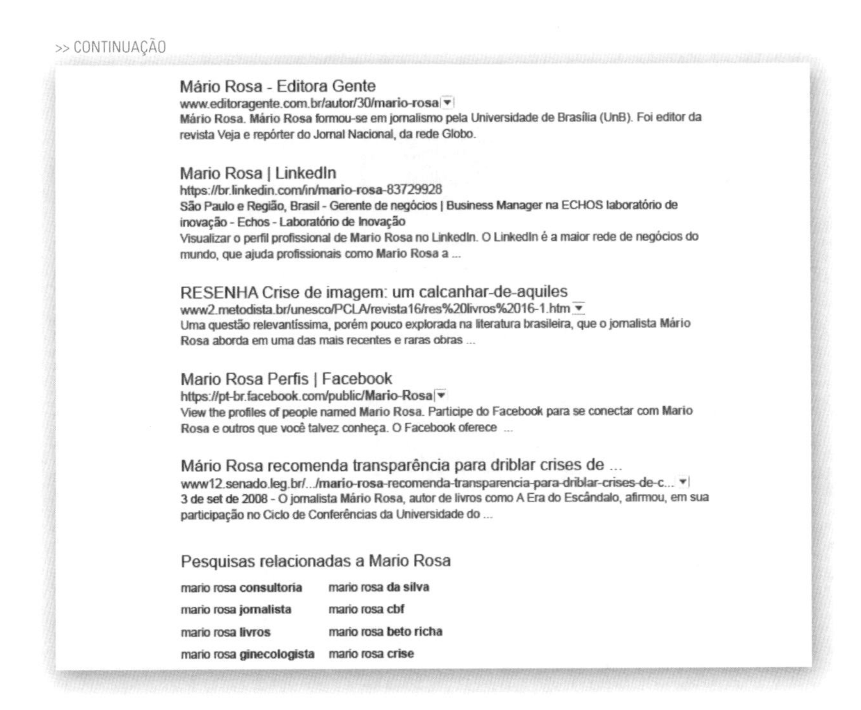

Mário Rosa - Editora Gente
www.editoragente.com.br/autor/30/mario-rosa
Mário Rosa. Mário Rosa formou-se em jornalismo pela Universidade de Brasília (UnB). Foi editor da revista Veja e repórter do Jornal Nacional, da rede Globo.

Mario Rosa | LinkedIn
https://br.linkedin.com/in/mario-rosa-83729928
São Paulo e Região, Brasil - Gerente de negócios | Business Manager na ECHOS laboratório de inovação - Echos - Laboratório de Inovação
Visualizar o perfil profissional de Mario Rosa no LinkedIn. O LinkedIn é a maior rede de negócios do mundo, que ajuda profissionais como Mario Rosa a ...

RESENHA Crise de imagem: um calcanhar-de-aquiles
www2.metodista.br/unesco/PCLA/revista16/res%20livros%2016-1.htm
Uma questão relevantíssima, porém pouco explorada na literatura brasileira, que o jornalista Mário Rosa aborda em uma das mais recentes e raras obras ...

Mario Rosa Perfis | Facebook
https://pt-br.facebook.com/public/Mario-Rosa
View the profiles of people named Mario Rosa. Participe do Facebook para se conectar com Mario Rosa e outros que você talvez conheça. O Facebook oferece ...

Mário Rosa recomenda transparência para driblar crises de ...
www12.senado.leg.br/.../mario-rosa-recomenda-transparencia-para-driblar-crises-de-c...
3 de set de 2008 - O jornalista Mário Rosa, autor de livros como A Era do Escândalo, afirmou, em sua participação no Ciclo de Conferências da Universidade do ...

Pesquisas relacionadas a Mario Rosa

mario rosa consultoria
mario rosa jornalista
mario rosa livros
mario rosa ginecologista
mario rosa da silva
mario rosa cbf
mario rosa beto richa
mario rosa crise

*Spin doctors* à parte, o fato é que a publicação *on-line* do livro foi uma avalanche sobre o meu Google. Compare agora como ficou a primeira página depois desse evento:

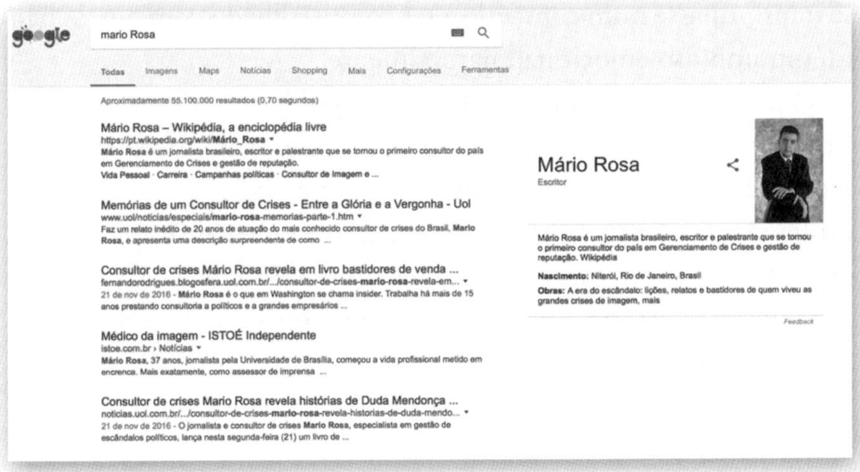

mario Rosa

Todas Imagens Maps Notícias Shopping Mais Configurações Ferramentas

Aproximadamente 55.100.000 resultados (0,70 segundos)

Mário Rosa – Wikipédia, a enciclopédia livre
https://pt.wikipedia.org/wiki/Mário_Rosa
Mário Rosa é um jornalista brasileiro, escritor e palestrante que se tornou o primeiro consultor do país em Gerenciamento de Crises e gestão de reputação.
Vida Pessoal · Carreira · Campanhas políticas · Consultor de Imagem e ...

Memórias de um Consultor de Crises - Entre a Glória e a Vergonha - Uol
www.uol/noticias/especiais/mario-rosa-memorias-parte-1.htm
Faz um relato inédito de 20 anos de atuação do mais conhecido consultor de crises do Brasil, Mario Rosa, e apresenta uma descrição surpreendente de como ...

Consultor de crises Mário Rosa revela em livro bastidores de venda ...
fernandorodrigues.blogosfera.uol.com.br/.../consultor-de-crises-mario-rosa-revela-em...
21 de nov de 2016 - Mário Rosa é o que em Washington se chama insider. Trabalha há mais de 15 anos prestando consultoria a políticos e a grandes empresários ...

Médico da imagem - ISTOÉ Independente
istoe.com.br › Notícias
Mário Rosa, 37 anos, jornalista pela Universidade de Brasília, começou a vida profissional metido em encrenca. Mais exatamente, como assessor de imprensa ...

Consultor de crises Mario Rosa revela histórias de Duda Mendonça ...
noticias.uol.com.br/.../consultor-de-crises-mario-rosa-revela-historias-de-duda-mendo...
21 de nov de 2016 - O jornalista e consultor de crises Mario Rosa, especialista em gestão de escândalos políticos, lança nesta segunda-feira (21) um livro de ...

Mário Rosa
Escritor

Mário Rosa é um jornalista brasileiro, escritor e palestrante que se tornou o primeiro consultor do país em Gerenciamento de Crises e gestão de reputação. Wikipédia

Nascimento: Niterói, Rio de Janeiro, Brasil

Obras: A era do escândalo: lições, relatos e bastidores de quem viveu as grandes crises de imagem, mais

Feedback

>> CONTINUA

>> CONTINUAÇÃO

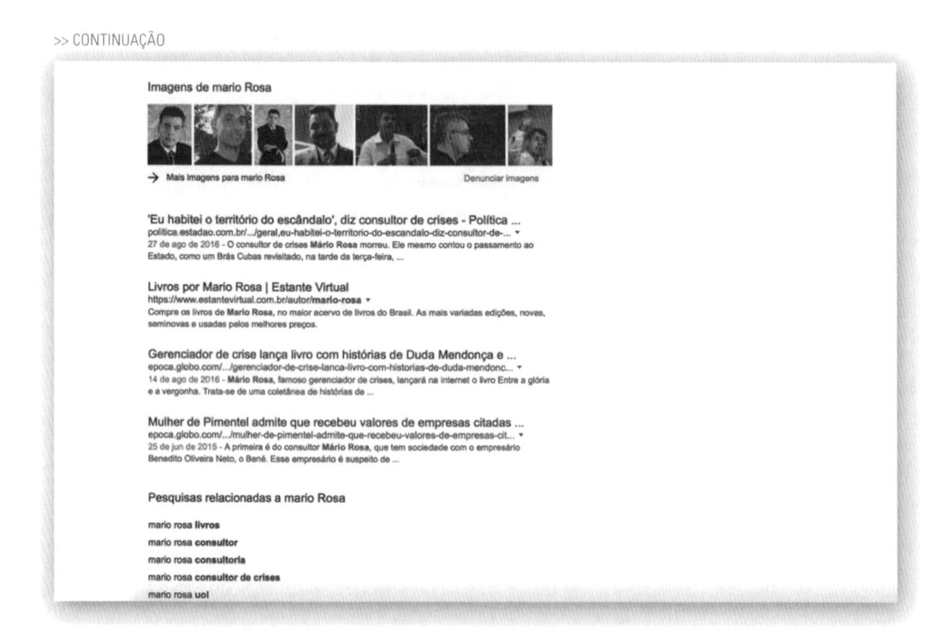

Imagens de mario Rosa

→ Mais imagens para mario Rosa

Denunciar imagens

'Eu habitei o território do escândalo', diz consultor de crises - Política ...
politica.estadao.com.br/.../geral,eu-habitei-o-territorio-do-escandalo-diz-consultor-de-...
27 de ago de 2016 - O consultor de crises **Mário Rosa** morreu. Ele mesmo contou o passamento ao Estado, como um Brás Cubas revisitado, na tarde da terça-feira, ...

Livros por Mario Rosa | Estante Virtual
https://www.estantevirtual.com.br/autor/**mario-rosa**
Compre os livros de **Mario Rosa**, no maior acervo de livros do Brasil. As mais variadas edições, novas, seminovas e usadas pelos melhores preços.

Gerenciador de crise lança livro com histórias de Duda Mendonça e ...
epoca.globo.com/.../gerenciador-de-crise-lanca-livro-com-historias-de-duda-mendonc...
14 de ago de 2016 - **Mário Rosa**, famoso gerenciador de crises, lançará na internet o livro Entre a glória e a vergonha. Trata-se de uma coletânea de histórias de ...

Mulher de Pimentel admite que recebeu valores de empresas citadas ...
epoca.globo.com/.../mulher-de-pimentel-admite-que-recebeu-valores-de-empresas-cit...
25 de jun de 2015 - A primeira é do consultor **Mário Rosa**, que tem sociedade com o empresário Benedito Oliveira Neto, o Bené. Esse empresário é suspeito de ...

Pesquisas relacionadas a mario Rosa

mario rosa **livros**
mario rosa **consultor**
mario rosa **consultoria**
mario rosa **consultor de crises**
mario rosa **uol**

Este não foi um livro sobre comunicação, embora também tenha sido. Nasceu antes de tudo como um jorro de alguém que experimentou uma série de vivências que não o transformaram apenas como profissional, mas como pessoa. Como profissional de comunicação, o que me convenceu que deveria fazer com que o jorro intempestivo se transformasse num conteúdo a ser compartilhado com outros não foi um impulso emocional, naturalmente.

O jorro nasceu de um impulso, mas a publicação dele foi de caso pensado. Você me perguntaria: por quê? Por que se expor tanto, inclusive pessoalmente? No fundo, achei que a coleção de interações profissionais que já tinha vivido era algo interessante. Mas todos os profissionais, em todas as carreiras, sobretudo aquelas abençoadas por uma trajetória bem vivida, todos têm uma série de experiências interessantes que vivenciaram.

O fato é que se eu não tivesse sofrido na pele a inusitada situação de ter pairando sobre mim a sombra da suspeição quase que certamente jamais teria me aventurado a escrever estas "memórias" do consultor. O que me convenceu foi um aspecto digamos assim estatístico: havia experimentado uma carreira estatisticamente rara, dada a multiplicidade de casos em que atuei e personagens com que interagi. Até aí, achava algo diferente, mas sinceramente não suficientemente digno de maior relevância. Mas no momento em que vivenciei eu mesmo uma parte dos dissabores que me vi confortando tantas vezes como profissional, daí achei que estatisticamente estava diante de algo realmente fora do trivial.

Era um oncologista com câncer. Era um maratonista paraplégico. Era um especialista sofrendo exatamente as chagas que deveria curar. Daí, sim eu achei: tinha uma história ali...

Não vou resistir à tentação de encerrar estas memórias sem recorrer a um tom um tanto fabuloso. É que a dinâmica do noticiário, onde se insere a comunicação, nos coloca permanentemente numa espécie de fábula do cotidiano. Vivemos duas vidas simultaneamente: a nossa vida, a vida "real", composta por nossos amigos, nossas rotinas, nossa família, nosso trabalho, nossa casa. Mas vivemos também essa outra vida, a vida das notícias, onde a guerra em lugares longínquos nos afeta, onde existe o Papa, o presidente dos Estados Unidos, o ditador sanguinário daquele país remoto, o atentado com milhares de vítimas, o desastre de avião. Essa outra vida também existe e chega até nós todos os dias e nos atinge.

É nessa vida paralela à nossa vida "real" que tomamos contato também com os escândalos e com os vilões da vez. Esse modo de viver essas duas vidas — a real e a também real, mas imaginária e trazida a nós pelas plataformas de informação — é um dos traços da modernidade. Vivemos a fábula do noticiário, enquanto vivemos a vida do dia a dia. A fábula do noticiário existe e não é invenção ou mera ficção. Mas quando a vida de uma pessoa passa a trafegar por essas duas vidas ao mesmo tempo — quando a vida dela, a vida real, passa a ser também substância do noticiário (assim como colateralmente aconteceu comigo) — aqueles que vivem essa experiência passam a habitar um território incomum, onde o real e o irreal se fundem e se confundem o tempo todo.

Se este livro tivesse sido uma fábula, talvez eu tivesse começado a escrevê-lo assim:

*"Era uma vez um sujeito que foi manipulado pela vida e, com o tempo, foi visto por alguns apenas como um manipulador. Então o que ele fez? Ele resolveu manipular o mundo todo para provar sua inocência.*

*Esta é a história deste livro. Como ele era um manipulador desenfreado, recorreu à mais apelativa das artimanhas do circo midiático: só falou de celebridades, ricos, poderosos e fuxicos de bastidor. Resultado? Deu o que falar. Daí, incorrigível, decidiu publicar suas memórias em pedaços, de graça, no maior portal do país. E aí é que estava a grande trama: só ele sabia que aquilo tudo não passava de um grande experimento. Publicou a vida em capítulos como num folhetim e, enquanto o mundo pensava que ia ficar só nisso, ele estava registrando todas as reações, tudo, tudinho, só pra contar pra você. Este livro descreve essa grande cama de gato, tendo como pretexto as memórias do consultor.*

*O nome dele era Mario Rosa. Poderia ter sido Mário Pitanga. Mas você só vai descobrir o que esse enigma significa se tiver lido o livro.*

*O importante é que você vai saber um pouco mais sobre como funcionavam as engrenagens dessa mercadoria chamada notícia. O autor vai contar tudo que lembra. O que ele não lembra ele pode até contar, um dia. Mas aí seria ficção.*

*Este livro é da mais elevada seriedade, embora não tenha o tom cerimonioso que algumas coisas sérias costumavam ter no meu tempo.*

*Mas a seriedade está na forma ou no conteúdo? A seriedade está de que lado? Quantos são os lados da notícia?*

*O autor nunca soube dar uma resposta exata sobre isso. Na verdade, teve um tempo em que até sabia, sim. Mas daí cresceu, amadureceu e ficou ignorante e cheio de perguntas para todo o sempre".*

Pude aqui descrever a moléstia com o olhar do paciente e do médico ao mesmo tempo. E, assim, pude compor um conteúdo de alguma forma diferenciado de comunicação, com reflexões com o potencial de sensibilizar aqueles que se interessam pelo tema a partir de uma perspectiva genuinamente pessoal.

Espero ter contribuído de alguma forma para que esse tema tão abstrato e tantas vezes etéreo que é a comunicação possa ter ganhado uma ou outra cor de humanidade, a mesma humanidade que os chamados livros técnicos sobre o assunto se ressentem de abordar, em nome de um cientificismo que me parece mais artificial do que nunca.

A comunicação, como tudo que fazemos, é uma atividade humana, sujeita a dúvidas, medos, falhas, contradições, por mais que os manuais tentem nos convencer das fórmulas prontas e replicáveis. A grande lição que aprendi comigo mesmo é que ter certezas demais talvez não seja suficiente e que nutrir algumas dúvidas não é despreparo nem incompetência. Assim é a vida. E a comunicação apenas faz parte dela.

Na medida em que essa vivência toda que narrei aqui foi avançando e o conjunto de aprendizado, crescimento e sensibilidades novas (mesmo em meio às dores) foram ficando evidentes para mim, fui me fazendo com frequência maior a mesma pergunta: se um dia antes do escândalo envolver minha vida, de alguma forma, por intervenção divina que fosse, eu pudesse escolher para que ele acontecesse ou não, o que pediria ao Altíssimo?

Sem dúvida nenhuma, sabendo àquela altura o manancial caudaloso de percepções, lições e transformações que aquilo tudo já provocara em mim e na vida em minha volta, nunca hesitava em responder: pediria para que tudo acontecesse exatamente como foi. Não iria querer perder a chance de ver e sentir tudo o que vi e senti.

**“AH, TEM AQUELA ENTREVISTA DE UMA PÁGINA NO *ESTADO DE S. PAULO* NO FIM DE SEMANA DO *IMPEACHMENT* DA PRESIDENTE DILMA”**

Como se não bastassem as situações inusitadas com que me defrontei durante minha crise, ainda assim foi com certo sentimento de perplexidade que vi meu caso pessoal cruzar aleatoriamente com um episódio da história do país. Exatamente no fim de semana em que a presidente da República Dilma Rousseff estava sofrendo *impeachment* do Congresso Nacional, um dos mais tradicionais jornais do país abriu uma página inteira para uma entrevista comigo. O texto saiu na editoria de política, a mais nobre, ainda mais naqueles dias. Falei sobre a publicação do livro no portal UOL e como me sentia após tudo que vivera. Não é um tanto inacreditável que eu e minha história estivéssemos no meio daquela edição naquele dia histórico? Vai entender...

## 'Eu habitei o território do escândalo', diz consultor de crises

*O mais famoso consultor de crises do país, alvo da Operação Acrônimo, narra em livro os 20 anos de ligação com o poder*

***Luiz Maklouf Carvalho*** **/ O Estado de S. Paulo**

*28 Agosto de 2016*

Dida Sampaio/Estadão

*Entre políticos para os quais Mario Rosa atuou como interlocutor estão nomes como os ex-presidentes FHC e Lula*

O consultor de crises Mario Rosa morreu. Ele mesmo contou o passamento ao *Estado*, como um Brás Cubas revisitado, na tarde da terça-feira, em sua casa de 700 m² no Lago Sul, área nobre de Brasília. Como o defunto de Machado, o de Rosa também escreveu um livro, *Entre a glória e a vergonha*, onde narra, igualmente com galhofa e melancolia, boa parte dos 20 anos em que atendeu uma centena de clientes famosos, parte deles poderosos e milionários que viviam momentos de grande dificuldade. "Eu habitei o território do escândalo", definiu Rosa ao *Estado* na agradável sala de estar com vista para a piscina. "Não houve um, entre os mais importantes, econômicos ou políticos, em que de alguma forma eu não tenha participado".

A morte deu o primeiro ar da graça quando a Polícia Federal bateu no portão de Rosa ao amanhecer do dia 25 de junho de 2015. Ele atendeu os federais ainda em camiseta e cueca, cambaleante de sono. Viu o mandado de busca e apreensão, e ouviu que o contexto era a chamada Operação Acrônimo — que investiga suposto esquema de corrupção envolvendo o ex-ministro e governador de Minas, Fernando Pimentel (PT), que nega as acusações. Em determinado momento, a consultoria de Rosa contratara a assessoria de Carolina Oliveira, mulher de Pimentel. A PF encontrou notas de pagamento de uma empresa a outra — e era essa conexão que queria checar.

"De repente, eu passei a experimentar na pele a dor e o sofrimento que estava acostumado a assistir em meus clientes", disse o Mario Rosa que sobreviveu. Depois de escolher uma bermuda entre a dúzia e meia disponível no *closet* do andar de cima, o consultor desceu, sentou-se em um dos sofás, e assistiu impassível a PF escabichar a casa, nos altos e baixos. Nem advogado chamou — e deu ao delegado, com boa vontade, todas as explicações e documentos solicitados.

O golpe de misericórdia, semanas depois, foi a incursão da PF, com mandados de busca e apreensão, em ilustres empresas clientes do consultor, atrás de documentação que comprovasse pagamentos e serviços prestados, de resto e por sorte disponíveis e comprováveis. "Tudo isso foi um choque violento, que acelerou a reflexão que eu já fazia da vida, e acabou resultando no livro", disse o ex-jornalista de 52 anos.

*Entre a glória e a vergonha* — Memórias de um Consultor de Crises tem perto de 300 páginas. Está na iminência de ser publicado no portal UOL, capítulo a capítulo, como nos folhetins em que o Brás Cubas machadiano veio à luz. Estão lá, para citar alguns casos em que Rosa atuou, a peso de ouro: Lava-Jato, Ambev, Casino *versus* Pão de Açúcar, Operação Castelo de Areia, CPIs da CBF/Nike. Dos personagens a quem serviu desfilam, entre dezenas de outros: Ricardo Teixeira/CBF, Léo Pinheiro/OAS, Carlos Pires Oliveira

Dias/Camargo Corrêa, Carlos Jereissati/Iguatemi. Entre os políticos dos quais foi interlocutor estão os ex-presidentes Fernando Henrique Cardoso e Luiz Inácio Lula da Silva, o ex-ministro José Dirceu, o senador Renan Calheiros. Entre os muito famosos, o escritor Paulo Coelho.

> "O presidente Fernando Henrique era uma águia nos detalhes. Tinha uma rede complexa de cruzamentos de informação de todos os lados. Ainda moleque, eu fazia parte colateral dela. Quando presidente, me recebia (em geral nos domingos à noite) no Palácio da Alvorada, residência oficial. Preocupado com as grandes questões nacionais, de vez em quando parava a agenda e ouvia a rádio de fofocas que existia dentro de mim. Peças difusas do quebra-cabeça de Brasília que, junto com milhares de outras, ele tinha prazer e dedicação em montar."
>
> *trecho do livro* Entre a glória e a vergonha — Memórias de um Consultor de crises

**Uma regra de ouro, entre os consultores de crise, é o silêncio. O sr. está publicando um livro em que conta boa parte dos 20 anos em que atuou como um. Por que está quebrando o paradigma?**

Porque eu tive a quebra da minha confidencialidade exposta nos autos, no contexto da Operação Acrônimo, quando quinze empresas para as quais eu trabalhei sofreram mandato de busca e apreensão. Já que os outros estavam falando de mim, eu também achei que era uma oportunidade de eu mesmo fazer isso.

**Até onde o sr. foi?**

Não faço um *striptease* dos atendimentos, mas mostro um pequeno decote do que acontece entre o fato e o fato publicado. Eu vivi nesse território durante esses vinte anos. Falo dos erros, das falhas, das fraquezas — e não sobre aquela perfeição que está nos manuais.

**Que tipo de pessoas o sr. atendeu, principalmente?**

Pessoas que estavam vivendo situações de destruição das suas vidas ou de suas empresas.

**E um belo dia, quando a Polícia Federal bateu na sua porta, o sr. também passou por momentos semelhantes...**

Eu vivi na pele um questionamento sobre o que eu era, o que fazia ou não fazia, se era um lobista, se fazia tráfico de influência, se era um operador de recursos públicos. Decidi explicar o que eu fazia, para explicar o que eu não fazia.

**Como assim?**

Eu andei ao lado de empresas poderosas, pessoas polêmicas, inimigos públicos número um. Os agentes de corrupção, os lobistas, os que fazem tráfico de influência também andam com pessoas com esse perfil. Mas eu as vivi num momento entre a glória e a vergonha — justamente o tema do livro. Eu as conheci como um motorista do Samu. Levava corpos estraçalhados para o pronto-socorro. A grande diferença entre eu e eles é que eu posso escrever publicamente sobre o que eu fiz.

**Quando a Polícia Federal bateu na sua casa o sr. também precisou de um Samu.**

Isso deflagrou em mim uma série de reflexões humanas — e não só profissionais. Eu sou um cara de meia-idade, tenho 52 anos, já vinha num processo de revisão da vida. Ter podido viver por dentro a dor que tantas vezes eu presenciei muito de perto, me deu uma visão diferente. Porque eu senti medo, fraqueza, fracasso, vergonha...

**Vergonha de quê, mais precisamente?**

Eu habitei um território social, que é o território do escândalo. De um lado, tem um vizinho que é a glória, de outro, um que é a vergonha. Eu fiquei exatamente na divisa desse território — quando alguém que vinha da glória estava se mudando para a casa da vergonha. Foi nessa faixa estreita que eu convivi com personalidades muito conhecidas, sobretudo conhecidas no pior momento da vida delas. De certa forma, em também vivi um pouquinho disso, mesmo que numa escala muito menor. Isso tornava o meu olhar estatisticamente muito raro. É esse olhar que eu tento compartilhar um pouco, fazendo muitas autocríticas, sobretudo à inflexibilidade que muitas vezes a gente tem.

**O sr. atendeu, por baixo, uma centena de pessoas famosas. Entre elas, algumas envolvidas na Operação Lava-Jato...**

Eu trabalhei para várias dessas empresas que foram acusadas na Operação Lava-Jato, empreiteiras principalmente. De alguma forma, como conto no livro, eu estive em todos os principais escândalos empresariais e muitos dos escândalos políticos que aconteceram nos últimos anos, testemunhando, participando de decisões, ou trabalhando profissionalmente. Fazia parte do meu trabalho fazer um exercício de medicina forense, que era poder olhar cadáveres ilustres e poder dissecá-los para mim. Nessas horas eu não cobrava, era eu que estava ganhando.

**Para ficar na Lava-Jato, um dos seus clientes, em algumas ocasiões, foi o empresário Léo Pinheiro, da OAS, hoje em prisão domiciliar. O que o sr. conta no livro sobre ele?**

O Léo não estava muito preocupado com a matéria do dia seguinte. Ele queria entender, muito, para onde o noticiário estava indo, que tipo de ênfase estava sendo dada pra esse ou aquele assunto. Eu falava muito menos do Léo para a imprensa e muito mais da imprensa para o Léo.

**Outro personagem da Lava-Jato — que continua preso — é o ex--ministro José Dirceu, também presente no seu livro.**

Eu acompanhei muito a vida do Zé Dirceu. Quando o conheci, como jornalista, ele era da Lava-Jato do tempo dele, que se chamava *impeachment* [do presidente Fernando Collor]. Era um dos porta-vozes da limpeza e da moralidade nos anos 1990. É curioso como em um quarto de século a história coloca os seus personagens em papéis às vezes antagônicos. Nunca tive nenhuma relação financeira ou profissional com o Zé, mas eu descrevo algumas interações que nós tivemos ao longo do tempo. É um personagem trágico.

**O sr. também conviveu, pontualmente, com alguns presidentes da República, como o Fernando Henrique, por exemplo. Ele está no livro?**

Está. Como o maior assessor de imprensa que eu já conheci.

**Em que sentido?**

Ele também exercia esse papel como presidente da República. Ia nos detalhes, queria saber tudo o que aconteceu, em todos os lugares. Eu fui, durante algum tempo, um dos seus, digamos assim, fornecedores de intrigas brasilienses. Ele tinha em funcionamento a maior rede simultânea de informações que eu jamais vi, e processava tudo. Se tivesse se dedicado a ser só assessor de imprensa, teria sido o melhor do país — independentemente das suas qualidades como sociólogo, estadista, homem que fez a estabilização da economia.

**No livro, o sr. conta algumas histórias a respeito?**

Conto. Pequenas histórias, de boas intrigas que ele fez. Más intrigas, se houve, eu não participei.

**O ex-presidente Luiz Inácio Lula da Silva também está no livro?**

Eu interagi com o presidente Lula em algumas situações — uma vez com o João Santana, várias vezes, como assessor da CBF, na campanha do Brasil para virar sede da Copa do Mundo.

**Dá para comparar o presidente Lula com o Fernando Henrique?**

São estilos completamente diferentes. O presidente Lula não é o melhor assessor de imprensa que eu conheci. É o melhor porta-voz que a presidência teve. Não era de investir na construção da relação pessoal com jornalistas. O Fernando Henrique gastava muito tempo com isso. Tanto tempo, que gastava até mesmo comigo.

**O sr. chegou a pedir favores diretamente para o presidente Fernando Henrique, em algum caso que estava na sua mão?**

Ele me ajudou em algumas interlocuções com veículos da mídia. E eu fiz algumas aproximações dele com jornalistas. O presidente Fernando Henrique via como uma variável política muito importante a operação do bastidor da imprensa. O Lula não dava essa importância a isso. Achava que o mais importante era o contato dele direto com a sociedade.

**O que o sr. conta, no livro, sobre os clientes poderosos que viveram grandes dramas?**

O que eu relato é como esses animais feridos tentaram curar as suas chagas em momentos de muita dor e de muita dificuldade. Eu conto ações reais, desesperos reais, soluções inusitadas...

**Um dos personagens, por óbvio, é o senador Renan Calheiros, que inclusive é muito seu amigo, como já público... Como é que ele aparece no seu livro?**

Tem um capítulo só com ele. O título é "Na jaula".

**Meu Deus!**

Eu o conheci quando era um jornalista do baixo clero, e ele um desconhecido político do baixo clero. Para minha surpresa, ao longo de quase trinta anos ele se transformou em senador, ministro da Justiça, presidente do Congresso. Se tornou, enfim, o símbolo da política, com tudo o que isso tem de bom e de ruim.

**E como é que ele era, nas diversas situações?**

Eu conheci centenas de Renan ao longo desse tempo. E convivi, por conta disso, com vários momentos da fera ferida, na jaula, sozinha. Conto alguns momentos de fragilidade, bastidores da política, e um pouco da personalidade dele. Eu acho que ele foi, como eu descrevo, um cadáver de almanaque, uma pessoa que me ajudou muito a treinar. Eu nunca tive nenhuma relação econômica ou financeira com ele, o que me deu muita liberdade, além da possibilidade de treinamento. Não tem nenhuma acusação feita a um político que o Renan já não tenha sofrido.

**Foi uma espécie de pós-graduação...**

Um MBA em escândalos. Eu vi todos os tipos de escândalo acontecerem ao redor dele ao longo desses anos. Posso dizer que eu o vi destruído, humano, frágil.

**Um outro personagem para quem o sr. trabalhou durante uma década foi Ricardo Teixeira, por muito tempo o todo-poderoso presidente da CBF.**

Eu dedico três capítulos a Ricardo Teixeira.

**Meu Deus!**

Aprendi muito com ele. Pude participar de um mundo fechado, o mundo dos cartolas. Tive o privilégio de poder espiar isso durante onze anos. Conto um pouco do que eu vi. Eu fui com ele a todos os continentes, participei da conquista do pentacampeonato em 2002, vivi duas CPIs, participei da vinda da Copa para o Brasil, viajei com a seleção brasileira para o Haiti...

**A maior batalha empresarial dos tempos recentes, em que o sr. atuou, foi entre os grupos Casino e Pão de Açúcar. Convidado pelos dois lados, o sr. optou pelo Casino. Como é que esse capítulo entrou no livro?**

Até hoje eu nunca vi uma batalha de comunicação que tenha sido maior do que essa. Eu me vi no meio dela durante três anos e meio. Conto os impasses, as dificuldades, os mecanismos, como é que funcionava.

**O sr. foi jornalista durante alguns anos — da revista *Veja*, do *Jornal do Brasil*, da TV Globo —, ganhou dois prêmios Esso. De repente optou pela assessoria de imprensa, depois se especializou em consultoria de crise, e, como conta, acabou ganhando dinheiro como se tivesse trabalhado 600 anos na profissão de jornalista. Como foi essa transição?**

Eu saí do jornalismo porque o jornalismo saiu de mim. Fui perdendo o gosto em criar problemas para a vida alheia, ou a ideia de que o interesse público, esse ser vago, era o meu patrão. Eu perdi a raiva, eu perdi essa vontade de matar, no bom sentido, que é essencial no jornalismo investigativo que eu fazia.

**O sr. começou como assessor de imprensa de encrencados em CPIs — Ricardo Teixeira, por exemplo — e ao longo dos anos foi se transformando, como consultor de crises, numa máquina de ganhar dinheiro.**

Isso demorou muito anos para acontecer. Foi um processo de crescimento profissional, como qualquer carreira. Eu oferecia uma pessoa com experiência, que atendia pessoalmente e exclusivamente. Isso limitava a capacidade de atendimentos que podia fazer. Tinha, no máximo, sete patrões por ano. Se a pessoa estava extremamente bem, vivendo um momento de glória, ela jamais iria me procurar. Eu só atendi pessoas que viveram problemas gigantescos, que estavam em ruínas, contra a maré da opinião pública. De algumas eu cobrava bons honorários. Da maioria, não cobrava nada. Via como um aprendizado.

**Como é que são essas pessoas muito poderosas em momentos de grande dificuldade, pela sua experiência profissional?**

Elas estão frágeis, temem e sofrem. Nesses momentos precisam ter alguém de confiança.

**O que o sr. conta no livro sobre a Operação Acrônimo e a relação com a Carolina Oliveira, hoje primeira dama de Minas Gerais.**

Tecnicamente falando: eu contratei uma jornalista que tinha uma empresa de assessoria de imprensa, nos anos que eu estava bombando. Os recursos que eu paguei a ela, por ter atendido dois dos meus trinta clientes, eram 5% do meu faturamento naquele quinquênio. Tudo com notas fiscais e serviços comprovadamente prestados. No meio da caminho essa pessoa que eu contratei se torna namorada de um ministro de Estado, no caso o Fernando Pimentel, que depois se torna o improvavelmente eleito governador de Minas, numa eleição que estava condenado a perder, e ela improvavelmente se torna primeira-dama do estado de Minas. Quando esse caso eclode [a Operação Acrônimo] — é como se eu tivesse contratado a primeira dama de Minas. Ou tivesse uma relação com o governador de Minas.

**Como foi que a situação evoluiu?**

O tempo ajuda a esclarecer essas coisas. Graças a Deus nós temos uma farta produção documental da relação profissional com ela, seja de mensagens trocadas, de contabilidade, de todas as formalidades. Mas eu concordo que num primeiro momento, quando há uma investigação, todos tem que buscar todos os caminhos para ver o que tem de errado. Eu acabei tomando uma bala perdida no meio do caminho — mas isso, a par do choque, e do sofrimento, me trouxe um ganho muito grande, pessoal e profissional. Um deles é compartilhar a experiência e a aventura desses vinte anos no ambiente etéreo do poder econômico, político, e midiático. Foi esse território cheio de perigos que eu habitei como profissional adulto. Eu não vou mais habitá-lo, porque não tenho a mesma energia.

**O Mario Rosa consultor de crises morreu?**

Aquele consultor de crises que está no livro, percorrendo todos os dias um campo minado e entrando no próximo, esse morreu.

INFORMAÇÕES SOBRE A

## GERAÇÃO EDITORIAL

Para saber mais sobre os títulos e autores
da **GERAÇÃO EDITORIAL**,
visite o *site* www.geracaoeditorial.com.br
e curta as nossas redes sociais.

Além de informações sobre os próximos lançamentos,
você terá acesso a conteúdos exclusivos
e poderá participar de promoções e sorteios.

geracaoeditorial.com.br

/geracaoeditorial

@geracaobooks

@geracaoeditorial

Se quiser receber informações por *e-mail*,
basta se cadastrar diretamente no nosso *site*
ou enviar uma mensagem para
imprensa@geracaoeditorial.com.br

**GERAÇÃO EDITORIAL**

Rua João Pereira, 81 – Lapa
CEP: 05074-070 – São Paulo – SP
Telefone: (+ 55 11) 3256-4444
*E-mail*: geracaoeditorial@geracaoeditorial.com.br

Impressão e Acabamento:

Fones: (11) 3951-5240 | 3951-5188 | 3966-3488
E-mail: atendimento@expressaoearte.com
www.graficaexpressaoearte.com.br